Avec ou sans couronne

DU MÊME AUTEUR

Louis XIV. L'envers du soleil, *Orban, 1979*
La nuit du sérail, *Orban, 1982*
Joyaux des couronnes d'Europe, *Orban, 1983*
La femme sacrée, *Orban, 1984*
L'ogre. Quand Napoléon faisait trembler l'Europe, *Orban, 1986*
Grèce, *Nathan, 1986*
Le palais des larmes, *Orban, 1988*
Le dernier sultan, *Orban, 1991*
Nicolas et Alexandra. L'album de famille, *Perrin, 1992*
Portraits et séduction, *Le Chêne, 1992*
La Bouboulina, *Plon, 1993*
Ces femmes de l'au-delà. 11 récits extraordinaires, *Plon, 1995*
Henri Comte de Paris, mon album de famille, *Perrin, 1996*
L'impératrice des adieux, *Plon, 1998*
Romans orientaux, *Plon, 2000*
La nuit blanche de Saint-Pétersbourg, *XO, 2000*
La conjuration de Jeanne, *XO, 2002*
Mémoires insolites, *XO, 2004*
Le ruban noir de Lady Beresford et autres histoires inquiétantes, *XO, 2005*
Le rajah Bourbon, *Lattès, 2007*
Le vol du Régent, *Lattès, 2008*
Voices of light, Voix de lumière, voies de lumière, illustrations d'après les œuvres de Marina Karella, *Éditions de la Hutte, 2012*
Une promenade singulière à travers l'Histoire, *Lattès, 2012*
Les mystères d'Alexandre le Grand, *avec Stéphane Allix, Flammarion, 2014*

Michel de Grèce

Avec ou sans couronne

Stock

Couverture : Le Petit atelier
Photographie : © Patrice Calmettes

ISBN 978-2-234-08518-3

From M. to M.

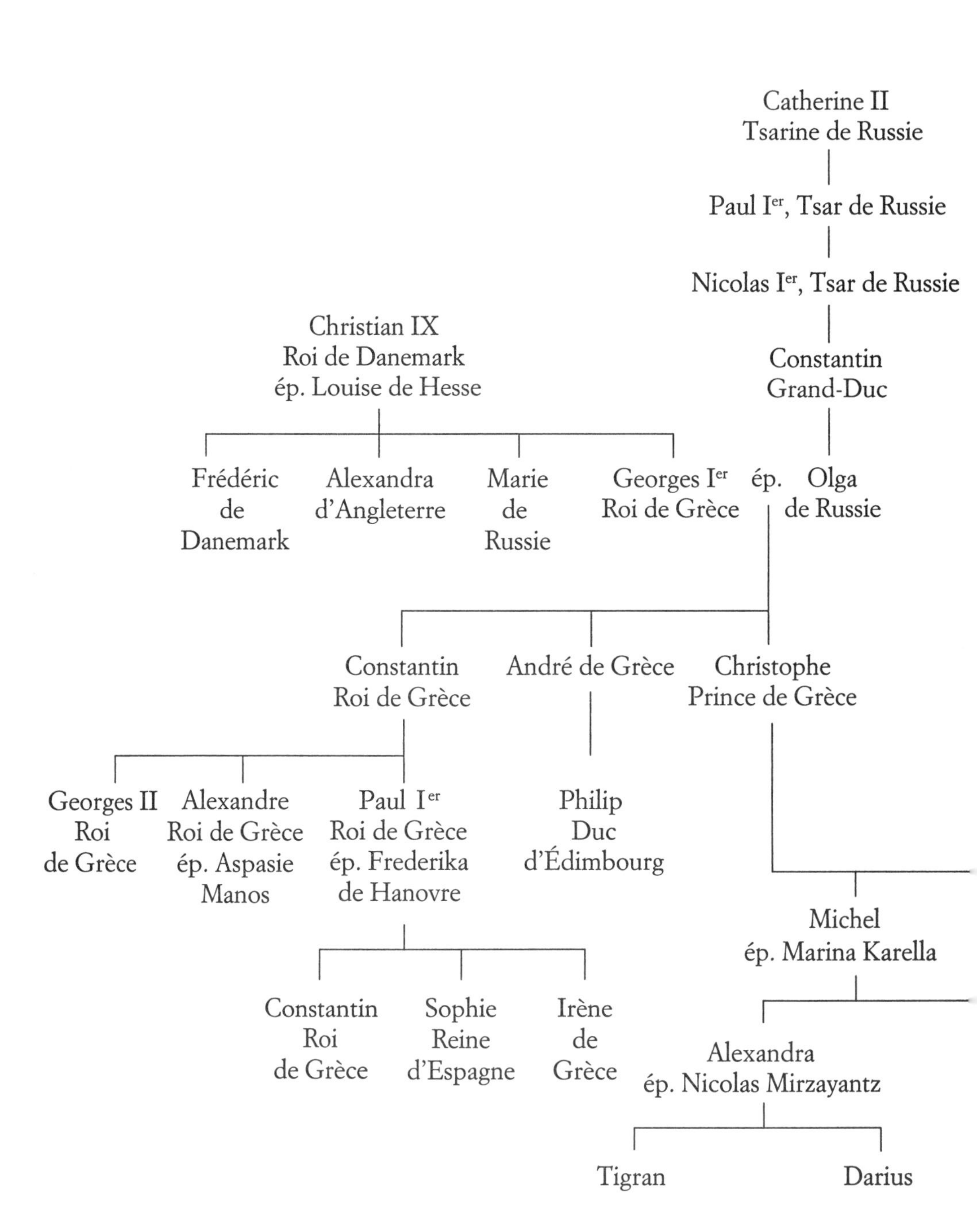
Catherine II
Tsarine de Russie
Paul Ier, Tsar de Russie
Nicolas Ier, Tsar de Russie
Christian IX
Roi de Danemark
ép. Louise de Hesse
Constantin
Grand-Duc
Frédéric
de
Danemark
Alexandra
d'Angleterre
Marie
de
Russie
Georges Ier
Roi de Grèce
ép.
Olga
de Russie
Constantin
Roi de Grèce
André de Grèce
Christophe
Prince de Grèce
Georges II
Roi
de Grèce
Alexandre
Roi de Grèce
ép. Aspasie
Manos
Paul Ier
Roi de Grèce
ép. Frederika
de Hanovre
Philip
Duc
d'Édimbourg
Michel
ép. Marina Karella
Constantin
Roi
de Grèce
Sophie
Reine
d'Espagne
Irène
de
Grèce
Alexandra
ép. Nicolas Mirzayantz
Tigran
Darius

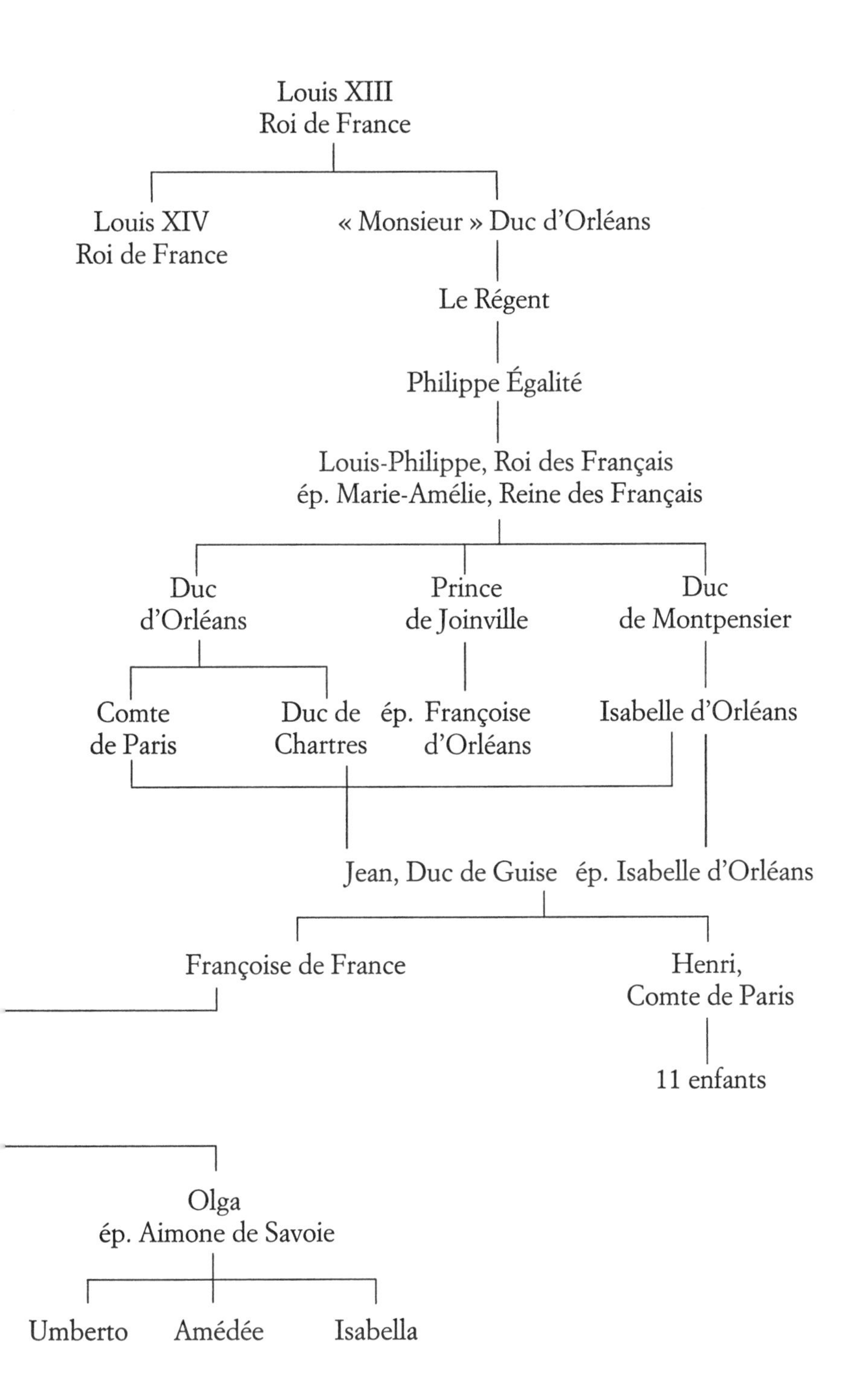
Louis XIII
Roi de France
Louis XIV
Roi de France
« Monsieur » Duc d'Orléans
Le Régent
Philippe Égalité
Louis-Philippe, Roi des Français
ép. Marie-Amélie, Reine des Français
Duc
d'Orléans
Prince
de Joinville
Duc
de Montpensier
Comte
de Paris
Duc de
Chartres
ép. Françoise
d'Orléans
Isabelle d'Orléans
Jean, Duc de Guise
ép. Isabelle d'Orléans
Françoise de France
Henri,
Comte de Paris
11 enfants
Olga
ép. Aimone de Savoie
Umberto
Amédée
Isabella

Ne laissez jamais la vérité se mettre
en travers d'une bonne histoire.

Marc Twain, d'après un ancien proverbe

Introduction

Ma vie est tissée d'Histoire et d'histoires. Or, j'aime raconter les histoires et c'est ce que je m'apprête à faire.

Je suis né juste avant la Seconde Guerre Mondiale à Rome où vivent mes parents, le prince Christophe de Grèce et Françoise d'Orléans, princesse de France. Très vite, le drame et l'aventure me frappent. Mon père meurt alors que j'ai un an. Puis la menace d'une attaque de la Grèce par l'Italie nous fait fuir Rome, de peur d'être considérés comme ennemis.

Nous nous réfugions, ma mère et moi, au Maroc chez ma grand-mère maternelle, la duchesse de Guise. Nous vivons là pendant toute la Seconde Guerre Mondiale, puis de tristes circonstances nous forcent à en partir pour nous installer à Malaga, dans un certain dénuement. Je connais ainsi l'Espagne de l'après-guerre civile, l'Espagne de Franco.

Nous arrivons à Paris en 1948. Quelques années plus tard, alors que j'ai quatorze ans, le drame frappe à nouveau, ma mère meurt d'une courte et mystérieuse maladie, me laissant orphelin.

Je suis recueilli par mon oncle et tuteur, le frère de ma mère, le comte de Paris. D'enfant unique, je deviens sans transition membre d'une famille composée de onze enfants.

Je traverse les grands événements de la France, les guerres d'Indochine, d'Algérie, l'arrivée au pouvoir de de Gaulle.

Je commence aussi à connaître pas mal de membres de mon immense parenté royale, princes et princesses venus de tous les pays d'Europe.

En France, j'achève le secondaire. J'entame mes études, à l'Institut d'études politiques. En même temps, je gagne mon indépendance financière avec ma majorité.

Puis, mes études se terminent et, ainsi qu'il est convenu depuis longtemps par mes éducateurs, le comte de Paris et mon chef de famille le roi de Grèce, je quitte la France pour m'installer dans mon pays, la Grèce, que je ne connais pas.

Avant mon départ de France, je donne une dernière fête à la maison, puis, les lampions éteints, je pars pour la Grèce. J'ai vingt et un ans.

Ainsi commence une nouvelle aventure, la première d'une longue série. Mon pays, je l'aborde avec une immense appréhension. Que se passera-t-il si je ne l'aime pas ? Que se passera-t-il si mon pays ne m'aime pas ? J'ignore tout autant comment va m'accueillir ma famille paternelle que je ne connais pratiquement pas et je me demande si elle va m'accepter comme je ne suis pas sûr de pouvoir m'adapter à elle. Cependant, l'inconnu, toujours, m'attire, dans lequel je plonge.

1

Début en Grèce et histoires de famille

En ce matin de juin 1960, une sombre voiture de Cour se trouve au bas de l'échelle de l'avion. Pas de passeport, pas de douane, pas de fouille. La voiture démarre aussitôt à vive allure. Nous traversons Athènes, puis les faubourgs résidentiels où s'alignent d'élégantes villas entourées de jardins. Elle atteint la campagne, la route se fait plus étroite et sinueuse jusqu'à un grand portail où des soldats présentent les armes à notre passage. Nous nous engageons dans une immense propriété où monte et descend le long des pentes une forêt de pins. Le chauffeur m'indique que nous suivons une route exclusivement réservée à la famille royale et à ses invités. Les tournants deviennent de plus en plus raides et les arbres de plus en plus grands, jusqu'à former des dais verdoyants. Un frisson grisant me traverse quand nous arrivons devant Tatoï, la résidence royale. Sophie, Constantin et Irène, les trois enfants du roi Paul et de la reine Frederika de Grèce, m'attendent. Nous avons sensiblement le même âge. Constantin est grand, il a l'allure d'un sportif et un sourire engageant. Sophie me touche par la douceur de son regard. Irène me fait rire par son esprit et ses taquineries. D'emblée, ils me considèrent comme un des leurs. J'ai l'impression étrange de les avoir toujours connus tant ils déploient envers moi d'affection et de chaleur. Leurs parents leur avaient simplement dit juste avant mon arrivée : « C'est un frère. » Parole qui, lorsque je l'ai apprise bien plus tard, m'a bouleversé.

On me conduit au deuxième étage, sous les combles, dans ma chambre. Elle s'étend en longueur vers une fenêtre d'où je découvre une vue qui court sur des dizaines de kilomètres. J'aperçois des forêts, des villages, au fond les cubes blancs d'Athènes, et même très loin le scintillement de la mer. Spiro, le valet qui est affecté à mon service, se présente et commence à déballer mes affaires. Je n'avais jamais bénéficié d'un tel luxe, première excitation. Ainsi débute mon existence à Tatoï. Ma première visite, je décide de la consacrer à mes parents. Je n'ai pas beaucoup de chemin à faire, je traverse la ferme du domaine, admirant la belle allure de quelques bovins. J'escalade une colline au sommet de laquelle est érigée une petite chapelle de style byzantin. Je marche lentement entre les pins, me gorgeant de lumière, de chaleur. Je hume avec délice le parfum des arbres, de la terre. Je me grise du silence.

Bientôt surgit devant moi un tombeau à la forme copiée sur ceux des sultans saadiens de Marrakech. Je m'en approche et dans le marbre je lis deux noms et deux dates. Christophe Prince de Grèce et de Danemark, 21 janvier 1940, et Françoise Princesse de France, 25 février 1953. Les grillons chantent dans les pins que caresse une légère brise, le parfum de résine monte vers moi. Je suis seul et comprends que je n'ai personne avec qui partager la tristesse de cet instant, ni frère, ni sœur. Je pense à la dernière fois que je suis venu ici accompagner le cercueil de ma mère disparue prématurément à la suite d'une courte maladie dont je n'apprendrais jamais la vraie nature. Mais ce séjour si bref et si lourd ne m'avait pas permis de m'imprégner des lieux. J'ignore alors qu'en venant vivre en Grèce je comble son vœu, celui de mon père, ce père dont je n'ai aucun souvenir. Au retour de cette première expédition, je constate auprès du roi Paul qu'« à Tatoï, les vivants, les morts et les vaches cohabitent harmonieusement ». Je ne retourne pas au panthéon familial, je ne suis pas attaché aux tombes. Je les rejoindrai probablement un jour mais je n'y pense jamais. Ni mélancolique, ni nostalgique, je préfère ériger comme sépulture le souvenir heureux des êtres que j'ai aimés plutôt que m'incliner sur une pierre froide.

La famille royale n'habite pas le Palais royal d'Athènes mais préfère ce domaine enchanteur de Tatoï créé par mon grand-père, le roi Georges Ier, à la fin du XIXe siècle. Après avoir épousé la grande-duchesse Olga de Russie, il avait acheté des milliers d'hectares boisés qui s'étendaient sur des collines au nord d'Athènes. Il y avait bâti cette villa dont l'architecture évoquait celle de la ferme de Peterhof, résidence bien aimée de la famille impériale russe où la reine Olga avait passé une partie de son enfance. À Tatoï, je découvre que le confort prévaut sur la somptuosité. Il y a quelques meubles Renaissance italienne sans grande valeur, plusieurs portraits de famille qui ne remontent pas plus haut que le début du XIXe siècle. Les ancêtres les plus rébarbatifs ont été expédiés au Palais d'Athènes, accrochés dans les salons des aides de camp et même sous l'escalier. Hormis quelques jolies pièces d'argenterie, des Fabergé et autres objets précieux, il n'y a rien d'extravagant ni de vraiment exceptionnel. Le personnel dans cette résidence de chef d'État est moins nombreux que celui de nombreuses maisons fortunées. Les personnalités dominantes en sont Pavlos, le suave butler, admirable organisateur, et celui qu'on voit beaucoup moins, Thomas, le fidélissime et discret valet du roi Paul. J'observe les extras qui servent lors des banquets officiels, ce sont des evzones[1], des soldats choisis pour leur très grande taille. L'hiver, ils endossent la livrée bleue et blanche de la Maison de Grèce, et l'été celle plus légère, rouge et argent, de la Maison de Danemark dont est issue ma famille. Lors de mon premier repas en famille, je m'installe à table, ne comprenant pas très bien le déroulé des opérations. Mes cousines m'expliquent qu'ici on a maintenu la tradition ancestrale des buffets disposés sur des tables d'acajou où chacun va se servir. Dans une ambiance décontractée, je me lève et me dirige vers les plats qui mêlent la cuisine traditionnelle grecque à la gastronomie internationale. Les vins sont grecs. Au dessert, le roi Paul fait servir un verre de mavrodaphné, un vin doux sucré qu'il apprécie. À table, je bavarde avec les membres de ma nouvelle famille, à la fois étrangère et déjà si familière. La simplicité avec laquelle elle m'accueille n'a d'égale que celle qui régit la vie quotidienne du palais. Je suis surpris,

1. Les evzones constituent le régiment d'élite de l'armée grecque. Ils proviennent directement des combattants de l'Indépendance et portent un uniforme copié sur ceux-ci : jupe blanche, sabots à pompon, veste brodée, bonnet rouge d'où pend une queue de fils noirs.

j'avais imaginé d'autres fastes, peut-être plus grandiloquents.

Malgré l'accueil affectueux que je reçois, je ne me sens pas pleinement heureux. J'ai abandonné une existence que j'aimais, des amis qui m'étaient indispensables pour des parents que je connais à peine. Naturellement, ils ont reçu une éducation totalement différente de la mienne. Cet écart, je le mesure et il me désoriente. Même la nature enchanteresse de l'Attique qui a séduit tant de poètes et de personnages illustres me rend mélancolique. Je me sens un étranger dans un environnement auquel je dois feindre d'appartenir. Aussi, alors que j'ai tout pour être envié et qu'on m'entoure chaleureusement, je me sens seul et un peu maussade. Dans une lettre, je m'épanche de mon état auprès de mon oncle Henri d'Orléans, le comte de Paris, frère de ma mère. C'est lui qui m'avait recueilli le soir même de sa mort. Je me tenais debout devant le lit où reposait son corps, oncle Henri m'avait regardé fixement et laissé le choix entre aller vivre chez ma tante, veuve et mère de trois cousines adorées, ou bien venir avec lui. Mon instinct avait répondu à ma place, alors que sa froide raideur m'effrayait, je m'étais entendu lui dire que je le suivrais. De fils unique, j'étais devenu sans transition membre d'une famille nombreuse. Six mois d'une tristesse profonde, d'une solitude sans fond puis mon sens de l'adaptation avait repris le dessus et je m'amusais comme un fou dans cette famille, pleine de vie, d'entrain où les rires ne cessaient de retentir. Nos échanges avec notre vaste parenté me permettaient d'apprendre à grimper avec agilité dans les branches tortueuses et les ramifications enchevêtrées de mon arbre généalogique. Je rencontrais aussi une variété infinie de personnalités de premier plan qui défilaient chez mon oncle, lui-même jouissant alors d'une aura respectée au sein du théâtre politique républicain. À Sciences Po, j'ai reçu une formation intellectuelle qui m'a structuré et subtilement guidé par la suite. Puis, je m'étais installé dans l'hôtel particulier que j'avais hérité de ma mère. Je donnais des grands dîners, je recevais en permanence, je jubilais de ma nouvelle indépendance. J'étais un jeune homme gâté, bercé par l'insouciance, moins occupé à donner un sens à ma vie qu'à regarder, apprendre, faire des rencontres. J'étais avide de tout, passionné par l'histoire, la musique, la littérature, les contacts, les voyages. Mes études terminées, j'étais parti pour la Grèce.

Cette angoisse sourde et la tristesse qui commence à m'envahir à Tatoï, je l'écris donc à mon oncle. Il me répond durement, me reproche sans ambages de ne me montrer jamais content de rien. Cette réponse si inattendue me blesse. Après l'affection que j'ai toujours reçue de lui pendant toutes ces années, même lorsque j'étais en tort, ce brusque changement d'attitude me laisse dans une pénible perplexité. C'est la première manifestation d'une série de déboires dans nos relations dont je vais mettre très longtemps à comprendre la cause. Par cet échange, je découvre peu à peu la réalité du caractère complexe de cet homme agité par les contradictions. Pour la première fois, je ressens de la déception à son égard. Pour autant que je m'apitoie sur mon sort, difficile de rester triste longtemps en Grèce. Ma nature profonde conjuguée à l'environnement de cette nouvelle vie excitante me fait reprendre le dessus.

À Athènes, la journée, chacun vaque à ses obligations, mais le soir est vraiment réservé à la famille. Malgré des emplois du temps chargés, le roi, la reine et leurs trois enfants réussissent à passer de très nombreuses soirées ensemble auxquelles ils me font participer. Dès que je suis changé, je descends au rez-de-chaussée, je traverse le hall orné d'un beau portrait ovale d'une femme dont la robe bleue révèle l'éclat de sa parure. Une étrange émotion me pénètre quand je scrute le regard bienveillant de ma grand-mère, la reine Olga de Grèce. Quelle mère fut-elle pour mon père ? Cela je le sais par les dires de ma mère. Elle ne savait qu'être bonne, généreuse, humaine, adorée de ses enfants et de ses petits-enfants. Elle est née dans la Cour la plus somptueuse du monde, celle de Russie. Elle a été élevée dans les plus vastes palais. Puis, elle est allée régner sur ce tout petit pays, la Grèce, cette Grèce volcanique, chaleureuse, imprévisible. Elle avait vu la dynastie grecque chassée, rappelée, rechassée. Son mari Georges Ier est assassiné, son fils Constantin perd son trône, son petit-fils Alexandre Ier meurt à la fleur de l'âge. Sa Russie bien-aimée plonge dans la tourmente révolutionnaire. Plusieurs dizaines de membres de sa famille sont assassinés, massacrés. Elle garde toujours son sourire, sa bonté, son altruisme. Elle ne reverra pas la Grèce et mourra en exil. Une fois mes songes dispersés, j'emprunte une succession de petites pièces et j'arrive dans le grand bureau du roi Paul qui s'ouvre sur le parc sur deux côtés. Il est meublé de quelques meubles Renaissance italienne. Sur le bureau, il y a en particulier le sifflet du *Standart*, le yacht du tsar Nicolas II. Sur une longue table s'étalent des magazines américains, anglais, grecs, surtout d'art. Au-dessus de la cheminée, un tableau représente le départ de mon grand-père Georges Ier de Copenhague pour la Grèce. Le canapé et les fauteuils sont confortables. Les membres de la famille arrivent l'un après l'autre. Des cocktails sont servis, des décoctions de jus de légumes, car ma famille grecque, contrairement à ma famille française, est d'une totale sobriété. La conversation s'étend aux derniers événements politiques dont on discute librement, chacun exprimant sans fard son opinion. Le roi et la reine mêlent les enfants à leurs problèmes, leurs affaires, leurs intérêts. Nous nous sentons parfaitement à l'aise pour leur poser des questions, juger les faits, donner notre avis. Je savoure avec un brin d'étonnement la liberté d'expression qui règne au sein de la famille royale grecque. Puis, on retraverse le hall pour aller dîner dans la salle à manger. Durant ces dîners intimes, je noue des liens d'une complicité jamais démentie jusqu'à aujourd'hui avec mes cousines, les princesses Sophie et Irène. L'une, avec sa sincérité et ses multiples intérêts, se montre tout aussi réservée que l'autre, avec toute sa profondeur, peut faire montre d'une hilarante exubérance.

Après le dîner, très souvent nous descendons par un petit escalier à spirale au sous-sol, dans la salle de cinéma. Été comme hiver, cette maison est comme un refuge où se dégage une atmosphère chaleureuse. Monarques régnants, le roi Paul et son épouse n'en sont pas moins simples et abordables, assidus à leur devoir, pétris de respect envers la monarchie qu'ils incarnent. Parents aimants, ils forment un couple dont les liens d'amour véritable leur assurent une entente harmonieuse. Cela, j'en suis le témoin ému, moi qui n'ai jamais vu mes parents ensemble. Au cours de ces soirées à Tatoï, le roi Paul nous initie à l'histoire de notre famille. Puisant dans les récits de ses parents et grands-parents, comme dans ses souvenirs personnels, il reconstitue un passé compliqué. Formidablement cultivé, c'est un conteur brillant, jamais à court d'anecdotes qu'il sort de son chapeau comme un prestidigitateur. Je suis suspendu à ses lèvres et je ranime par un déluge de questions le flot de ses informations lorsqu'elles paraissent devoir se tarir. La jeune génération, elle, ne s'intéresse absolument pas à la généalogie. Elle n'éprouve aucune honte à ignorer ses ancêtres. Je suis un des seuls à me pencher sur le sujet, à avoir appris par mes propres moyens à déchiffrer le langage totalement ésotérique des arbres généalogiques. Je me plonge dans l'histoire de notre famille pour m'imprégner de sa destinée aussi chaotique que celle de la Grèce depuis que mon grand-père est monté sur le trône.

Lorsque, dans les années 1830, la Grèce eut soulevé le joug ottoman et eut obtenu son indépendance après une lutte sanglante et héroïque qui lui avait valu l'admiration de l'Europe entière, elle s'était cherché un roi, orientée par les puissances qui l'avaient assistée dans son combat. Elle l'avait trouvé en la personne du prince Othon, second fils du roi de Bavière Louis Ier. Ce dernier, helléniste enragé, ne se sentit pas de joie à l'idée que son rejeton allait régner sur ce royaume légendaire. Le jeune prince débarqua à Nauplie, alors le port le plus important de Grèce et dont il était question de faire la capitale du royaume.

« Comment ? avait tonné le roi Louis Ier de Munich, Nauplie capitale de la Grèce, mais vous rêvez, tas d'ignares ! La capitale de la Grèce ne peut être qu'Athènes dont le nom retentit dans le monde entier.

– Mais, Majesté, Athènes n'est qu'une bourgade de trois mille habitants. Personne ne veut d'Athènes comme capitale.

– Ce sera Athènes ou rien. »

C'est ainsi qu'Athènes est devenue la capitale que l'on connaît et où la monarchie s'ancra. Arrivé tout jeune en Grèce, le roi Othon avait essayé de remettre de l'ordre dans le chaos. Il pensait que la monarchie absolue serait la solution, qu'il fallait se montrer autoritaire pour régner sur la Grèce en oubliant qu'elle avait été le berceau de la démocratie. Au bout de trente ans de bons et loyaux services, les Grecs l'avaient remercié au cours d'une révolution sans effusion de sang. De nouveau ils avaient dû se trouver un roi. Plusieurs candidats déclinèrent l'offre, ce qui n'était pas flatteur pour la Grèce, mais à l'époque elle avait la réputation d'être un pays plutôt instable. Parmi ceux qui avaient refusé avec dédain l'offre de la couronne se trouvait l'archiduc Maximilien d'Autriche, qui plus tard accepta pourtant celle encore plus fragile du Mexique. Erreur fatale car en Grèce on ne fusille pas ses souverains comme le Mexique le ferait avec Maximilien, on se contente de les chasser. C'est alors que mon grand-père entra en scène. Une députation grecque arrive à Copenhague et demande au roi régnant de Danemark s'il accepterait que son neveu, le prince Guillaume, s'en aille régner chez eux. Le roi ne demande pas son avis audit neveu et accepte. À l'époque, le prince Guillaume était un jeune homme de dix-huit ans qui n'aimait que sa famille, son Danemark et la Marine où il servait. Pas question cependant de s'opposer aux volontés de son oncle et souverain. Il fut forcé d'accepter. La légende familiale raconte une bien jolie histoire. Le prince Guillaume pour le déjeuner allait s'acheter près de l'École de Marine un sandwich au hareng qu'il dégustait sur un banc d'un parc voisin. Un jour, alors qu'il engloutissait son déjeuner, son regard se posa sur le journal qui avait servi d'emballage et il y lut que le roi son oncle avait accepté pour lui la Couronne de Grèce. C'est ainsi que, de la façon la plus fortuite, il connut son destin.

Seulement, voilà, cette jolie histoire tient plus du mythe que de la réalité. Ce n'est que récemment que j'ai appris la vérité. La ravissante sœur préférée de Guillaume, Alexandra, se trouva fiancée au prince de Galles. L'excitation de la famille danoise fut immense de se rendre pour ce mariage prestigieux à la Cour de la doyenne des monarques, la plus révérée, la reine Victoria. À Londres, la tribu danoise est invitée de réception en réception. Guillaume a dix-sept ans, il est intimidé, il connaît peu de monde parmi cette foule brillante, admirablement parée, qui caquette joyeusement. Il est là dans un coin, tout seul, à regarder les autres lorsqu'un homme imposant s'approche de lui et, de but en blanc, lui demande : « Dites-moi, vous plairait-il de devenir roi de Grèce ? » Guillaume, sans hésiter, répond « oui » d'une voix forte. L'homme s'éloigne. C'est lord Palmerston, le Premier Ministre d'Angleterre. Le Royaume-Uni est une des trois puissances protectrices de la Grèce et, depuis des mois, Palmerston s'occupe à trouver un remplaçant au roi Othon. Devant tant de refus, il commence à désespérer. Et voilà que ce soir-là, son œil est tombé sur le jeune Danois. Dieu sait ce qui a pu l'inspirer. En tout cas, inspiration céleste il y eut. Entre-temps, Guillaume avait couru raconter ce qui venait de lui arriver à sa mère, l'ambitieuse princesse Louise. Elle sursauta de bonheur à l'annonce que son fils allait peut-être devenir roi de Grèce. Elle approuva de toutes ses forces, de tout son cœur, de toute son ambition le projet. « Mais, surtout, ne dis rien à papa. » Elle avait peur que son mari, le futur Christian IX, s'opposât à ce projet trop risqué et, pendant des mois, elle tira toutes les ficelles qu'elle pouvait et elle avait un grand talent pour ce sport. Elle sut solidifier le vœu de lord Palmerston qui avait convaincu les autres puissances autour de son fils Guillaume, et lorsque la délégation grecque arriva à Copenhague pour offrir à celui-ci le trône grec, la mère Louise comme le fils Guillaume n'eurent plus qu'à accepter en feignant la plus grande surprise.

Laissant derrière lui tout ce qu'il aimait et à quoi il était attaché, mon grand-père s'embarqua pour Athènes en 1863. Il avait tout juste dix-huit ans en arrivant dans le port du Pirée où tout le monde chuchota que son règne serait court. D'abord la Grèce connaissait chroniquement une situation explosive et on se demandait comment un jeune Danois sans expérience s'en tirerait. Mais plus profondément, la monarchie ne dit rien aux Grecs. Ils n'ont pas de sentiments antimonarchiques, ils ignorent simplement ce que c'est. Ils ont inventé la république dans l'Antiquité et n'ont jamais eu de réelle ferveur royaliste. Leur opinion sur le régime monarchique se concentre sur le personnage qui l'incarne. Les Grecs sympathisent ou ne sympathisent pas, apprécient ou n'apprécient pas, respectent ou ne respectent pas leur roi et ils le lui font savoir systématiquement. Malgré les sombres prédictions, le prince Guillaume de Danemark devenu le roi Georges Ier de Grèce devait rester sur le trône pendant cinquante ans, record absolu de longévité politique en Grèce. À peine aux affaires, il avait commencé par se marier et fonder une dynastie. Il avait fait le tour des cours à la recherche d'une épouse. En Russie, il était tombé amoureux de la très jeune grande-duchesse Olga, petite-fille du Tsar Nicolas Ier de Russie. Elle était ravissante et apportait dans sa dot le soutien non négligeable de la Russie. Il l'avait épousée et lorsque la toute nouvelle reine Olga était arrivée en Grèce, la Cour célébra ses seize ans ! Un soir lors d'un bal de Cour, on l'avait perdue.

« La reine est en retard ?

– Mais non, Sa Majesté ne se trouve pas dans ses appartements.

– Mais où donc est-elle !? »

Des recherches avaient été entreprises dans le palais, sans résultat. On commençait à s'inquiéter lorsqu'un valet trouva la reine de Grèce sous l'escalier. Elle tenait ses poupées serrées contre elle et pleurait à chaudes larmes. La petite fille qu'elle était encore n'avait aucune envie de régner. La reine Olga s'avérera par la suite une souveraine respectée et aimée de tous dont la bonté et l'altruisme seront unanimement salués.

Georges Ier perdit certaines guerres, il en gagna d'autres, principalement contre la Turquie ottomane. Mais surtout, il avait une sorte de génie pour la diplomatie secrète, considérant les affaires étrangères comme son domaine réservé. Il avait la chance que ses sœurs aient épousée l'une le roi d'Angleterre, l'autre l'empereur de Russie. Ces potentats se retrouvaient annuellement au Danemark pour des vacances sous l'égide du patriarche de la famille, le vieux roi

Christian IX. Tout en prenant le thé dans un salon rococo ou en se promenant dans un parc avec ses beaux-frères, Georges Ier arrivait toujours à leur soutirer quelque avantage pour la Grèce. À la fin de son règne, il avait réussi à presque doubler la superficie de son royaume. Bien que respecté, Georges Ier n'était pas forcément populaire car les Grecs le trouvaient trop habile. Je l'admire justement pour cette qualité qui lui avait permis de mener sa barque au milieu de dangereux et nombreux écueils. Je l'admire aussi pour son cynisme souriant qui l'avait fait résister à toutes les crises, à toutes les épreuves. Plissant les yeux, tirant sur ses longues moustaches, il restait impassible en toutes circonstances, et sans qu'on le remarquât, il mettait fortement la main à la pâte.

Le roi Georges et son entourage venaient camper à Tatoï à la grande joie de la famille, mais peut-être pas à celle des membres de la Cour, forcés de les suivre, car le confort ne régnait pas encore en ces lieux. La reine Olga avait une Grande Maîtresse de Cour particulièrement dévouée, pas très belle, plus très jeune et qui parlait le français, le langage des Cours, avec un fort accent grec. Un matin, le roi Georges la voyant arriver au petit-déjeuner lui demande aimablement :

« N'avez-vous pas passé une trop mauvaise nuit, madame Théokaris ? »

La dame s'effondre dans une révérence, puis réplique :

« Oh non, Mazesté, z'ai dormi sur deux matelots et sous un mousquetaire ! » Où avait-elle trouvé deux matelas et une moustiquaire dans ce chantier… ?

Georges Ier, lorsqu'il approcha du cinquantenaire de son règne, s'autorisa à se sentir las. Il annonça son intention d'abdiquer très prochainement en faveur de son fils aîné pour pouvoir enfin cultiver en paix son jardin. Un matin, alors qu'il marchait dans une rue de Salonique, un quidam s'approcha et lui tira plusieurs coups de revolver dans le dos. Son assassin arrêté immédiatement fut retrouvé le lendemain pendu dans sa cellule… Jamais on ne sut ses motifs ou si ce déséquilibré avait eu des commanditaires. Mon grand-père qui avait tant fait pour la paix et la stabilité de la Grèce mourut de la plus traîtresse des manières, ce qui ajouta une aura singulière à sa légende. Cet homme charismatique, au maintien extraordinairement royal, tient une place à part dans mon panthéon familial personnel. Il m'impressionne par son action en faveur de la Grèce et au bénéfice de son peuple qui lui était parfaitement étrangers jusqu'à son intronisation.

À mesure que je m'immerge dans ma nouvelle famille, je découvre une galerie de personnages assez fascinante pour le jeune homme curieux que je suis. Un jour, alors que je me trouve à Tatoï, la reine Frederika m'annonce que « tante Aspasie » vient déjeuner. Elle ne semble pas ravie alors que je trépigne d'impatience de rencontrer cette figure légendaire dont j'ai tant entendu parler. J'arrive en avance au salon et je trouve, attendant calmement, une femme, plus très jeune certes, mais sans âge. De l'allure, beaucoup de courtoisie, je distingue que cette femme du monde a été une grande beauté. Je la scrute et devine en elle des douleurs enfouies que ni son aimable sourire ni son regard pétillant ne peuvent dissimuler. La famille se montre parfaite envers elle et pourtant je sens une réticence que je ne m'explique pas, des regards en coin, des allusions et un soulagement presque affiché lorsqu'elle repart. Je ne devais plus jamais la revoir à Tatoï. À l'origine de ce malaise, l'histoire tragique de cette femme. Au roi Georges Ier avait succédé son fils aîné Constantin Ier, le frère aîné de mon père. Jamais aucun membre de la famille n'avait été aussi populaire. Général en chef des armées grecques, il venait de donner au pays les provinces du Nord, l'Épire et la Macédoine.

La Première Guerre mondiale éclata quelques mois après, au début les Alliés tinrent la Grèce à l'écart. Puis ils firent pression sur le roi Constantin pour qu'il se joigne à eux. Son gouvernement abondait dans ce sens. Son gouvernement, c'était Éleuthère Vénizélos. Ce brillantissime politicien venu de Crète avait, depuis des années, pris une place de plus en plus grande dans la politique grecque. Premier ministre sous Georges Ier, il avait continué de l'être sous son fils. C'était un homme infiniment intelligent, infiniment cultivé, ambitieux au-delà de toute mesure et redoutable en ce sens qu'il ne reculait devant rien. Au début, il s'était parfaitement entendu avec Constantin, et pendant les guerres balkaniques où Constantin avait commandé les armées grecques, ils avaient été des amis, des complices, mais la Première Guerre mondiale les jeta l'un contre l'autre car Constantin, auquel les Alliés refusaient les garanties nécessaires, voulut rester neutre. Du coup, une campagne de propagande, probablement orchestrée par Venizélos, l'accusa d'être germanophile parce qu'il avait épousé la sœur du Kaiser Guillaume II. On oubliait que la reine Sophie était, depuis des décennies, brouillée avec son impérial frère.

Les choses s'envenimèrent au cours de l'année 1917. Vénizélos insiste pour que Constantin engage le pays dans la guerre au côté des Alliés. Constantin, chef d'une monarchie démocratique et parlementaire, doit obtempérer, mais il est persuadé que cette voie sera désastreuse pour son pays. Que faire ? Obéir à la Constitution contre les intérêts nationaux, ou défendre les intérêts nationaux contre la Constitution ? Constantin choisit la seconde voie et s'entête. Je me suis souvent demandé ce qu'il aurait dû faire, ce que j'aurais fait à sa place. Après mûre réflexion, je pense qu'il aurait dû se plier au vœu populaire et au choix de son gouvernement quel qu'en fût le prix. Les Alliés, eux, s'énervèrent.

Les Français s'en mêlèrent. Leur flotte arriva au Pirée et bombarda Athènes. Dans un mur du Palais royal resta fichée une de leurs bombes qui n'avait pas éclaté. Un mystérieux incendie éclata à Tatoï, la forêt entière fut bientôt en feu. Elle encerclait la demeure de Constantin et de sa famille. Ils durent courir, le roi, la reine, leurs enfants traînant et portant ceux qui étaient en bas âge à travers la forêt. Heureusement Constantin en connaissait tous les sentiers. Lui et les siens manquèrent être brûlés vifs mais échappèrent à la mort par miracle. On découvrit non loin de là des bidons d'essence. Un gouvernement séparatiste grec se forma à Salonique. Devant cette situation intenable, Constantin abdiqua. Il fut obligé de quitter le pays avec sa famille.

Toute sa famille sauf son second fils, Alexandre. Le gouvernement grec et les Alliés l'ont mis sur le trône. Alexandre a vingt-quatre ans et il se retrouve seul en Grèce. On le laisse à peine communiquer avec ses parents, avec ses frères et sœurs envoyés en exil. Le jeune souverain est entouré des ennemis de sa famille qui lui répètent du matin au soir des calomnies sur les siens. Les espions rapportent ses moindres gestes, ses moindres paroles. De plus, il occupe le trône qu'il sait appartenir légitimement à son père. Dans son désarroi, Alexandre n'a pour seul soutien qu'une jeune fille qu'il a rencontrée deux ans plus tôt et dont il est tombé éperdument amoureux, Aspasie Manos. Elle est extraordinairement belle, fine, racée, intelligente et dotée d'une forte personnalité. Elle appartient à l'aristocratie grecque dans un pays qui n'en a presque pas. Ses ancêtres étaient princes de Samos. Elle n'est pas pour autant princesse et de son exil la famille d'Alexandre s'oppose au mariage avec Aspasie. Alexandre continue donc d'être malheureux, tiraillé entre les politiciens, les Alliés et autres ennemis de son père. Mais il a trouvé l'amour, Aspasie est devenue sa soupape, sa planche de salut. Il insiste pour l'épouser. Maintenant, c'est Venizélos qui s'y oppose. Pour le roi qu'il s'est choisi et qu'il a mis lui-même sur le trône, il veut un brillant mariage avec une princesse étrangère à la prestigieuse parenté. Alors, Alexandre saute le pas et, sans demander l'autorisation à personne, il épouse Aspasie en catimini.

Les voilà comblés car Aspasie tombe enceinte. Cet enfant qui va naître, c'est le rayon de soleil au milieu de cette sombre période. Alexandre et Aspasie, enceinte de trois mois, résident à Tatoï. Un matin, le roi va faire quelques pas dans le parc pour sortir son chien préféré. Il s'approche de la cage où est enfermé un grand singe qu'on lui a offert en cadeau quand soudain le singe réussit à s'échapper et attaque le chien. Alexandre s'interpose mais le singe le mord à la main. Les deux animaux sont maîtrisés et Alexandre revient précipitamment à la maison car il ne se sent pas bien. La morsure du singe entraîne une septicémie. Alexandre meurt au bout de quelques jours, il vient à peine de fêter ses vingt-sept ans.

Le roi Alexandre mort, le gouvernement grec autorise le personnage qu'il juge le moins dangereux de la famille, la seule reine Olga ma grand-mère, à venir assister à l'enterrement de son petit-fils. Il pense qu'il n'a rien à redouter de la douairière qui vit le plus discrètement en exil. Et c'est là que Venizélos, malgré toute son astuce, s'est trompé. La reine Olga débarque et, ainsi qu'il en est toujours en Grèce, le pays entier l'apprend instantanément. Alors, un revirement populaire s'opère de la façon la plus inattendue. Tout le monde veut voir la reine Olga, tout le monde l'aime, tout le monde l'acclame. Avec elle, c'est la famille royale que le peuple soudain réclame. Vote ou pas vote, c'est Venizélos qui part pour l'exil et le roi Constantin qui revient en Grèce. Retour triomphal, une foule immense l'accueille et l'acclame. À ses côtés, la mère d'Alexandre, la reine Sophie, peine à dissimuler sa souffrance. Elle retrouve la Grèce mais pas son fils chéri, son Alexandre, tragiquement disparu. Personne ne sait trop quoi faire d'Aspasie ni de l'enfant, la petite Alexandra, qui lui est née six mois après la mort de son mari. Alexandre ayant contracté un mariage morganatique sans l'autorisation du roi son père, Aspasie n'a droit à aucun titre. C'est la reine Olga qui dans son infinie bonté intervient. Elle s'émeut du sort de la veuve et de l'orpheline de son petit-fils. Grâce à elle, Aspasie et Alexandra deviennent princesses de Grèce avec le prédicat d'Altesse Royale. Elles s'installent à Venise où j'aurais l'occasion de les revoir à plusieurs reprises, non sans un véritable élan d'affection.

La monarchie grecque a connu des allées et venues si fréquentes et si compliquées qu'il faudrait un expert pour s'y reconnaître. Lorsque j'avais composé un album de photos à l'occasion des cinquante ans du roi Constantin, je lui avais demandé quel titre on pouvait donner à l'histoire de notre famille. « *In and out* » avait été la réponse, « dedans et dehors ». Au malheureux et fugace roi Alexandre succède son propre père Constantin, rappelé sur le trône puis forcé d'abdiquer à nouveau en faveur de son fils aîné, Georges II. Celui-ci est chassé comme son père l'a été, une république est instaurée mais elle s'effondre au bout de quelques années. Georges II est rappelé sur le trône par référendum en 1936. L'invasion allemande jette de nouveau sur les routes la famille royale qui, rappelée par un plébiscite, revient en 1947 avec à sa tête le roi Georges II qui n'a pas le temps de se réjouir de retrouver son pays et son trône car il décède brusquement, emporté par une attaque de cœur au printemps 1947. C'est le 1er avril et personne ne veut croire à la nouvelle lorsqu'elle est annoncée à la radio. On imagine une farce de mauvais goût. N'ayant pas d'enfants, c'est son frère Paul qui lui succède. Lui tombe sur les bras une guerre civile qui fait rage. Les communistes, organisés en puissants maquis pendant la Seconde Guerre mondiale, sont descendus des montagnes et attaquent villes et villages. Comme toutes les guerres civiles, bien plus féroces que les guerres étrangères, celle-ci connaît d'un côté comme de l'autre d'inimaginables horreurs. Le roi Paul se dépense sans compter avec, à ses côtés, son épouse la reine Frederika qui montre une énergie, un sens de l'initiative et un courage qui lui valent une forte popularité. Elle est la première civile à pénétrer dans la ville de Konitsa à peine libérée par des routes qu'on n'a même pas eu le temps de déminer, risquant à tout instant de sauter. Les forces communistes sont maîtrisées et la Grèce est enfin prête à être reconstruite.

2

La Cour et l'armée

À mon arrivée à Athènes, je constate avec fierté l'immense popularité du roi Paul et de la reine Frederika. Il faut imaginer que par l'effet d'un décalage de génération abyssal, le roi Paul, âgé de trente-huit ans de plus que moi, s'avère être mon cousin germain. Nos pères étaient frères et nous sommes tous deux les petits-fils du roi Georges Ier, ainsi que l'est également le mari de la reine Elizabeth II, le duc d'Édimbourg né prince Philip de Grèce. Dès le début de nos échanges, le roi Paul, à la silhouette d'un grand Viking, me semble la courtoisie et la considération mêmes. Il traite tous et toutes, de quelque âge, de quelque origine que ce soit, avec la même affabilité et un sourire franc. Il sait écouter et ne s'emporte jamais. Il s'y connaît en littérature, en musique, en art, en histoire et sa grande culture en impose. Ce philosophe dresse un mur de sagesse contre l'assaut des politiciens débordant de récriminations. Il ne les contredit pas, il ne les critique pas. Il enregistre leurs exigences, il les assure qu'il va agir en conséquence, suffisamment pour les combler mais la plupart du temps il n'en fait rien. Il a une présence solide et, pour moi, rassurante. J'apprécie sa profonde bonté à mon égard et l'attention bienveillante qu'il me porte depuis que je vis avec sa famille. Du plus ardent républicain d'Athènes aux populations rurales les plus reculées des archipels grecs, le roi Paul est respecté de tous. Adoré de ses proches, il est le grand favori de ses neveux et nièces de tous les pays. La reine Frederika s'avère une tout autre personnalité. Intelligente, pétillante, elle sait être irrésistiblement drôle autant qu'autoritaire et intransigeante, gare à celui sur qui elle lance ses foudres ! Elle me charme sans pourtant parvenir à effacer une crainte instinctive. Je sais que les meilleures intentions la guident et que, très sincèrement, elle veut le bien du peuple et de sa famille. Éducation, reconstruction, artisanat, cette femme énergique se dépense sans compter pour son pays. Dotée d'un tempérament que rien n'arrête, elle dit ce qu'elle pense et le fait savoir. L'évolution politique du pays précipitera sa chute. Pour moi, elle demeure « tante Freddy » à la bienveillance, la générosité et l'hospitalité indiscutables. Pour le reste je laisse l'Histoire dresser son portrait.

Dès mon arrivée en Grèce, le roi Paul m'indique qu'il souhaite que je participe aux événements privés ou officiels de la famille. La première cérémonie à laquelle j'assiste est la remise des lettres de créance de l'ambassadeur du Pakistan. Le tout ne dure pas un quart d'heure mais je suis grandement impressionné par l'ordre parfait, les tenues magnifiques et les membres de la Cour qui portent des titres ravissants : grand maréchal de la Cour, grande dame de la Cour, grand écuyer de la Cour… Ils remplissent un annuaire entier. En fait, ils sont une quinzaine de personnes au plus. Ces hommes et ces femmes sont généralement dévoués, discrets, désintéressés ; ils assistent efficacement la famille royale dans l'exercice de ses fonctions. De même, je participe, mais cette fois en convive, à un déjeuner en l'honneur du ministre des Affaires étrangères espagnol en visite officielle.

Ce jour-là, le roi Paul me remet la décoration dite « de famille » de l'ordre de Saint-Georges et Saint-Constantin. Ma vanité ne fait qu'un tour. Je me pavane comme un gros dindon. À tel point que, le lendemain matin, je prends mon petit-déjeuner seul dans ma chambre arborant le très joli collier de la décoration formé de monogrammes royaux en vermeil alternés avec les lions et les cœurs du Danemark. J'avais déjà reçu du roi la plus haute décoration grecque, celle du Saint-Sauveur, donnée à chaque membre mâle de la famille le jour de son baptême, et une première bouffée de fierté m'était montée à la tête. Mais rapidement, je reprends mes esprits. Ces jolis ornements me semblent désormais bien inutiles lorsqu'ils ne sont pas mérités à proprement parler. Innombrables sont ceux qui se prêtent avec forfanterie à cette foire à l'amour-propre. Sans compter certains princes royaux qui se font receleurs de décorations royales ancestrales pour renflouer leurs comptes en banque amoindris.

Dans cette nouvelle vie, je profite avec délices des privilèges de ma position. Mes télégrammes portent la prestigieuse mention « Priorité, État », mon papier à lettres arbore en guise d'adresse sous la couronne les mots « Palais Royal ». Les problèmes de transport n'existent pas, il y a toujours une voiture à disposition ;

la police ouvre le passage dans les embouteillages lorsqu'elle reconnaît les plaques d'immatriculation de la Cour. Il n'y a jamais de files d'attente ; à l'aéroport on est reçu au bas de l'échelle et mené dans le pavillon d'honneur ; et ainsi de suite. Mais, dans une Grèce éminemment démocratique, ces privilèges ne vont franchement pas loin. Souvent le cortège de voitures menant la famille royale en grande tenue à quelque cérémonie s'arrête – motards inclus – comme n'importe quel citoyen au feu rouge, pour être dévisagé par les occupants hilares des autres voitures arrêtées avec eux. Enfin, on m'explique que je ne peux pas voter car la Constitution prévoit que la famille royale se place au-dessus des partis.

Au programme de ma nouvelle existence, les cérémonies officielles à Athènes ou en province. Je les aborde sans sérénité ni confiance, je suis pétri d'anxiété. Mes grandes oreilles, mon nez, que je vois crochu, et ma maigre silhouette me procurent quelques complexes, en particulier une incapacité totale à séduire. Qu'à cela ne tienne, je déploie tout ce que je peux de charme et de volubilité pour conquérir mon monde. Mais au fur et à mesure que le moment fatal approche, où il faut paraître devant la foule, je suis saisi d'un trac qui me tord les boyaux, j'ai toujours peur de l'imprévu, de ne pas savoir quoi faire ni comment réagir. En fait, j'ai peur de ne pas être à la hauteur. Cette angoisse ne s'évapore que lorsque la cérémonie se termine. Malgré tout, certaines cérémonies me permettent de vivre des moments cocasses comme celle à laquelle j'assiste dans le quartier réputé le plus « rouge » d'Athènes. Les vivats d'une foule en délire accueillent le roi et la reine sur les lieux mêmes où, pendant la guerre civile, les communistes ont multiplié les actes de cruauté contre les gens de droite et en particulier les royalistes. Le maire prononce un discours enthousiaste, et plus tard les membres du conseil municipal tout aussi communistes que lui paraissent au comble du bonheur en se lançant dans des danses folkloriques grecques avec la reine Frederika. Les Grecs, comme tout Méditerranéen, sont démonstratifs et chaleureux. À l'inverse des Anglais, ils ignorent le protocole et détestent la rigidité de la pompe royale. La reine Frederika qui essayait vainement de mettre un peu de décorum dans les cérémonies se plaignait : « Quoi qu'on fasse, cela se termine toujours dans une atmosphère de café. »

Les manifestations de dévotion et d'affection qui accueillent les souverains ou leurs enfants me surprennent par leur intensité. La monarchie jouit d'un prestige dont on a difficilement idée aujourd'hui. Les dynasties détrônées sont entourées dans leur pays d'une affection déférente. J'ai pu le constater en France en habitant chez mon oncle Henri d'Orléans, comte de Paris. Quant aux dynasties régnantes, elles planent alors dans une sorte d'Olympe. La monarchie anglaise est considérée presque à l'égal des dieux. Le monde entier – et au premier rang les bonnes républiques – la contemple comme un vivant conte de fées. Elle donne le *la* aux autres monarchies qui, depuis la reine Victoria, sont littéralement obnubilées par elle. Jusqu'à nos jours, être invité par la reine Elizabeth II met les autres rois dans des transes invraisemblables et ils colportent sans fin la parole la plus banale qu'elle a daigné leur adresser. Le prestige légué par la reine-impératrice Victoria à ses descendants est savamment entretenu par l'actuelle monarchie britannique. Mise en valeur par les plus riches collections au monde, par un sens aiguisé du folklore royal et par des fastes inouïs de l'apparat combinés à un remarquable instinct du marketing la Couronne anglaise se hisse au sommet de la considération internationale.

Les royautés travaillent dur, je le constate en Grèce. Le roi Paul et la reine Frederika sont sans cesse en mouvement mais leurs enfants aussi. Les obligations ne se réduisent pas à des sinécures comme des inaugurations de chrysanthèmes, ils entreprennent d'épuisantes tournées qui durent jusqu'à trois semaines dans les régions les plus reculées de la Grèce, parcourant des milliers de kilomètres en jeep sur des routes non goudronnées encore. Enfin, les médias ne se montrent pas acharnés à débusquer les royautés jusque dans tous les recoins de leur intimité. D'une manière générale, les royautés donnent l'impression d'être exclusivement mues par le sens du devoir, à l'opposé de l'oisiveté dont on les soupçonne souvent. En fait, cette conduite ne s'apprend pas. Il n'y a pas de grand livre qui indique aux royautés quoi faire. Il y a des guides du protocole pour leur apprendre les usages des cours mais, quant à leur action personnelle, aucun manuel ne la leur inculque.

J'ai commencé mon « entraînement royal » dès ma tendre enfance, ma mère m'a appris avant toute autre chose la courtoisie. La seule fois où elle m'a giflé de ma vie, c'est parce que j'avais négligé de me lever pour dire bonsoir à notre femme de chambre russe, Niucha. Ma mère m'enseignait ce qu'il fallait faire, ce qu'il fallait dire mais c'était surtout par son exemple, comme par celui de ma grand-mère, la duchesse de Guise, à savoir sourire, être aimable en toutes circonstances, s'intéresser aux autres et demeurer constamment accessible. Ensuite, il y eut l'entraînement que nous faisait subir mon oncle, le comte de Paris. À partir de quatorze ans, nous participions aux grands dîners politiques et nous avions obligation de faire des frais, c'est-à-dire de faire une conversation supposément intelligente à nos voisins de droite et de gauche. Mon oncle observait tout et, après que les invités étaient partis, nous recevions compliments ou blâmes.

À la Cour de Grèce, mon entraînement se perfectionne. Les pompes officielles durent parfois longtemps, or il ne faut jamais être fatigué, jamais avoir faim ou soif, surtout ne pas s'endormir pendant les discours et même n'avoir jamais besoin de se retirer pour satisfaire les exigences de la nature. Il faut avoir la vessie la plus disciplinée. Je suis obsédé par l'image que je dois donner, rester immanquablement impeccable, immunisé contre tout besoin, une image toujours fraîche, aimable et accueillante. C'est parfois épuisant et je reviens des cérémonies dans des états cataleptiques. Une éducation royale reçue dès l'enfance apporte cependant une aide précieuse, ne serait-ce que pour résister à l'hypocrisie et la déférence feinte qui polluent l'entourage des royautés. Moi-même, tout frais émoulu en Grèce, je cède au mirage. Ces honneurs, ces facilités, ces hommages, tout cela me semble assez naturel, comme si c'était mon droit de les recevoir. J'oublie qu'il faut travailler pour en être digne, qu'il faut sans cesse réfléchir à son rôle, prévoir son action, et pas seulement profiter d'une position. J'imagine que c'est bien plus difficile pour un homme ou une femme qui ne serait pas issu de ce milieu de ne pas céder à la facilité, de ne pas se laisser griser par un titre, par une position. Raison pour laquelle j'ai une admiration certaine pour ces reines et princesses du XXIe siècle qui s'adaptent si bien à la vie de Cour sans y avoir été élevées.

La saison mondaine à Athènes atteint son sommet à la fin du printemps au bal de l'Hippodrome. Ce soir-là, nous nous retrouvons dans le vestibule de Tatoï, les hommes en smoking, mes cousines Sophie et Irène en robe du soir. La reine Frederika apparaît la dernière, étincelante de bijoux. Je contemple la scène, ce moment suspendu où chacun s'inspecte une dernière fois à la manière des comédiens juste avant que le rideau ne se lève. Nous montons dans les longues limousines bleu nuit de la Cour et nous partons à toute allure, précédés de deux motards. Nous arrivons au lieu-dit où des membres de la Cour nous attendent. Action ! Révérences, saluts, poignées de main. Au moment où nous entrons dans la salle de bal, tout le monde se lève d'un coup, l'effet que cela produit me saisit, je me dirige droit comme un i vers les personnages les plus importants à saluer avant de me mêler à la foule. Des dizaines de personnes, des visages souriants et compassés me fixent, j'échange quelques propos mais je n'en retiens aucun. À table, je fais bonne figure, assis avec les enfants des ambassadeurs, avec des garçons et des filles des meilleures familles grecques. Je me montre attentionné, j'échange des propos courtois sans conséquences et trouve dans cette attitude la meilleure protection à ma réserve naturelle. Ensuite, on danse avec l'orchestre de l'inébranlable Loewe, présent à toutes les fêtes depuis des décennies, des airs à la mode mais aussi pas mal de refrains démodés. On me laisse heureusement le droit de choisir mes partenaires de danse et, évidemment, mon choix ne suit pas le protocole mais plutôt les règles du charme. C'est à cet instant que je commence à me détendre, jusqu'à ce que la reine Frederika, qui a l'œil à tout et sur tous, intervienne et me murmure d'une façon impérative d'aller inviter des jeunes filles qui ne sont pas forcément les plus gracieuses mais dont les parents s'avèrent fort importants. Évidemment, pas question de s'isoler ou de flirter outrageusement mais je trouve un moyen de me divertir. Je suis jeune, j'aime la danse, je m'amuse et ne songe à rien d'autre. La semaine qui suit, je redoute la soirée traditionnelle sur le navire amiral grec. Mes cousines me préviennent que l'ambiance y est très formelle et, à vrai dire, d'un ennui mortel. Je me creuse le crâne pour savoir quoi dire à ces jeunes filles, parentes de hauts officiers de la Marine qui ne sont pas extrêmement bavardes et qui semblent comme figées dans leur retenue. Je surveille l'heure jusqu'à minuit qui sonne la fin de mon devoir. Dans les voitures qui fendent la nuit pour nous ramener à Tatoï, nous commençons nos commentaires, enfin, nous pouvons rire ! Ils se poursuivent dans le bureau du roi autour d'un dernier verre. Chacun y va de ses histoires et de ses expériences de la soirée. Les potins, les jugements, les plaisanteries se succèdent. Les rires deviennent de plus en plus forts. Le roi Paul esquisse des imitations des personnalités présentes ce soir-là avec un succès considérable. Cependant, personne ne dépasse sa fille, Irène, qui déploie un don incomparable d'imitation. Elle rend à miracle l'accent, les gestes, les expressions, le style, auxquels s'ajoutent une verve effrénée et une imagination comique. Tout le gouvernement, l'opposition, la Chambre, le corps diplomatique, les grands corps d'État y passent. Aucun n'échappe à son talent sans pareil. Son auditoire, c'est-à-dire la seule famille royale, se tord de rire. Cet humour ravageur dénote un sens de l'observation et une sensibilité aux autres qui me touchent et m'attachent profondément à elle. Par-delà les liens familiaux qui nous unissent, je sens entre nous poindre une amitié profonde, durable, qui ne s'est jamais tarie.

Cette demi-heure de gaieté déchaînée agit telle une soupape de sûreté après l'ennui des corvées. Le 29 juin suivant, la saison se termine par un Te Deum en la cathédrale d'Athènes en l'honneur du roi dont c'est la fête onomastique[1]. Ensuite, c'est la débandade, tout le monde part en vacances. Pour la première fois, j'embarque avec toute la famille royale pour notre résidence d'été à Corfou. Mon grand-père Georges Ier avait reçu de l'Angleterre les îles Ioniennes qu'elle occupait jusqu'alors. Elle lui avait aussi fait cadeau des deux résidences du gouverneur britannique, le très joli palais néoclassique de la ville où avait été fondé l'ordre britannique de Saint-Michel et Saint-Georges, et la villa d'été de ce même gouverneur située à quelques lieues de la ville qui portait, selon la mode de l'époque, un nom français, *Mon Repos*. Elle n'était pas particulièrement vaste mais ses portiques à colonnes et son dôme lui donnaient toute son élégance. Le parc, quand je le découvre, me paraît un rêve exotique avec une profusion de cyprès, de pins et d'oliviers énormes et touffus. Des pelouses impeccables, des escaliers moussus coupés de fontaines fleuries mènent à un quai privé. Le bleu très pâle du ciel correspond à celui de la mer.

1. Fête du saint.

Celle-ci ne bouge pas plus que l'air. L'oraison des cigales s'élève dans l'atmosphère moite et chauffante qui me procure une douce ivresse.

Quelques jours plus tard, on voit un énorme bateau de croisière tout blanc entrer dans le port. Le roi d'Arabie Saoud ibn Saoud l'a loué pour lui, son harem et sa Cour. Aussitôt, l'excitation nous gagne mes cousins et moi. Le souverain possédant une générosité légendaire, nous espérons voir tomber en cascades sur nous des présents dignes de la magnificence royalo-pétrolière. Nous supplions le roi Paul et la reine Frederika d'inviter le souverain arabe. Ceux-ci se laissent faire et le souverain est convié à déjeuner. Il arrive dans une voiture de location suivie d'autres automobiles contenant dix fils et un nombre encore plus grand d'oncles et de neveux. Les gardes du corps, énormes et noirs, bardés d'armes diverses, roulant des yeux féroces, sont empilés dans les plus vieux taxis de Corfou. Nous sommes chargés d'entretenir les fils et les neveux. Ce n'est pas facile car ils répondent par des monosyllabes à nos questions polies. La bonne humeur règne mais plus d'un regarde sa montre. Le roi, très grand et très myope, déploie toute la vieille courtoisie de l'Orient. Il invite le roi Paul et la reine Frederika à le visiter en Arabie, ce qu'ils acceptent immédiatement. La reine, mutine, demande si le roi Paul peut venir visiter avec elle le harem royal. Saoud ibn Saoud sursaute et prend un air horrifié :

« Jamais, madame ! Cela pourrait donner des idées au roi votre mari... »

Enfin, ils partent. Nous avons fait entre-temps amis-amis avec les gardes du corps, et nous voyons s'éloigner les vieux taxis de Corfou des fenêtres desquelles sortent des bras très noirs s'agitant joyeusement en notre direction. De cadeaux... pas un seul. Là où nous attendions une pluie de Cadillac et de montres en or, nous ne recevons rien. Par contre, les membres de la Cour présents et les aides de camp en sont couverts !

Aux étés à Corfou, je préfère amplement les réunions familiales élargies à Athènes où je peux rencontrer des figures qui me semblent appartenir à un monde disparu. Ainsi, je me réjouis à la perspective de revoir prochainement ma tante Marie Bonaparte. Son arrière-grand-père était Lucien Bonaparte qui, pour avoir été le plus intelligent, le plus capable des frères de Napoléon, avait été relégué par ce dernier qui n'aimait ni la concurrence ni l'indépendance d'esprit. Alors que les autres parents étaient faits rois ou grands-ducs, Lucien n'avait décroché que la minuscule principauté de Canino en Toscane. Il s'était considérablement enrichi et s'était mis à piller allègrement les tombes étrusques jusqu'à peupler tous les musées du monde de chefs-d'œuvre uniques. Le grand-père de tante Marie, Pierre Bonaparte, sous Napoléon III, avait revolvérisé le journaliste Victor Noir dont il désapprouvait les attaques, ce qui avait provoqué pas mal de remous. Quant au père de tante Marie, Roland Bonaparte, il avait épousé Mlle Blanc, fille du créateur du casino de Monte-Carlo, qui, ayant accumulé une fortune colossale, répétait avec un gros rire : « Je ne mise pas rouge, je ne mise pas noir, je mise Blanc. » Tante Marie, dès son jeune âge, montrait un caractère décidé et un fort esprit d'indépendance. Elle avait voulu faire sa médecine. Sa famille horrifiée le lui avait interdit. Il était impensable à l'époque qu'une jeune princesse exerçât un métier. « Vous ne voulez pas que je fasse ma médecine, alors je vais faire pire. » Et tante Marie était partie à Vienne. Elle avait sonné chez Sigmund Freud, elle lui avait demandé de travailler avec lui et elle était devenue rapidement sa meilleure élève. Pendant toute la vie du fondateur de la psychanalyse, elle était restée proche de lui, sa disciple, sa complice. En 1938, lors de l'Anschluss, elle avait loué un avion, atterri à Vienne, pris Freud par la peau du cou et l'avait enfourné dans l'appareil qui était reparti aussitôt, devançant de quelques heures la Gestapo venue l'arrêter.

Entre-temps et malgré son anticonformisme notoire, tante Marie avait fait un mariage fort conventionnel. Elle avait épousé le frère de mon père, l'oncle Georges. Je me suis toujours demandé ce qu'elle avait pu trouver à cet homme certes sympathique mais qui manquait d'imagination et pour qui la psychanalyse devait être *terra incognita*. Lorsque je l'ai connu, il était devenu le patriarche de la famille royale grecque. Très grand, très droit en dépit de ses quatre-vingts ans, il en imposait beaucoup avec son crâne chauve, ses immenses moustaches blanches et sa voix rauque. Peu disert, il m'effrayait un peu à vrai dire tandis que j'admirais tante Marie dont la publication de ses remarquables travaux avait fait une sommité mondiale de la psychanalyse. Elle ne négligeait aucun de ses devoirs de princesse royale grecque pourtant si éloignés de ses intérêts personnels. Pendant la Première Guerre mondiale, elle avait organisé un train-hôpital pour les blessés et s'était occupée d'eux avec un profond dévouement. Elle participait dûment à nombre de réunions de royautés et y jouait son rôle avec componction. Sa toilette ne paraissait pas la passionner, elle mettait un peu n'importe comment ses décorations et ses colliers. Son diadème d'étoile en diamants risquait d'être placé de travers et elle refusait énergiquement de porter des talons. Elle se montra aussi une fieffée originale. Un matin, on la trouva dans son jardin, très tôt à 8 heures, en chemise de nuit mais portant toutes ses perles.

« Mais que faites-vous donc, tante Marie ?

– J'observe la vie sexuelle des moineaux, c'est fort intéressant. »

L'oncle Georges et tante Marie avaient été envoyés pour représenter la Grèce au couronnement de la reine Elizabeth II. Ce genre de cérémonie assommait tante Marie. La légende raconte que, pour se distraire pendant les longues heures où il lui fallut rester sur place, elle commença à bavarder avec son voisin qui était français et finit par lui demander si elle pouvait le psychanalyser. L'autre sourit et se laissa faire. Les délégations étaient placées par ordre alphabétique : le « G » de Grèce était précédé du « F » de France, elle psychanalysa donc le représentant de la France qui s'appelait François Mitterrand. Malheureusement, les conclusions de cet entretien insolite ne sont jamais parvenues jusqu'à nous. Pour moi, tante Marie était une merveilleuse vieille dame, bienveillante et tolérante. Elle habitait la plupart de l'année dans une très vaste villa entourée d'un parc ombragé sur les hauteurs de Saint-Cloud. La maison était plutôt sombre, encombrée d'objets d'art, de très beaux meubles et de souvenirs historiques. Elle me recevait dans son cabinet de travail. Je scrutais sur la cheminée le crâne de Charlotte Corday abrité dans une boîte en verre mais ce que j'aimais par-dessus tout, c'était l'esquisse au crayon par David de la tête de l'impératrice Joséphine pour le grand tableau du couronnement de Napoléon.

J'appréciais tante Marie particulièrement parce qu'à la différence de tant de nos tantes qui nous considéraient ainsi que mes contemporains comme des gamins et des gamines sans importance et sans intérêt, elle nous traitait comme s'il n'y avait pas de différence de génération entre elle et nous. Elle m'interrogeait non seulement sur mes études mais sur mes lectures, mes goûts, mes pensées, comme si je la passionnais. Elle ne feignait pas car jusqu'à son dernier jour elle s'intéressa à tous et tout. Elle exprimait tranquillement et sans fard ses opinions dont l'audace pouvait surprendre dans ce milieu mais qui m'enchantait. Ce n'était pas le cas de tout le monde, car ses petits-enfants mirent longtemps à se remettre de la déclaration de cette libre-penseuse selon laquelle Dieu n'existait pas. J'ai profondément admiré tante Marie pour avoir eu l'extraordinaire intelligence de mener de front une carrière dans un métier hors du commun et une position de princesse royale, les deux apparemment contradictoires mais conduites avec la même maestria et le même panache.

Je ne suis pas venu en Grèce pour couler des vacances ensoleillées entre deux réunions familiales mais pour commencer mon service militaire, comme tout citoyen grec. Il n'est pas question de me trouver une planque, la famille royale se doit de donner l'exemple. Le roi Paul me demande dans quelle arme je souhaite servir. J'y réfléchis. La marine, je crains le mal de mer. L'aviation, je meurs de terreur de voler. L'armée de terre ? Je ne veux pas trop marcher donc l'infanterie est exclue. Le génie aussi puisque je n'en ai aucun. Reste donc la cavalerie, c'est-à-dire les tanks, là au moins on est transporté gratis. Le roi a aussi pensé dans sa sagesse qu'il m'est impossible de suivre la filière normale, étant fraîchement débarqué de l'étranger et parlant mal la langue. Il met donc au point un programme d'adaptation progressive. En particulier, j'évite le centre de recrutement de Corinthe auquel sont condamnés tous les jeunes conscrits. L'idée d'être mêlé à une foule d'inconnus, de faire la queue pendant des heures, de me présenter en ne sachant trop quoi dire ni surtout quel nom donner m'avait fait trembler. Grâce au roi Paul, j'échappe à l'épreuve. Un matin, je me présente à 6 h 30 à la caserne de Goudi, tout contre le mont Hymette à l'est d'Athènes. Je débute mon entraînement tout seul avec des officiers commis à cette tâche. Je commence bourré d'appréhension et, une fois de plus, j'ai tort. Très vite, je m'adapte et même je me plais. Au point que mon entraînement se poursuit non plus seul mais avec une dizaine de soldats triés sur le volet. Nous faisons la manœuvre, nous manions le fusil – un Lee-Enfield, relique de la Seconde Guerre mondiale –, nous rampons au milieu des thyms et des lavandes. Je m'initie ainsi, dans le soleil et le vent, aux exercices les plus élémentaires, et, de plus en plus, je me sens à l'aise et pour tout dire fort satisfait. Le « travail » se termine à 14 h 30, me laissant l'après-midi libre, que je consacre principalement au cinéma dont je fais une grosse consommation. Je me montre docile, je mène l'existence la plus innocente et j'en profite, l'esprit plus alerte que jamais, pour observer tout, la Grèce, les Grecs, la monarchie, en ne montrant ni ne disant rien. Une certaine réserve naturelle héritée de ma mère peut me rendre muet. Je contemple les êtres autour de moi avec un intérêt sincère et toujours renouvelé.

En cette fin d'été 1960, je suis tiré de la caserne par un événement d'importance. Les Jeux olympiques vont se dérouler en Italie. Mon cousin Constantin y est sélectionné et participe dans la section de marine à voile dont la compétition se déroule à Naples. Il remporte la médaille d'or. La Grèce bondit de joie. Leur jeune et beau prince héritier est victorieux dans un sport traditionnellement cher aux Grecs. Sa popularité monte très haut. D'autant plus que cette distinction semble retomber sur le pays entier. Son retour, fort bien orchestré, est un triomphe. Nous allons avec le roi Paul l'accueillir à l'aéroport. La confusion la plus allègre s'installe dès le moment où il paraît à la porte de l'avion. Les soldats ont beau tâcher de rester alignés et présenter les armes, la foule les bouscule pour s'approcher de leur héros. Évêques, ministres et journalistes, oubliant leur réserve habituelle, applaudissent à tout rompre. Bien qu'entouré par cinquante motards, le cortège a du mal à se frayer un chemin au milieu des Athéniens en délire. Les fleurs pleuvent à verse sur nous, poussées par un vent très fort. Des vieilles dames tout en noir trouvent une énergie insoupçonnable pour bousculer les policiers, se glisser entre les motards et approcher de la voiture de Constantin. Jusqu'au Palais royal de la ville, la cohue est invraisemblable et la foule immense. Des dizaines de mains tapent sur la carrosserie. Nous sommes fouettés par des fleurs, déshabillés presque. Des dames entrent carrément dans les voitures et nous embrassent à bouche-que-veux-tu. Nous voyons Constantin arraché de son siège et porté en triomphe, puis disparaître pour revenir en loques et hirsute. Nous arrivons dans un état déplorable à la maison.

Le joyeux dîner de famille prévu pour fêter Constantin voit des convives hagards de fatigue, incapables de bouger ou de parler ! Encensé par des louanges nationales, le prince héritier Constantin jouit de la plus vaste popularité.

Pour moi, tout va pour le mieux dans le meilleur des mondes. Je suis de plus en plus incorporé à ma famille, je mène la vie la plus agréable et je me suis adapté à l'armée... ou tout du moins le crois-je. La fin de mon entraînement de soldat, c'est-à-dire des leçons particulières avec des officiers et des soldats soigneusement choisis, marque le terme des traitements spéciaux. À l'automne, je suis versé dans l'école d'officiers de réserve de Goudi où je ne suis plus qu'un parmi d'autres. Plus de privilèges, plus de sorties l'après-midi, mais le dortoir à quarante et, en prime, le bizutage traditionnel, la surprise s'avère plutôt rude. Tous les garçons de mon âge connaissent la même expérience. Cependant, je le supporte difficilement. Preuve que je n'ai pas été éduqué comme tout le monde et que, jusqu'ici, j'ai été incroyablement gâté. Je souffre peu dans mon confort mais dans mon orgueil à cause des humiliations continuelles du bizutage. Chacune est un poignard dans ma fierté. Je me retrouve au plus bas de l'échelle dans un pays encore peu connu. J'ai l'impression d'être séparé du monde par un mur de verre. Il me faut pourtant donner l'exemple. Je sens tous les yeux braqués sur moi, je sais que chacun de mes gestes est commenté. Des bribes de souvenirs, des endroits que j'ai aimés, des gens auxquels je suis attaché me reviennent. Où est Paris ? Où est ma maison du 102 rue de Miromesnil ? Où sont les Deux Magots et le Bizuth ? Je revois ma petite chambre à

Louveciennes chez mon oncle Henri Paris, les dîners de famille, ma cousine Diane de France faisant le pitre... Si ma pudeur et mon éducation m'empêchent de montrer une quelconque émotion, je sens que ma retenue est sur le point de m'abandonner. Au milieu d'une nuit, les ronflements et les odeurs du dortoir tourmentent mon sommeil et j'éclate en sanglots. Effrayé par ma crise de larmes, le colonel me mène à l'infirmerie où je reste vingt-quatre heures durant lesquelles je reprends mes esprits. Il faut dire qu'on m'a envoyé la veille en grande tenue à un bal grandiose à l'hôtel Grande-Bretagne, donné par l'ambassadeur de Belgique en l'honneur du mariage du roi Baudoin. Les amusements ne manquent pas mais à minuit on me retire soudainement de la joyeuse fête, pour me prier de rejoindre le dortoir de ma caserne. Dans mon lit à l'infirmerie, je comprends que ce grand écart entre l'éclat d'une réception royale et le sommier aride d'un lit militaire m'enseigne une souplesse d'esprit et une capacité d'adaptation qui m'apparaissent comme des qualités fort précieuses. Grâce à cette immersion au milieu des soldats grecs, pour la plupart issus de milieux simples, j'apprends à goûter dans mes rencontres la variété infinie de la richesse humaine qui jusqu'alors m'avait échappé, trop enfermé que j'étais dans mon propre milieu. Ce goût pour le contraste ne m'a pas quitté. J'aime passer d'une société à l'autre, changer du tout au tout, de code, de manières et de ton en conservant intacte et authentique ma curiosité pour l'autre.

Noël m'offre une occasion de quitter la caserne pour retrouver le confort ouaté du palais. Un grand arbre a été dressé dans la salle à manger qui atteint le plafond et sur lequel montent des vagues de cadeaux. Le roi Paul et la reine Frederika recréent les Noëls d'autrefois, opulents mais exclusivement familiaux, infiniment gais mais mesurés. Hélas, le 1er janvier a lieu une corvée, un Te Deum pour fêter la nouvelle année. Tout le monde est épuisé par le réveillon de la veille, or il faut se lever tôt, endosser les lourdes et somptueuses tenues, et surtout passer à l'allure très lente des voitures de la Cour dans les rues d'Athènes, quasiment vides, le peuple ayant fait lui aussi la bamboche la veille. Ensuite, il y a défilé de vœux au palais. Le roi et la reine se tiennent entourés de leur famille sur la première marche d'une estrade, sur laquelle sont installés deux grands trônes où ils ne s'asseyent jamais. Mes cousins et moi sommes debout devant une chaise à haut dossier et le grand chambellan, de sa voix de stentor, annonce les visiteurs, c'est-à-dire le corps diplomatique, le gouvernement et les autorités qui défilent lentement. Chaque couple s'approche du trône, les hommes s'inclinent, les femmes font la révérence, un sourire, quelques mots. Ils disparaissent par l'autre porte vers un salon où les attend un buffet. C'est interminable, mes bottes d'uniforme me font mal et pas question de m'asseoir. Je me sens engoncé, prisonnier. Heureusement pour ma distraction, le ballet du rat va démarrer sous peu. Lors des cérémonies, sur la corniche qui court sous le plafond de la salle du trône, se promène un gros rat. Il en observe le déroulement avec un intérêt manifeste. On voit ses oreilles et ses longues moustaches dépasser. Ce matin-là, le malheureux perd l'équilibre et tombe au milieu du tapis à ramages de la salle du trône, provoquant un léger émoi parmi les dames de la Cour. Il paraît quelque peu assommé mais, rapidement, retrouve sa vigueur et disparaît à toute allure. Cet incident animalier suffit à me redonner le sourire et la force de tenir jusqu'à la fin du défilé des officiels.

Peu après, le 6 janvier, une autre cérémonie, la « bénédiction des eaux », nous réunit au Pirée. Cette fête d'Épiphanie – ou le jour des rois pour les catholiques – remonte à la plus haute Antiquité païenne. Nous retrouvons pour l'occasion la foule dense, les détachements de l'armée, les évêques endimanchés barbe au vent, les bateaux bondés sirène hurlante, les hymnes religieux couverts par les cris du public. Habituellement, devant un aréopage d'autorités dorées sur toutes les coutures, l'archevêque jette dans la mer une croix et aussitôt les fidèles musclés qui attendent en maillot de bain malgré la température glaciale doivent plonger à la recherche de la croix. C'est un immense privilège d'être le premier à la trouver et à la ramener. Au point que les candidats n'hésitent pas à se battre sous la mer à qui l'attrapera le premier. Le métropolite[1] du Pirée est détesté de ses ouailles qui se promettent de lui jouer un tour à leur façon. Ce matin-là, les fidèles en maillot de bain, prêts à plonger, sont plus nombreux que d'habitude mais personne ne s'en étonne. Le prélat jette la croix dans l'eau, il y a une effroyable bousculade de baigneurs et, comme par hasard, sans faire exprès, ils poussent l'archevêque haï dans le vide. Celui-ci, mitre diamantée sur la tête et ornements brodés scintillant au soleil, fait un vol plané jusqu'à l'eau glaciale, à la surface de laquelle bientôt seule sa barbe blanche flotte.

1. Évêque de l'Église orthodoxe.

Au grand dam de ses ouailles et sous nos rires impossibles à retenir, il survécut à la frigorifiante expérience.

Le retour à la caserne est moins pénible que prévu. Je comprends qu'il y a toujours un supérieur pour donner des ordres et un inférieur pour les exécuter. Un embryon d'habitude me fait mieux supporter les odeurs de cuisine, de la *fasolada*, le plat national à base de fayots servi presque quotidiennement, le bruit des pions de trictrac, et j'apprécie ces moments de bavardage le soir au lit dans le noir avec mes camarades de chambrée. C'est grâce ces premiers échanges que j'apprends à parler couramment le grec que je balbutiais jusqu'alors, façon méthode Berlitz. Il paraît que j'ai conservé de cet apprentissage un vocabulaire « militaire » aux termes parfois triviaux. J'aime toujours autant le parler et faire résonner les jolies consonances de cette langue qui a su conserver de beaux restes du grec antique.

L'hiver se montre particulièrement rude et le temps est venu de resquiller quelque peu mais avec bon goût. C'est ainsi que je persuade la faculté de médecine qu'il faut m'opérer d'urgence des amygdales. Cette malhonnête manœuvre me vaut de passer une semaine au chaud dans le meilleur hôpital d'Athènes. On croirait que je suis atteint d'une maladie mortelle. Toutes les cinq minutes s'engouffre dans ma chambre un docteur qui tapote mon lit, me demande d'un air inquiet de mes nouvelles, lit avec attention le relevé de soins, y ajoute parfois ses commentaires. Quant aux infirmières, elles sont aux anges et bourdonnent autour de moi comme des mouches en folie que je gave d'ananas confits apportés par un visiteur. Je considère dès lors qu'il faudra toujours faire en sorte que mes mensonges profitent autant aux autres qu'à moi-même et, si c'est possible, que cela rende même tout le monde heureux. Alors cette nouvelle règle « de l'utilité du mensonge pour le bien de tous autant que pour le mien » agit sur ma conscience avec une redoutable efficacité.

3

Mort de ma grand-mère

Je me trouve encore à l'hôpital lorsqu'un télégramme m'annonce la mort de ma grand-mère maternelle, la duchesse de Guise Isabelle de France, survenue au Maroc dans sa maison de Larache. Je suis autorisé à me rendre aussitôt à Tatoï. Ma famille grecque m'entoure de simplicité et de naturel. Je leur sais gré de ne pas forcer leur attitude par des mines circonstanciées, je ne force pas la mienne. Intérieurement, je suis abattu, pourtant je reste droit, pas une larme ni un sanglot. Depuis des mois, ma grand-mère s'affaiblissait et j'étais préparé à sa fin. J'en avais tellement imaginé les circonstances que je ne suis pas particulièrement frappé lorsqu'elle vient. Au lieu de désespoir, je ressens une tristesse déferlante. Ma solitude s'accroît, un poids nouveau s'appesantit sur mes responsabilités et sur ma vie.

Ma grand-mère a terminé son enseignement. Lors de ma dernière visite avant mon départ pour la Grèce, elle et moi savions très bien que c'était la dernière fois que nous nous verrions. Je m'embarquais pour une nouvelle vie à laquelle elle m'avait préparé mais où elle ne jouait plus de rôle. Avec sa disparition s'effondre tout un monde. Celui de la féerie de Larache, c'est-à-dire sa féerie à elle. Personnage détonnant, sublime d'élégance, drôle, féroce et séductrice, je ne puis faire pleuvoir sur son merveilleux souvenir qu'une pluie de qualificatifs élogieux autant qu'admiratifs. Pourtant, enfant j'avais peur de cette figure impressionnante, son regard bleu pâle me glaçait. Et puis ma mère était morte, j'étais un jeune adolescent, elle m'avait invité au Maroc pour passer l'été. En un instant, malgré la différence d'âge et le respect que j'avais à son égard, nous sommes devenus complices. Par la grâce de l'inexplicable alchimie qui s'opère parfois entre les êtres, nous avons tissé un lien affranchi de la réserve qui gouverne habituellement les rapports dans ma famille. Elle s'est mise à me gâter outrageusement, à tel point que mes oncles et tantes intervenaient en criant au scandale. Elle disait « d'accord, oui, oui » d'un air compassé. Elle s'arrêtait trois jours et puis elle recommençait dès qu'ils avaient le dos tourné.

Fille du comte de Paris, le prétendant au trône de France à la fin du XIXe siècle, et d'une infante d'Espagne, Isabelle de France était la sœur de la reine Amélie du Portugal. Elle avait épousé son cousin germain, Jean d'Orléans duc de Guise, devenu à son tour le prétendant au trône de France. Son patrimoine génétique concentrait un nombre incalculable de lignées royales, et si elle n'a jamais été reine régnante, ma grand-mère en arborait tous les attributs. Par sa naissance et son mariage, elle avait connu tout ce que le monde comptait d'impératrices, de rois et de princesses devenus légendaires depuis. Fasciné par sa destinée, je la noyais sous un flot ininterrompu de questions. « À quoi ressemblait la reine Victoria ? » Elle répondait du tac au tac avec sa verve inimitable : « À un champignon en deuil » ! L'empereur d'Autriche François-Joseph lui semblait charmant et lui l'avait trouvée encore plus charmante au point de faire de discrètes ouvertures à sa mère, la comtesse de Paris, car il était veuf. Ma grand-mère avait été tout autant fascinée par le spectacle de Buffalo Bill dans un cirque à Londres. C'est d'elle que me viennent en grande partie le goût de l'histoire et une certaine habileté à la raconter. Elle n'aimait pas beaucoup son arrière-grand-père, le roi Louis-Philippe, qu'elle considérait comme un souverain bourgeois, ce qu'elle n'était certainement pas, et elle vouait une admiration à peine feinte à Napoléon Bonaparte dont elle collectionnait portraits et statuettes, à la rage de toute la famille ! Provocatrice, certes, elle défendait ardemment Philippe Égalité, qui avait voté la mort de son cousin Louis XVI, non pas pour son impardonnable trahison mais par loyauté filiale, tandis qu'elle haïssait le comte de Chambord. En 1870, après la chute de Napoléon III, le dernier représentant légitime de la branche Bourbon avait décliné l'offre des parlementaires de restaurer la monarchie parce qu'il refusait d'adopter le drapeau tricolore, symbole révolutionnaire selon lui. Elle lui reprochait violemment cette décision qui eut pour conséquence d'éloigner à jamais du trône de France son propre père, puis son mari et enfin son fils, mon oncle Henri.

Jeunes mariés, mes grands-parents avaient reçu en cadeau la vaste forêt et le château du Nouvion-en-Thiérache, au nord de la France. Bientôt ma grand-mère s'y ennuya au point qu'elle décida son mari à s'installer au Maroc au tout début du xxe siècle. C'est là que ma grand-mère avait découvert l'espace qui lui révéla son goût de la liberté grandeur nature. Lors d'une de nos promenades quotidiennes dans un vieux Land Rover, elle demanda au chauffeur de s'arrêter. Elle regarda le paysage en silence tandis que j'ouvrais un livre. Elle le ferma brusquement et me dit : « N'apprends pas dans les livres, apprends dans ce que tu regardes. Les livres, non. C'est dans la vie et dans la nature que tu apprendras. »

Le lendemain de la nouvelle de sa mort, je m'envole pour le Maroc. À l'escale à Paris, tout est sens dessus dessous. En cette fin avril 1961, les généraux ont pris le pouvoir à Alger. Le général de Gaulle monté sur ses grands chevaux fait des discours comminatoires. L'aéroport d'Orly est bondé de touristes suspendus aux nouvelles. Je reprends l'avion et j'arrive à Casablanca à l'heure du dîner. Une voiture m'attend et je pars immédiatement pour la propriété familiale de Larache. Je roule dans la nuit chaude, douce et parfumée. Il est très tard lorsque je parviens à la maison. Un mot d'accueil m'apprend que tout le monde est allé se coucher. Je retrouve ma chambre de jeune homme. Le lendemain matin au petit-déjeuner, je salue le frère et les sœurs de ma mère.

Depuis ma lettre de plainte, il y avait eu un froid entre mon oncle Henri Paris et moi qui s'était cependant dilué dans une tragédie. Quelques mois plus tôt, son second fils, mon cousin François, avait été tué à la guerre en Algérie. L'horreur de cette nouvelle avait frappé. De Gaulle avait écrit une lettre splendide à mon oncle, lui disant peu ou prou que son deuil était national. Mon oncle s'enferma dans ses regrets et se replia un peu plus sur lui-même. Nous étions tombés dans les bras l'un de l'autre lorsque nous nous étions revus pour l'enterrement de François à Dreux. Ce matin à Larache, il me regarde avec une douceur dont il n'est pas coutumier pendant que mes deux tantes me racontent la fin de ma grand-mère. Comme beaucoup d'êtres qui ont connu des sentiments très forts et très vrais, ma grand-mère n'était pas sentimentale. Avec grandeur d'âme et oubli de soi, elle s'était lentement détachée de nous, coupant les liens qui nous retenaient à elle afin que sa mort ne fût pas un déchirement. Cela, c'était sa philosophie, sa foi. Cependant, au dernier moment, sa nature réapparut un bref instant. Alors qu'elle se mourait, elle avait agité le mouchoir blanc qu'elle tenait à la main. Mes tantes s'étaient précipitées, croyant qu'elle avait un dernier souhait à exprimer. Retrouvant l'anglais de son enfance, elle avait simplement murmuré : « *I don't like to surrender*[1] *!* » Ce fut son ultime hommage à la vie qu'elle avait tant aimée. Quant à son paradis ? Elle croyait en Dieu mais il vaut mieux que Dieu se soit entendu avec elle plutôt qu'elle avec Lui, sinon elle Lui a certainement dit ce qu'elle pensait avec vigueur !

Le requiem a lieu dans l'église de Larache où je l'avais si souvent accompagnée pour la messe dominicale. Peu d'officiels. Depuis le temps, tout le monde avait fait ce qu'elle avait souhaité, c'est-à-dire l'oublier. Sauf les humbles. Dans le sanctuaire se serrent des centaines d'enfants, d'ouvriers, d'Arabes, avec bien sûr, au premier rang, une extravagante collection de « *Beata* »,

1. « Je n'aime pas me rendre ! »

des vieilles dames en noir ratatinées sorties d'un dessin de Goya qui, pendant si longtemps, avaient été l'objet de sa sollicitude. Le lendemain matin à 7 heures, je prends seul la Land Rover verte et je pars dans la campagne. Le soleil se lève, découvrant des paysages inouïs de beauté et de charme. Le printemps fait apparaître des myriades de fleurs de toutes les formes, de toutes les couleurs. Je plonge mes yeux dans cette nature verdoyante, comme surgie d'une peinture orientaliste. Je contemple ces paysages que ma grand-mère m'avait fait découvrir et dont la splendeur sans limites s'était étalée à nos pieds. J'aboutis sur la falaise au-dessus de la plage intitulée en son honneur, la *Playa de la Duchessa*, ma préférée. Debout, au bord du gouffre, je contemple l'océan incendié de lumière. Je perçois dans l'air une musicalité faite de souvenirs, de rumeurs. Il me semble que la nature se pare de ses plus beaux atours pour lui rendre hommage.

De retour à la maison, je la parcours une ultime fois en faisant résonner mes pas dans les salons déserts. Je respire l'odeur familière de cette demeure comme un enfant s'enivre du parfum de sa mère avant de la quitter. Je scrute le coin du bureau où ma grand-mère avait l'habitude de s'asseoir. Je ferme les yeux et je la vois dans son élégante robe noire levant la tête dans ma direction, comme pour m'intimer de partir. À cet instant, je comprends qu'elle ne me quittera jamais vraiment, je me retourne sans déchirement et me dirige vers la porte que je franchis pour la dernière fois. Bien des années plus tard, je me suis arrêté un jour devant la maison de mon enfance. C'était pour la montrer à ma femme, Marina, et à mes filles, Alexandra et Olga. Il ne m'a pas semblé nécessaire d'y entrer. Je tenais simplement à ce qu'elles voient cette bâtisse construite par et pour ma grand-mère. Le cercle s'était refermé. En cet instant fragile et fugace, les femmes de ma vie, ma grand-mère, ma mère, ma femme et mes filles, étaient réunies en ce lieu hautement symbolique de mon existence et qui allait disparaître sous les coups de pelle des bulldozers quelque temps après.

Accompagnant le cercueil de ma grand-mère, nous partons avec mon oncle et mes tantes pour Tanger où nous prenons l'avion pour Paris. Des rangs entiers de cousins, de cousines, d'oncles et de tantes, tous en noir, nous attendent à Orly. Nous allons directement à Dreux installer le cercueil de ma grand-mère dans le caveau royal des Orléans. Le service, rapide, simple et recueilli, me paraît tellement impersonnel et artificiel après ce que j'ai vu et ressenti le matin même, très tôt, dans la campagne autour de Larache. Avant de me coucher, je griffonne fiévreusement dans mon journal : « Après la grandeur du Maroc où ma grand-mère était une aventurière, une reine, une femme libre, à Dreux elle redevient la princesse Isabelle de France, un simple numéro dans l'arbre généalogique et la première tombe à droite. »

Ses funérailles solennelles, toujours dans la chapelle de Dreux, me paraissent misérables. Je compte les dames d'honneur tremblotantes, les fidèles d'autrefois dédaignés, des ducs clairsemés, des survivants des services d'honneur. Mais tous ceux sur qui on a compté brillent par leur absence. Pas un mot non plus dans les journaux. Depuis qu'elle s'est retirée à Larache, ma grand-mère s'est volontairement enfoncée dans l'ombre et s'est effacée des mémoires. Elle est oubliée de la plupart, mieux elle vit chez ceux qui l'ont véritablement connue et aimée, non seulement dans leur souvenir mais dans toute leur manière d'être et de vivre. Aussi je ne m'inquiète pas du vide à Dreux et dans la presse. Ma grand-mère est tout sauf morte, en tout cas pour moi et en moi. Elle avait toujours détesté la nécropole de Dreux et, à de nombreuses reprises, elle avait exprimé sa volonté d'être enterrée au Maroc avec une simple pierre pour marquer sa tombe à la façon arabe. Elle avait même menacé la famille : « Si vous me mettez à Dreux, je ficherai la pagaille parmi les morts. » J'espère de tout cœur qu'elle a pu exaucer son vœu.

Cette grande dame à l'envergure exceptionnelle m'a légué son plus précieux héritage, son sens de la liberté. À savoir, choisir sa propre éthique, façonner sa propre morale, ne pas se laisser dicter ses choix, faire exactement ce que l'on veut à l'unique condition de respecter autrui et de ne pas blesser son entourage. Cette philosophie, son goût de vivre et une certaine retenue, quelles que soient les circonstances, me guident inlassablement. J'aimerais être pour mes petits-enfants ce qu'elle a été pour moi, c'est-à-dire un divertissement continuel, non conventionnel, et en même temps une grande leçon de vie.

Curieusement, sa disparition me libère. Je m'étais voulu indépendant mais j'étais resté attaché à elle, et donc à ce qu'elle pensait de moi, à ce qu'elle attendait de moi, à ce qu'elle exigeait de moi sans l'exprimer. Désormais, plus rien ne me retient.

Son enseignement avait été complété par celui de mes cousins, Micky et Fredy. Lorsque, à la mort de ma mère, ma grand-mère avait décidé de s'occuper de moi et m'avait invité pour mes premières vacances à Larache, j'avais quatorze ans. Elle ne savait pas trop quoi faire de moi. Aussi avait-elle demandé à mes cousins de me recevoir. Ils habitaient non loin de là, de l'autre côté de la frontière qui séparait le Maroc espagnol et français. Ils possédaient une petite ferme isolée dans la campagne en bordure d'une grande forêt de chênes-lièges. La maison était modeste mais sympathique et la gastronomie éminemment locale. J'avais vécu avec ma cousine Micky dans la grande maison de la rue de Miromesnil lors de notre arrivée à Paris, puis elle s'était mariée, était partie s'installer au Maroc. Cet été-là, nous nous sommes retrouvés, nous nous sommes appréciés, elle est devenue ma cousine préférée, en fait la sœur que je n'ai jamais eue. Depuis et jusqu'à ce jour, nous ne nous sommes pratiquement jamais quittés. Elle et son mari, le blond Fredy, ont eu une influence considérable sur ma formation. Originaux, pleins de personnalité, de culture et d'intérêts divers, ils m'ont initié à l'anticonformisme. Ils m'ont appris à débusquer la vérité, même lorsqu'elle se cache sous les apparences les plus inébranlables. Aussi rude, aussi invraisemblable, aussi dérangeante que soit cette vérité, ils m'ont encouragé à l'accepter et à suivre la voie que je choisirais hors des sentiers battus. Ils m'ont incité à faire tout seul mes choix et à m'y tenir envers et contre tous. Ils m'ont aidé à forger mes opinions personnelles même et surtout si elles différaient totalement de celles de mon entourage, de mon milieu. Ainsi, dès mon jeune âge, je m'écartais des voies tracées mais, d'instinct, par ma nature, je le fis sans bruit, sans heurt, sans scandale, gardant les apparences lorsqu'il le fallait et ne révélant ma vraie nature que lorsque j'étais sûr d'être compris. Je dois confesser que devenir, grâce à eux, un véritable iconoclaste me procura une satisfaction épanouie. Ainsi discutions-nous de longues heures dans la nuit étoilée de la campagne endormie. Ainsi avons-nous continué de discuter toute notre vie, partout où nous nous sommes retrouvés.

Il y a quelques années, Micky a perdu son mari Fredy et elle s'est retirée à la campagne... Il est dans la Loire un petit château tout blanc, tout gracieux posé sur une hauteur. D'un côté on découvre à perte de vue des champs, des bois, de l'autre la pelouse descend doucement vers un parc aux très vieux arbres. Dans les vastes salles, très peu de meubles mais magnifiques. La plupart des tableaux représentent des portraits d'ancêtres d'excellente facture. Partout, des livres de toutes les époques, de tous les genres. C'est la demeure de Micky, la maîtresse de ce domaine enchanté. Que d'heures exquises n'avons-nous pas passées dans les greniers. S'y mêlent les souvenirs historiques comme les exemplaires du code civil annotés par Bonaparte jusqu'à des romans de gare, Barbara Cartland en tête. Il y a pas mal d'antiquités découvertes sur le domaine car il y a quelque part, autour de la maison, des tombes mérovingiennes. Les chiens de Micky rapportent parfois des os qui sont ceux de gens morts au Moyen Âge. Nous courons après eux pour leur arracher ces dépouilles mais les chiens ne se laissent pas faire et c'est au prix de luttes acharnées que nous parvenons à recueillir ces ossements pour les abriter avant de les réenterrer pieusement.

Au château de Fretay, les boissons abondent, la cuisine est excellente. En particulier je m'attarde sur les charcuteries de province. Les déjeuners, les dîners s'achèvent tard car les conversations sont incessantes, divertissantes toujours, érudites souvent, avec les enfants, les petits-enfants de Micky. Elle règne avec bonne grâce sur tout ce petit monde et c'est en définitive toujours l'un et l'autre seuls que nous nous retrouvons pour poursuivre un dialogue entamé il y a plus de soixante-cinq ans.

Bourrée de talents, dotée d'une imagination délirante et d'une originalité profonde, Micky toute sa vie n'en a fait qu'à sa tête et surtout, à mes yeux, elle a cette qualité incomparable de posséder un irrésistible sens du comique qui me met en joie rien que d'y penser. C'est son rire, sa voix, son regard qui, à quatre-vingts ans bien passés, lui gardent toute sa jeunesse. Tous deux attirés par l'absurde, par l'étrange, nous nous racontons interminablement des histoires qui ne feraient rire personne d'autre. Au cours des longues décennies de notre intimité, nous nous sommes tout dit. Que d'heures ai-je passées avec elle à discuter des secrets de famille, à évoquer des souvenirs de notre enfance ou tout simplement à parler de nous-mêmes ! Que de confidences à nous seuls réservées !

4

En garnison à Salonique

De retour à la caserne de Goudi en ce printemps 1961, je m'apprête à vivre l'expérience du carême grec. Pour l'orthodoxie, Pâques est la grande célébration, la plus importante fête religieuse de la Grèce. Le jeudi saint, je quitte la caserne et rejoins ma famille qui, selon la coutume, a établi ses quartiers en ville. Pour la première fois, je loge au Palais royal d'Athènes. Cette vaste villa en marbre blanc avait été bâtie sous le règne de Georges Ier par son fils et héritier, mon oncle Constantin. Lorsque celui-ci était devenu roi, il avait refusé d'abandonner cette demeure. Du coup, le vieux palais que tout le monde détestait habiter était devenu Parlement et bureau du Premier ministre. Le charme du nouveau Palais royal est son vaste jardin peuplé de toutes les essences méditerranéennes. Quant à la demeure elle-même, comme à Tatoï, elle ne comporte pratiquement aucune œuvre d'art de grande valeur. Elle est agréable, confortable, chaleureuse et ressemble plus à la résidence d'une grande famille qu'au temple d'une monarchie. Pour la semaine sainte, la salle du trône est transformée en chapelle grâce à une iconostase démontable. Matin et après-midi, la famille et la Cour y suivent les offices religieux. La chorale du Palais, de loin la meilleure du pays, et les solennelles hymnes orthodoxes aux accents graves et pénétrants me permettent de supporter la longueur interminable de la liturgie. Le roi Paul, fort pieux, est impitoyable sur le jeûne. Des nouilles, encore des nouilles, du riz blanc, encore du riz blanc, des légumes bouillis sans saveur, ni viande ni poisson ni même d'huile. Je n'en peux plus. Ce régime me donne des maux de ventre bien que j'aie pris secrètement la précaution d'emplir les tiroirs de ma commode de saucissons, je continue de défaillir de faim. Le vendredi saint, au milieu du service qui se déroule au Palais, nous partons, mes cousins et moi. Les voitures nous déposent dans une entrée de côté de l'hôtel Grande-Bretagne, on nous mène dans une suite au coin du premier étage d'où je découvre le spectacle. La place est comble d'une foule silencieuse plongée dans l'obscurité quasi totale. Au milieu, dans l'avenue qui longe le Soldat inconnu, la voie est dégagée. Le cortège s'approche lentement, portant des milliers de fleurs et de bougies qui dissimulent l'« *épitaphio* », un drap de brocard richement brodé représentant le cadavre du Christ car la cérémonie symbolise l'enterrement de Jésus. Derrière l'« *épitaphio* », un orchestre militaire joue l'extrait de la *Symphonie héroïque* de Beethoven. Le spectacle m'enthousiasme par sa beauté, par son incongruité aussi, ce mélange de militaires, de musique classique, de prélats scintillants. En bas, la foule est plutôt joyeuse, on sent le printemps prochain, l'hiver se termine. Dans la semi-obscurité, entre la solennité de la scène et l'effervescence populaire, des marlous en profitent pour pincer des jeunes filles. J'entends, venus de la place, des couinements révélateurs. Je suis absorbé par l'ambiance extraordinaire qui se dégage de la procession, comme si ce qui se passe sous mes yeux pouvait résumer l'esprit grec, mélange de jovialité et de spiritualité. Le cortège s'engage dans l'avenue de l'Université. Nous nous retirons dans le salon de la suite du Grande-Bretagne où, je l'avoue à ma honte, nous n'avons pas beaucoup de scrupules à faire honneur au caviar, nourriture éminemment « maigre » et donc de carême.

Le lendemain se déroule l'office le plus important de la semaine sainte et de l'orthodoxie, on célèbre la Résurrection dans la nuit du samedi saint au dimanche de Pâques. Là, les Grecs, même les plus agnostiques, se retrouvent à l'église, à l'intérieur ou à l'extérieur. Les pieux arrivent tôt pour suivre pendant des heures l'office, les désinvoltes n'apparaissent que cinq minutes avant minuit. Vers 11 h 30, nous les hommes de la famille quittons la chapelle du Palais, laissant la reine et les princesses suivre le reste de l'office. Les rues entre le Palais et la cathédrale sont bordées de soldats en armes. Nous défilons lentement, bien au milieu des larges avenues. La voiture s'arrête devant le parvis de la cathédrale. Un valet en livrée se précipite pour en ouvrir la portière. Je suis pris d'une terrible angoisse. Je dois m'extraire de la voiture en tenant à la main mon képi, mon sabre et la bougie qui ne doit s'allumer qu'à minuit. Il faut faire cela avec grâce et dignité sous le regard de milliers de spectateurs. Évidemment, mes pieds se prennent dans le sabre, la bougie se tord, le képi roule par terre, bref, le cauchemar. Je me rassemble et nous grimpons sur une estrade dressée devant la cathédrale. Nous trouvons des rangées d'évêques dans leurs plus beaux ornements, d'un goût et d'une richesse inouïs. Mais avec les galons de nos uniformes et nos décorations scintillantes, nous pouvons leur tenir tête. La cathédrale et la ville entière sont plongées dans l'obscurité. Les oraisons des prélats ne sont plus qu'un murmure. Tout semble figé, sans bruit, mais de la foule monte un sentiment d'impatience qui m'atteint. Je suis emporté par le spectacle, surtout par l'atmosphère de cette attente fiévreuse. À minuit pile, l'archevêque d'Athènes apparaît au portail de la cathédrale et brise le silence d'une voix puissante et rocailleuse en s'exclamant « *Christos anesti* », le Christ est ressuscité. D'une seule voix, les milliers de fidèles groupés sur la place répondent « *Alithos anesti* », « En vérité, Il est ressuscité ». L'archevêque allume avec sa bougie celle du diacre le plus proche, le diacre allume celle de son voisin et ainsi de suite. En quelques minutes, les pourtours de la cathédrale scintillent de milliers de petites bougies, les orchestres militaires disséminés un peu partout entament le plus joyeusement du monde l'hymne national et, du haut de la colline du Lycabette, les canons tirent des salves d'honneur. Les cloches de toute la ville se déchaînent, des flots d'encens montent dans l'air immobile. Le spectacle est d'une telle beauté, d'une telle intensité, d'un tel mysticisme que j'en ai les larmes aux yeux. Bercé par la voix chevrotante des prélats qui chantent des hymnes, je regarde autour de moi les grappes d'êtres humains accrochés à chaque fenêtre, à chaque balcon, à chaque terrasse. Dans la douceur de la nuit se répand une excitation communicative et aux pompes de l'Orient mystérieux se mêle un goût indéfinissable de fête de village. Nous repartons comme nous sommes venus, en lent cortège. Lorsque nous arrivons, heureusement la fin n'est pas loin grâce à la reine Frederika. D'avance, elle s'est entendue avec le chapelain de la Cour pour supprimer bon nombre d'oraisons qui n'ont pas été jugées d'utilité primordiale. La liturgie n'est pas encore achevée que, l'un après l'autre, les membres de la Cour se glissent discrètement vers la porte et se précipitent à l'étage vers la salle à manger où les attend le buffet. La reine Frederika a beau leur lancer des regards furibonds, rien n'arrête ces goinfres. Nous devons tenir bon et nous nous demandons s'ils vont nous laisser quoi que ce soit à dévorer. Puis, le service enfin terminé, c'est la ruée vers les nourritures dont nous rêvons depuis des jours et des nuits. Nous nous couchons tard. Hélas, le lendemain matin, pas de repos. Je dois de nouveau endosser un uniforme, moins ornementé que celui de la veille mais tout de même très réglementaire. Le roi, Constantin et moi-même, nous partons vers 11 heures du matin en cortège officiel. Nous devons faire la version grecque et pascale de la tournée des popotes, c'est-à-dire aller dans plusieurs casernes fêter Pâques avec les soldats et leurs familles. Nous arrivons à ma caserne de Goudi. Des centaines de moutons et d'agneaux rôtissent à la broche, envoyant en l'air des nuages de fumée empuantie. Les généraux attendent le souverain. Nous saluons militairement puis nous serrons les mains, nous adressons des saluts aux familles des soldats alignées sur des longues tables puis nous devons nous prêter à une tradition pascale tout orthodoxe, casser des œufs peints en rouge. C'est un rituel qui vient de l'Antiquité païenne. Les œufs rouges sont le symbole de la fertilité. Je prends donc un œuf peinturluré, un général en prend un autre et nous les frappons l'un contre l'autre, à voir lequel des deux cassera celui de l'autre. Quelques gros rires, quelques salutations, quelques plaisanteries, on refait le coup avec plusieurs généraux. Ça dure à peu près vingt minutes devant un public d'officiers de haut grade. Nous saluons de nouveau, nous nous engouffrons dans les voitures et nous repartons pour la caserne suivante. Il fait chaud, j'ai envie d'être partout sauf dans ces casernes à l'odeur d'agneau rôti. Il nous faut encore attendre longtemps avant de regagner Tatoï et déjeuner tranquillement en famille.

Les mois passent, je remplis mes devoirs à l'armée sans me demander une seconde où cela va me mener, je suis satisfait de mon sort. Je vis avec ma famille, je la suis dans les cérémonies et j'ai perdu toute faculté de recul. J'épouse, sans réfléchir, ses opinions, ses réactions, ses sentiments. Ma famille est sans défaut et tout ce qu'elle fait est parfait. Je continue de me gaver de pompes officielles mais je commence subrepticement à me rendre compte qu'elles ne varient pas beaucoup. Alors, réapparaît le plus sournoisement l'ennui que j'avais si bien identifié lorsque je vivais en France mais que j'ai complètement négligé depuis mon installation en Grèce. Le roi, la reine, les cousins ont été entraînés dès leur plus jeune âge à jouer leur rôle. Ils le font sans broncher et ne se reconnaissent jamais le droit de s'ennuyer. Moi, ce droit, petit à petit, je me l'arroge. Ces cérémonies qui, au début, me semblaient un folklore divertissant parce que inconnu, à la longue et par la force de leurs répétitions deviennent banales, lassantes. Et puis, après tout, que suis-je, sinon la cinquième roue du carrosse ? Le roi et la reine, leurs trois enfants, sont des personnages que la Grèce entière connaît, éminemment populaires et appréciés mais moi, hormis que l'on me voit avec eux de temps à autre, je reste un inconnu pour la majorité. Alors, que je sois présent à ces cérémonies ou pas, cela revient un peu au même. En fait, je me sens inutile car se contenter de paraître n'est vraiment pas d'une nécessité frappante. Paraître, cela signifie qu'il ne faut avoir aucune personnalité. Paraître, ce n'est pas rester silencieux. Il faut parler, discuter, faire des frais mais, de nouveau, en se gardant bien de manifester du caractère ou des opinions personnelles. Parler, oui, mais d'une façon banale tout en restant éminemment neutre et en fait fade. Aussi, en quelque sorte, je me sens inexploité. Non pas que je me croie fait pour de grandes choses mais, tout de même, je veux donner, je veux créer, agir. Et, si ce n'est pas la vie de Cour, quoi faire d'autre et comment ? Je n'en sais rien mais j'ai l'envie de voir du monde car, finalement, nous vivons en vase clos. Le roi et la reine, pour esquiver les jalousies, s'interdisent sagement d'afficher toute amitié. Toutefois, dans un pays aussi démocratique que la Grèce, avec une Cour aussi modeste et une famille royale aussi éprise de simplicité, on pourrait croire qu'elles sont possibles. Les princesses Sophie et Irène ne reçoivent jamais personne. Ainsi échappent-elles aux commérages et aux indiscrétions. Elles paraissent accepter la situation et pourtant leur plus grand plaisir est de circuler pendant des heures à petite vitesse dans les rues d'Athènes, dissimulées derrière des foulards pour observer les êtres, les choses qui composent ce monde à la fois si proche et si lointain pour elles. Le diadoque[1] Constantin fréquente lui presque exclusivement ses camarades de collège. Moins

1. Héritier du trône de Grèce.

cantonné que ses sœurs, il cherche à nouer des contacts avec des jeunes pour discuter. Ceux-ci, impressionnés par la position du prince héritier, édulcorent ce qu'ils pensent. En fait, je suis le seul de la famille qui, parce que je suis bien moins en vue que les autres, peut s'échapper du Palais par la petite porte. Par chance, les sinuosités heureuses de mon existence mettent sur ma route des amitiés précieuses, je me rapproche de jeunes femmes et de jeunes hommes qui se connaissent tous entre eux et que je retrouve lors des permissions de l'armée. Avec eux, j'apprends beaucoup car ils me font accéder à la réalité de laquelle la famille royale vit éloignée, non pas par principe mais par son essence même. Il y a Evi, puis Amilia et Yohanna par moi surnommées les « douairières » avec leurs maris Marino et Lucas. Il y a l'autre Yohanna qui nous reçoit dans la belle villa de sa famille à Kifisia, puis Olia, Phédon, Théodore, Yannis, Tony. Ils constituent ce qu'on appelle ma bande, en grec ma *parea*. Je choie particulièrement mes amis, à coups de sorties, de plaisanteries et de farces, ils me font respirer un air de liberté. Ils me permettent aussi d'exprimer mon penchant pour une certaine frivolité, inspiratrice féconde de mon goût pour la légèreté qu'on a pu me reprocher depuis l'enfance. Je l'assume et la considère comme une défense imparable contre les lourdeurs du temps. Elle m'a sauvé de bien des périodes d'abattement depuis la mort de ma mère, quand ce n'était pas de la pure tristesse ou un profond découragement. La légèreté n'est pas indéfendable, je proclame qu'elle est même indispensable !

En ce printemps 1962, mon entraînement d'officier de réserve s'achève. Je prête mon serment en grande pompe au Palais royal. La cérémonie se déroule dans la salle du trône. La famille royale, la Cour, le gouvernement mené par le Premier ministre, les autorités se sont réunis. L'archevêque d'Athènes, primat de Grèce, me présente une bible à la reliure d'or et d'argent. J'étends la main et prononce les paroles rituelles. Les soldats présentent armes, l'officier abaisse le drapeau et l'orchestre entonne en sourdine l'hymne national. Je crois mon importance décuplée. D'autant plus que j'ai, désormais, droit au grand uniforme d'officier de cavalerie. Cet uniforme de gala comporte des brandebourgs d'argent et exige des bottes cirées. Un diplomate français en poste à Athènes écrit que je suis vêtu d'un « uniforme d'opérette ». Ce n'est que trop vrai et j'en suis âprement conscient. Aussi, lorsqu'il ne faut pas être au garde-à-vous, je tâche de cacher ces maudits brandebourgs en croisant les bras ou par un autre geste incongru. Parfois, je suis un peu négligent dans les accessoires de mon uniforme. Comme j'ai égaré mon sabre, le roi Paul fait sortir aimablement d'un vieux placard un sabre beaucoup plus beau qui avait appartenu à son frère, le roi Alexandre, et me prie de le garder. Je suis touché par cette marque d'affection quasi filiale, témoignage de ma parfaite intégration au sein de ma famille grecque et de la relation de confiance que je noue avec le roi Paul. Ce sabre, je l'ai conservé précieusement et donné il y a peu à mes petits-fils, Tigran et Darius, en souvenir de mes jeunes années à la Cour. Je sais qu'il a servi aux deux adolescents récemment alors que, croyant se faire cambrioler, ils se sont retranchés dans un placard avec le sabre royal comme arme de défense contre… le gardien de nuit qui venait se laver les mains !

Peu après, on m'expédie à Salonique en garnison. Dans le jargon officiel, Salonique est toujours nommée la cocapitale pour ménager les susceptibilités. Athènes avait été le plus grand centre connu de l'Antiquité païenne. Sous l'Empire byzantin, phare du Christianisme, on l'avait soupçonnée ne pas avoir suffisamment coupé ses racines païennes et de conserver en secret des cultes abhorrés. Contre Athènes délibérément négligée, on avait favorisé Salonique dont on avait fait une métropole commerciale mais aussi intellectuelle. Alors qu'Athènes périclitait et s'enfonçait dans l'oubli, Salonique avait prospéré pendant le Moyen Âge byzantin et tout naturellement avait continué de le faire sous l'occupation ottomane. Lorsque les rois catholiques avaient chassé d'Espagne les Juifs, une grande partie de l'intelligentsia séfarade s'y était installée et lui avait donné un vif éclat intellectuel et spirituel. Les Ottomans y avaient volontiers exilé les puissants tombés en disgrâce. C'est ainsi qu'en 1909 les jeunes Turcs y avaient expédié, après l'avoir renversé, le sultan Abdul Hamid, le « Grand Saigneur ». On l'avait installé dans une belle villa des faubourgs de la ville ; on lui avait conservé les honneurs dus à son rang et tout le confort auquel il était habitué mais on lui avait coupé les nouvelles. Il n'était pas autorisé à savoir ce qui se passait dans le monde en général et en particulier dans son ancien empire. Un beau jour de 1912, il avait tout de même décelé une agitation inhabituelle. Par ses fenêtres, il avait vu des régiments passer, l'artillerie défiler. À ses questions, on avait répondu qu'absolument rien d'anormal ne survenait mais que l'armée avait simplement ordonné des manœuvres de routine. Le lendemain, il avait entendu le canon tonner. On ne pouvait tout de même pas prétendre à des salves d'honneur. On lui avait répété le leitmotiv : la vie suivait son cours sans surprise et tout se déroulait normalement – ce qui avait été loin de le convaincre. Quelques jours s'étaient écoulés, puis, une nuit, on l'avait réveillé pour le prier de s'habiller en toute hâte car on l'évacuait sur un navire de guerre allemand venu le chercher. Il avait été impossible de lui cacher la vérité plus longtemps. Mon oncle, le diadoque Constantin, futur roi de Grèce, était aux portes de la ville à la tête de l'armée grecque. Depuis des mois, les guerres balkaniques faisaient rage contre les Ottomans. Abdul Hamid évacué, la ville tomba aux mains des Grecs, et bientôt mon grand-père Georges Ier y fit une entrée solennelle.

Lorsque j'y arrive, Salonique m'apparaît moins vaste qu'Athènes mais j'y ressens immédiatement une énergie prometteuse. Embellie par son somptueux bord de mer, truffée de splendides églises byzantines, Salonique ressemble à ses habitants. Ces Macédoniens sont fiers, indépendants, hospitaliers. Ils savent bien vivre, ils sont actifs et leur contact est éminemment chaleureux et stimulant. Je trouve à louer une maisonnette dans le faubourg d'Aretsou, un rez-de-chaussée entouré d'un jardinet ombragé. Le confort simple et le charme de ces trois pièces suffisent à me contenter. Je me présente le lendemain à la 22e Merarxia et l'on me confie la responsabilité d'un bataillon à la tête de six tanks. Je me rends tout de suite compte qu'il y a beaucoup de travail avec l'entretien des tanks, l'exercice des soldats, l'inspection des bâtiments, la surveillance de la popote, les cours que nous suivons pour compléter notre formation, et enfin l'entraînement. Le premier soir, je vais dîner seul dans un restaurant populaire, en face de l'entrée de la caserne. La grande salle carrée peinte à la chaux est violemment éclairée au néon, ses grandes baies vitrées donnent sur le mur de la caserne. La pluie bat sur les vitres de la salle déserte où je déguste mon plat favori : une omelette au pastourma, la plus merveilleuse charcuterie. La légende affirme que ce jambon cru est fabriqué à base de viande de chameau et que, pour être vraiment réussi, il faut qu'une mama turque soit restée assise dessus pendant vingt jours. Formidablement épicé, son ingurgitation donne à l'haleine et à la peau un parfum proprement renversant et tenace ! Tout en me délectant, j'observe mon environnement. Seul dans ce décor un peu pathétique, un sourire me vient aux lèvres en pensant que jamais je n'aurais imaginé que je mènerais un jour une telle existence. J'en frissonne d'aise. Je me couche tôt car je dois me lever à l'aube. Le lendemain matin, arrivé fringant à la caserne, les premières directives tombent. Ce qu'on me demande de faire est à l'opposé de mes préoccupations et de mes intérêts habituels. Je suis soumis à d'impitoyables horaires, il m'est interdit de prendre la plus petite décision et de hasarder la moindre initiative. Je dois obéir aux ordres et si je ne le fais pas exactement, j'encours un blâme et même de la prison. Cela ne manque pas, au bout de quelques jours on m'y met pendant quarante-huit heures pour une faute que je n'ai pas commise. À mes objections retentissantes, le commandant me répond froidement que si je n'y vais pas, les autres soldats vont croire que je reçois un traitement de faveur. Deux longs jours et une nuit à enrager de cette injustice dans une cellule à l'humide froidure me permettent depuis de pouvoir dire crânement que j'ai connu la tôle !

Dans cet univers militaire cloisonné, je me trouve privé de liberté et, à chaque instant, la routine menace d'engendrer la plus cuisante morosité. Je pourrais être malheureux, en réalité jamais je n'ai été aussi heureux. Je n'ai plus aucune responsabilité à prendre, aucun choix à faire. Je n'ignore pas que cette existence ne durera pas toute ma vie, qu'elle n'est qu'un entracte. Justement, j'en profite. Finies, les angoisses sur l'avenir, les spéculations anxieuses sur ma carrière. Je réfléchirai au futur dans le futur. Puisqu'on me demande de ne surtout pas penser, j'obéis docilement. Les circonstances m'y aident. L'armée, la monarchie, la Grèce me semblent immuables et indestructibles. Le monde où nous vivons me paraît d'une solidité à toute épreuve. Force m'est aussi de convenir que ma position m'avantage dans maints détails pratiques du quotidien. Enfin, l'armée m'offre le meilleur poste d'observation de toutes les couches sociales qui composent la société grecque que je ne connais pas.

L'automne 1961, ce furent les grandes manœuvres militaires, les exercices grandeur nature pendant lesquels on ne tire pas un seul obus. J'ai retiré ceux de mon tank pour les remplacer par des bouteilles des meilleurs alcools : un xérès incomparable que j'ai chipé dans les caves du Palais et un cognac aussi vénérable. J'ai également trouvé des boîtes de cigares envoyées par le prédécesseur de Fidel Castro et je pends au plafond plusieurs saucissons à l'odeur offensive. Enfin, j'agence dans mon engin de guerre une minuscule bibliothèque, bien décidé à réaliser un vieux rêve, lire l'intégralité de Saint-Simon d'une traite ! Le lendemain à l'aube, les tanks s'ébranlent. On quitte les faubourgs de la ville en suivant la route qui se dirige vers le nord-est de la Grèce. On arrive au jour tombant dans l'endroit choisi pour camper. Le hasard a envoyé mon peloton dans un endroit idyllique, une clairière entourée d'arbres parsemés au bord d'un cours d'eau. Je pars seul en reconnaissance et m'émerveille de ce que mes yeux découvrent. Je me grise de ce décor d'eau pure, d'herbes hautes, de fleurs des champs, de peupliers. Je reviens au camp fourbu, encore songeur mais empli d'une sereine tranquillité. Pendant ce temps, les soldats se sont transformés en nourrices. L'un a tué une perdrix et me l'a préparée, l'autre me donne son oreiller, un troisième veut me prêter sa couverture, un quatrième a dressé ma tente avec un profond souci de mon confort. Leur prévenance me touche, je partage avec eux les provisions. Ils apprécient les alcools venus des caves du Palais et les cigares cubains. Avant de me coucher, je me promène dans une demi-pénombre, la brume se lève sur l'eau immobile, un clair de lune discret tombe sur les saules ; derrière, les peupliers dansent comme des humains qui se balanceraient avec grâce. Dans un soupir de bonheur simple, je réalise pour la première fois combien je me sens ici chez moi.

Les manœuvres durent une semaine et nous mènent dans différentes parties de la Grèce du Nord. Nous tressautons sur des routes défoncées, nous manquons des rendez-vous, nous nous glissons dans des cortèges de jeeps qui soulèvent des nuages de poussière. En chemin, nous dévorons des sardines avec la carte de la mère patrie faisant office de nappe. Au retour, nous traversons la richissime plaine de Naoussa. Nous défilons entre des haies de pommiers croulant sous le nombre et le poids des fruits. Des jeunes paysannes souriantes courent vers nous, arrêtent les tanks et lancent des pommes en criant « Attrape qui peut ». Les soldats rient et tendent leur casque. Des centaines d'enfants minuscules et hilares agitent la main. Et les pommes continuent de tomber dans notre tank à ne plus savoir où mettre les pieds. Le cortège de cent tanks poursuit sa route au milieu des champs nus et sous le soleil rouge. La nuit venue, les phares s'allument et le cortège devient un interminable serpent de lumière qui sillonne dans la vaste plaine.

Nous rejoignons Salonique. L'euphorie que je ramène des manœuvres n'est pas ébranlée par l'annonce en ce mois d'octobre 1961 d'élections générales. La plupart des officiers sont envoyés dans les bureaux de vote surveiller le bon déroulement des opérations. Moi, je suis consigné à la caserne. Selon la Constitution, les membres de la famille royale ne doivent pas voter afin de rester au-dessus des partis et ils ne doivent jamais être impliqués de près ou de loin dans quoi que ce soit qui paraît politique, on ne me laisse donc pas prendre part à ces élections. Je passe la matinée assis au soleil à vaguement surveiller les soldats qui jouent au ballon, tout en lisant *Le voyageur solitaire est un diable*. Les *Essais* de Montherlant n'arrivent pas tout à fait à me distraire de mes observations sur ce qui se passe autour de moi, la vie au ralenti de la caserne. Chaque détail attire mon attention.

Bientôt, je descends à Athènes assister à l'ouverture du nouveau Parlement. Les soldats alignés le long des avenues contiennent les badauds, et les détachements de cavalerie précèdent et suivent le cortège officiel. Sophie, Irène et moi, nous prenons place dans la tribune qui nous est réservée, située au-dessus du siège du président du Parlement. Les autres tribunes sont combles. Le public s'agite comme à une générale de théâtre. Les rangs du parti de Papandréou sont vides. La gauche du parti du Centre a tout simplement refusé de siéger à ce qu'elle appelle une mascarade. Dans les autres rangs – ceux des vainqueurs de droite – les députés se congratulent avec des poignées de main destinées aux photographes. Ils sourient, se rengorgent, courent de-ci de-là saluer des collègues et ils sont visiblement enchantés d'avoir obtenu la majorité absolue. Tout le monde se lève lorsque le roi Paul entre dans l'hémicycle. En grand uniforme et décorations, il monte à la tribune et prononce un discours composé par Karamanlis, le Premier ministre. Puis, rapidement, il s'en va. Comment ? Le spectacle est déjà terminé ? Je crois avoir assisté à une représentation dont les acteurs se sont moqués de moi. Je repars le jour même, pressé de retrouver Salonique et la caserne. Le chapitre des élections est clos et tout reste dans l'ordre. J'ignore qu'elles vont marquer le début d'un engrenage fatal aux inimaginables conséquences.

À la caserne, un froid virulent m'accueille. Alors que j'ai le nez dans le moteur d'un tank, un des soldats s'exclame : « Tiens, il a neigé sur l'Olympe ! » Comme nous sommes à des dizaines de kilomètres de la montagne sacrée, légendaire séjour des dieux de la mythologie, je crois qu'il invente et sans me retourner je le gronde pour sa sottise. Il insiste, je me relève et me retourne. L'horizon a soudain reculé. Depuis l'Olympe scintillant jusqu'à la frontière serbe, toutes les montagnes se détachent nettes et blanches dans une vision inoubliable. La volonté de remplir mes devoirs ne résiste pas à la température qui baisse sans cesse. Ni d'ailleurs celle des autres militaires. Les soldats disparaissent dans les tanks où il ne fait pas froid et les officiers dans les bureaux confortablement chauffés.

Il faut malheureusement nous en extraire pour partir en manœuvre en plein hiver sur un plateau au nord de

Salonique. Nous parvenons dans une région incroyablement reculée où le temps s'est arrêté depuis des lustres. Je me rappelle le nom de ce village intouché par le temps, Mikrokomissi. Reconnaissance, défense, attaque, retraite, les manœuvres ne varient pas, sauf qu'il faut vingt-quatre heures sur vingt-quatre se défendre contre les excès du mauvais temps. Le froid est encore plus vif, un vent glacial souffle violemment. Il renverse les généraux alignés sur les sommets et pénètre par les ouvertures des tentes. Une pluie aussi lourde que le plomb transperce nos uniformes. Le visage rouge, les mains violettes, officiers et soldats pleins de gaieté ne cessent de plaisanter. Leur endurance comme leur simplicité m'émerveillent. La chaleur vient moins des maigres feux de bois que nous allumons et sur lesquels nous jetons des écorces d'orange pour les parfumer que de leur gaieté. Les rigueurs de la saison imposent une existence ralentie, un repli sur soi qui suscite une intimité inconnue dans les chaleurs de l'été. Tout prend une valeur. Une nouvelle cafetière dont un soldat décrit l'acquisition, un poisson rouge qu'un officier raconte avoir offert à sa femme font l'objet de conversations et d'admiration sans fin. Les Grecs, je le découvre, ont ce talent incomparable de tout valoriser. Peut-être parce que ce pays pauvre et démuni leur a appris à tout apprécier. Jamais blasés et toujours spontanés, ils vivent intensément c'est-à-dire jusqu'au moindre détail. La routine n'existe pas. Chaque jour amène sa cargaison d'aventures minuscules et d'impressions microscopiques.

En leur compagnie, je deviens inaccessible à l'ennui. Comment être lassé lorsqu'une chute de neige est un événement inouï, quand la discussion sur la coupe de cheveux occupe des jours entiers, et savoir qui paiera une orange dégénère en bagarre. Quant aux discussions sur les actrices ou sur les équipes de football, on en vient aux mains en moins de deux. Cette simplicité sensée et gaie qui a traversé dominations et siècles m'apparaît comme un héritage rarissime, un trésor sans prix. Notre retour à Salonique m'offre un spectacle inoubliable. Malgré la température, j'ai ouvert le couvercle du tank et je me suis assis sur le rebord supérieur pour en profiter. Nous roulons de nuit sous un ciel étoilé. La pleine lune met tant de luminosité que nous n'avons pas besoin d'allumer les phares. Sur les champs blanchis de verglas se dressent les ombres noires et solitaires de quelques arbres. L'air pur et transparent permet d'apercevoir au loin les montagnes. Tels sont mes adieux à la Macédoine, car aussitôt après je suis transféré à Athènes.

5

Bals et manœuvres militaires

Au printemps 1962, la jeunesse royale de tous les pays d'Europe s'en va en Hollande invitée pour les noces d'argent de la reine Juliana. L'excitation est grande dans les rangs car c'est une rareté qu'une Cour en exercice reçoive autant de royautés de tous âges. Les programmes déposés dans les chambres expliquent les tenues, les horaires et ce qu'il faut faire, car le cauchemar des royautés est de ne jamais savoir comment s'habiller, à quelle heure être prêt et où se rendre. Le premier soir a lieu le cocktail où tout le monde se rencontre et se renifle un peu à la manière des canidés. Cette réunion est en effet un moyen inavoué de faire se connaître des jeunes princes et des jeunes princesses dans le but de les voir peut-être convoler. Le grand bal dans le palais royal d'Amsterdam est splendide. Le bâtiment baroque XVIIe siècle en impose. Un large escalier monte jusqu'à une immense salle toute blanche, démesurément haute, ornée de stucs exubérants et au sol en marbres multicolores. On ne sait trop pourquoi, la sauce prend dans certaines soirées et pas dans d'autres. Lors de ce bal, la sauce prend immédiatement. L'ambiance est électrique et électrisante. Peut-être parce que tant de vedettes royales y participent. La reine Juliana est alors au comble de sa popularité. Nous avons pu constater en défilant en autobus avec elle dans les rues d'Amsterdam avec quelle chaleur les Hollandais l'acclament. La reine Elizabeth II a également fait le déplacement. Or tout le monde sait qu'elle a hérité de la phobie de son ancêtre Victoria pour le *royal mob*, les cohues royales qu'elle évite soigneusement alors que les autres en raffolent. Sa présence constitue donc un spectacle tout à fait inédit. Sa robe blanche et argent se marie aux gros diamants de sa parure, et le haut diadème de perles et de diamants rehausse sa petite taille. Tout le monde se retourne lorsqu'elle paraît à la porte de la grande salle. Elle s'arrête et attend. Chose étonnante, elle paraît ne pas trop savoir ce qu'elle doit faire. Mais la grande vedette est incontestablement Farah, l'impératrice d'Iran. Elle vient d'épouser le shah et c'est sa première grande sortie internationale. Gavé par la presse qui parle d'elle du matin au soir, tout le monde est dévoré de curiosité. Elle paraît encore plus belle que sur les photos. Grande et mince, elle porte une robe moulante en crêpe orange qui laisse une épaule découverte et qui affirme qu'elle est admirablement faite. Un très haut diadème incrusté d'énormes émeraudes la coiffe. Les jeunes intimidés n'osent s'approcher. Je m'enhardis et je l'invite à danser. Ses grands yeux sombres scintillants se posent sur moi, elle sourit, et je suis conquis en un instant. Tout en dansant, je lui pose en bredouillant les questions les plus banales, auxquelles elle répond de sa voix rauque qui lui sied si bien.

L'essence même de la féminité, elle rayonne d'un charme irrésistible, mais aussi d'une dignité naturelle. Elle n'a pas besoin qu'on lui apprenne comment une impératrice doit se tenir. Elle le sait d'instinct. Aussi, cette jeune et timide étudiante devenue soudain une des souveraines les plus puissantes du monde garde-t-elle tout son naturel et sa simplicité. Depuis ce jour, je conçois pour elle une admiration qui ne s'est jamais démentie. De retour à l'hôtel, je me retrouve dans les couloirs avec mes cousins les plus friands de commérages pour donner des notes. La Cour de Hollande est jugée à l'unanimité au-dessus de tout éloge.

Revenu à Athènes, je suis nommé instructeur dans la même école d'officiers de réserve de cavalerie où j'ai été élève. Désormais, je partage avec deux ou trois autres officiers-enseignants de modestes bureaux situés sur le palier du premier étage de l'école entre les dortoirs des élèves. On y travaille ferme, bercés par les sonneries incessantes du téléphone et au milieu d'une valse ininterrompue de plateaux amenant des cafés. J'inaugure mon nouveau métier de prof, puisque je suis chargé de donner des cours aux élèves officiers. Enthousiasmé par cette mission, j'ai le toupet d'enseigner la stratégie, la logistique, la mécanique et autres sciences dont je n'avais pas la moindre notion et pour lesquelles je n'ai aucune attirance.

Dès le lendemain, alors que les officiers détestent cette corvée, je suis ravi d'être de service et de rester une nuit à la caserne. Je passe l'après-midi à paresser avec mes camarades officiers retenus comme moi. Nous faisons apporter des chaises de paille près du porche de la caserne, prétendument pour surveiller. Du café voisin viennent les boissons chaudes ou les rafraîchissements. Nous bavardons en fumant pendant que les nouvelles recrues reçoivent leurs visites. Sans qu'elle ait rien de particulier, cette après-midi de printemps a un charme rare. L'austérité de la caserne n'a rien de triste. Dans la douceur de l'air, notre farniente prend toute sa valeur. De l'œil nous inspectons les paysannes qui amènent des sacs entiers de provisions à leurs fils, mais surtout les petites amies haut perchées sur leurs talons qui pleurent d'émotion dans les bras de leur joli cœur. Partout, la légèreté, la gaieté. Le soir revenu, je surveille les élèves dans la salle d'étude. Ces grands garçons redeviennent des gosses enfermés et soumis à un régime sévère. Ils écrivent à leur famille. Je les vois s'arrêter, regarder dans le vague, laisser les souvenirs et les regrets les assaillir. Ils soupirent, de mélancolie ou d'impatience, ils rêvent à leur liberté bientôt retrouvée. Ils ne se cachent pas devant moi, leur attitude révèle un abandon qui m'émeut, moi qui ne puis rien laisser transparaître de mes états d'âme. Je dîne seul dans le mess désert à peine éclairé par une ampoule usée, je pense à la vie que je mène, sans perspective très nette mais grisante, presque exotique parce que si lointaine de tout ce que j'ai pu connaître jusqu'ici. Cette immersion au sein d'un groupe de jeunes gens d'origine souvent très modeste contraste vivement avec ma vie aisée d'étudiant parisien. Je savoure chaque instant de cette expérience. Après l'inspection des postes de garde, je me couche sur le lit de sangles dressé dans le bureau et sombre dans un profond sommeil.

Je suis régulièrement commis à la corvée de popote. En convoi de plusieurs jeeps, nous allons tôt le matin au grand marché d'Athènes en bas de la ville. Sous les vastes auvents de fer et de verre, c'est une cohue de ménagères et de vendeurs hurlant les mérites de leurs marchandises. Heureusement, que des sous-officiers sont là pour marchander avec les vendeurs, autrement j'aurais ruiné la caserne. Nous revenons surchargés de cageots. Je fais les menus. C'est une chance que j'aime la *fasolada*, le plat national de fèves aux tomates qui, vu les budgets serrés, revient presque chaque jour. Je surveille que les plats soient bien préparés et appétissants car je me méfie du cuisinier, un roux ironique et insolent. Un jour, il se montre particulièrement négligent et la nourriture des élèves se révèle immangeable, je le menace d'une punition. Il éclate de rire : « Mettez-moi deux jours ou même dix jours au trou, qu'est-ce que cela fera par rapport à vingt ans de prison. » J'apprends alors que ce repris de justice effectue une partie de sa peine en cuisinant pour nous. Il a été condamné pour avoir brûlé sa maison avec sa belle-mère dedans...

Je décide d'étoffer mes responsabilités et d'organiser un bal à la caserne où seraient invités les officiers avec leurs épouses et petites amies. Tout le monde proteste contre mon initiative, du coup je m'y entête. De nouveau, c'est une agitation frénétique. La décoration du mess, la constitution du buffet, la venue des musiciens exigent des démarches sans fin. La fête commence vers les dix heures du soir. Au programme des festivités, flonflons et chahut des grands soirs. Au début, je m'assois avec le capitaine et sa femme toute riante entre deux lieutenants qui ont amené deux dulcinées, des jumelles grandes et chevalines. Sur la piste, à part les timides couples d'élèves avec leurs « mignonnes » bichonnées comme des toutous d'exposition, se produisent quelques égrillards accompagnés de minuscules demoiselles, des petits boutons de roses et pervers qui dansent des rocks effrénés. Plus tard, les petites cousines moites se mêlent aux poules de rue, les cols des grands uniformes se déboutonnent, les faces hilares deviennent de plus en plus écarlates et le nombre de bouteilles vides croît vertigineusement. L'attraction est une soi-disant chanteuse, une tour de Babel surmontée d'une coiffure Directoire géante, grasse comme un jambon d'York, avec des lèvres cramoisies en forme de W et des couches de rimmel. Elle aurait réveillé un cimetière entier. Elle embrasse tout le monde, s'évertue à saluer ses fans pour montrer des aisselles velues, chante faux comme une batterie de cuisine, se dandinant et se tortillant dans du tulle rose de nouveau-né, et obtient un succès bœuf.

Sans transition, le hasard des calendriers me fait passer du bal de la caserne aux célébrations de la Cour. Cette fois-ci pour le mariage de ma cousine, Sophie de Grèce, avec l'héritier de la Couronne d'Espagne, Juan Carlos de Bourbon. Les nombreuses alliances entre la Maison d'Espagne et la Maison d'Orléans en font un cousin proche, que je connais depuis l'enfance pour avoir passé des vacances au Portugal avec lui. Lorsqu'il débarque à Athènes, ce beau et grand jeune homme blond, fringant, rieur et cordial ne laisse pas deviner en lui les étonnantes qualités d'homme d'État, le courage exceptionnel et l'instinct phénoménal qui vont en faire un des rois les plus étonnants et les plus réussis de notre époque. Depuis des mois, les préparatifs de la noce vont bon train. À la résidence royale de Tatoï, les longues discussions ne tournent qu'autour de ce sujet. C'est un peu les Jeux olympiques et la bataille d'Austerlitz à la fois. Chacun discute, donne son avis et s'arrache les cheveux. Je me charge du plan d'attribution des appartements du Palais pour le mariage, j'erre, je repasse vingt fois dans la même chambre, perds les listes, les crayons et je dois tout recommencer. Dimitri Levidis, le grand maréchal de la Cour, paraît le capitaine d'un navire en perdition affichant flegme britannique et héroïsme romantique. Lorsque le rideau se lève le matin du 14 mai 1962, tout est fin prêt. Le bal au Palais royal réunit des membres de nombreuses familles royales et des célébrités de tout acabit, dans un déploiement extraordinaire de somptueuses toilettes et de rutilants joyaux.

Le totem de la soirée est la grand-mère du marié, la reine d'Espagne Victoria Eugenia. En dépit de son âge canonique, elle garde toute sa fraîcheur, tout son entrain et sa profonde aménité. Je suis fort impressionné de me trouver en présence de cette figure historique en songeant qu'elle a grandi auprès de sa grand-mère, la légendaire reine Victoria d'Angleterre, à la fin du XIXe siècle et qu'elle a assisté à tous les soubresauts politiques espagnols aux côtés de son époux, le roi Alphonse XIII ! Le jour même de son mariage, alors que le carrosse la ramenait avec son époux de la cathédrale au Palais royal, on avait jeté une bombe sur le cortège. Il y avait eu des morts, des blessés. Ni le roi ni la reine n'avaient été atteints mais, ayant couru au secours des blessés, elle avait vu tout le devant de sa robe blanche maculé de sang. Cette blonde Anglaise, grande et superbe d'aspect, avait dû s'adapter à l'Espagne et en particulier supporter les courses de taureaux. Puis, il y avait eu des crises, la chute de la monarchie, l'exil, l'éloignement de son mari, l'hémophilie de deux de ses fils et leur mort prématurée. L'âge ne lui avait en rien enlevé son aspect imposant et son allure. Les royautés nordiques, Danemark, Norvège, Suède, Hollande, sont amplement représentées mais pour une fois elles sont noyées dans des flots de royautés du Sud, toutes détrônées. C'est pour beaucoup la première fois qu'elles pénètrent dans la Cour d'une monarchie régnante. Toutes, sans exception, s'y sont ruées. C'est par flots entiers des Bourbons de toutes les branches, Espagne, Sicile, Parme, des Bragance, des Savoie, des Orléans-Bragance, des Orléans tout court. Avec sa générosité caractéristique, la famille royale espagnole a mis sur sa liste le ban et l'arrière-ban et la famille royale grecque a invité tout le monde. Les grandes d'Espagne ont sorti de leurs écrins de fabuleux bijoux de famille qui ont survécu aux révolutions et rivalisent victorieusement avec les parures des reines régnantes. Les deux duchesses les plus importantes d'Espagne, la duchesse de Medinaceli et la duchesse d'Albe – qui toutes deux ont le droit de pénétrer à cheval dans la cathédrale de Séville –, arborent la première des émeraudes taillées sans pareilles, la seconde des perles d'une taille pharamineuse. L'attraction est également la présence de Grace. Princesse de Monaco et actrice américaine, elle se révèle tout de suite la plus parfaite des professionnelles. Monaco et sa dynastie acquièrent glamour et prestige. Les Monaco ont toujours été excessivement hospitaliers et généreux envers les détrônées et désargentées. Avec la princesse Grace, cette générosité prend toute sa signification. Elle a en particulier souvent invité la famille royale espagnole, qui lui rend la pareille en la conviant avec le prince Rainier. C'est la première fois qu'elle participe à la grande parade royale et tous trépignent de curiosité de la connaître. Les hommes sont séduits par sa beauté resplendissante et les vieilles tantes, l'œil dardé sur elle, doivent reconnaître qu'avec sa connaissance du protocole, ses révérences gracieuses et son tact, elle est plus convaincante qu'une princesse née dans le sérail, leur faisant avouer d'un ton pincé : « Cette jeune Américaine est fort bien élevée. »

Les mariés étant de confessions différentes, il y a deux mariages religieux. Le catholique dans l'église Saint-Denis baigne dans une atmosphère mondaine. L'orthodoxe, dans la cathédrale d'Athènes, voit se déployer les incomparables splendeurs de l'Église grecque. La mariée, Sophie, ravissante, obtient un franc succès lorsque, défilant en carrosse dans les rues bondées, elle sourit chaleureusement à la foule et agite par la fenêtre son mouchoir de dentelle. Elle est immensément populaire en Grèce, ce qu'elle est restée jusqu'à nos jours, autant que dans son pays d'adoption. Les longs cortèges de voitures avancent à l'allure requise. Sur notre passage, les soldats s'alignent dans les rues tandis que les canons tirent leurs salves d'honneur à la seconde près, accompagnant les cloches lancées à toute volée.

Si nos palais grecs ne peuvent rivaliser avec ceux de l'Europe occidentale, nulle monarchie ne présente un clergé plus rutilant que le nôtre, avec ces rangées d'évêques en ornements de brocard, barbe blanche et couronne d'or et de diamants. Outre les pompes grandioses, il y a des réunions informelles entre royautés, pour déjeuner sur la très sélecte plage de Glyfada ou pour dîner dans une salle à manger particulière de l'hôtel Grande-Bretagne. Curieusement ces divertissements sont bien moins amusants que les grands galas. J'en profite pour entreprendre des oncles, des tantes que j'apprécie beaucoup. Ils incarnent l'Histoire et me passionnent. Je les questionne inlassablement sur le passé, sans avoir honte de les ennuyer. Peut-être d'ailleurs que je leur offre une distraction et qu'ils sont heureux de ressortir les souvenirs enfouis devant un neveu tout ouïe. Nombre d'entre eux se rappellent les Cours d'autrefois et évoquent leurs aïeux.

La reine d'Italie Marie-José est assise toute seule à une table et ne paraît pas vouloir faire la conversation. Elle me reconnaît cependant, je m'approche tout en l'observant. Elle garde bon pied bon œil, coiffée comme une jeune fille blonde, mais cependant majestueuse, l'œil toujours pétillant, allumé et amusé. Elle prétend être vague pour mieux lâcher des vérités percutantes. Extraordinairement cultivée, originale, brillante, cherchant à déconcerter, elle affecte de reconnaître peu de monde et d'ailleurs commence par m'interroger : « Je viens d'être embrassée douze fois par la même grosse, là-bas. Est-ce que tu sais qui c'est, je n'en ai pas la moindre idée ? » Je prétends moi aussi à l'ignorance, n'osant lui avouer l'identité d'une reine célèbre !

Pendant la guerre, très peu de royautés ont eu l'occasion de pénétrer dans un monde aussi inaccessible que le saint des saints nazi, le nid d'aigle de Berchtesgaden. Par instinct, l'immense majorité des royautés se révèle totalement antinazie. Quant à Hitler, il a commencé à courtiser les royautés allemandes pour étoffer son électorat mais il s'en méfie. Il finira par les exclure de l'armée et les pourchasser impitoyablement. Ce sujet des monarchies et d'Hitler m'intéresse. Malgré sa connotation sinistre, je n'hésite pas à le mettre sur le tapis alors que nous sommes réunis là pour célébrer le plus joyeusement du monde un hyménée. Et dès que je lance le sujet, tante Marie-José s'allume ! Née au sein de la famille royale belge, libérale par tradition, elle est résolument antinazie. Cependant, mariée au prince héritier d'Italie, un pays alors fasciste, elle a eu ses entrées auprès du dictateur. En 1940, elle est allée voir Hitler à Berchtesgaden pour plaider en faveur de ses anciens compatriotes. Il l'accueille le plus aimablement du monde. « Mais quand je lui demande d'améliorer le sort des Belges, il se met en rage, tape sur la table en hurlant comme un fou *Nein, Nein !* Là-dessus, je lui demande de cesser de pourchasser deux de mes vieilles tantes de la famille de Bavière tout à fait inoffensives, il me répond sèchement que ces dames agitent les populations contre lui. » Tante Marie-José ajoute exaspérée : « Hitler était onctueux. Il avait les mains molles et prenait la mienne entre les siennes en répétant : Je dois vous fatiguer avec mes discours, madame, car il déblatérait contre l'Angleterre. »

On en est encore à épiloguer sur ce mariage lorsque éclate la crise de Cuba. À l'appel de Fidel Castro, le maître de l'Union soviétique Khrouchtchev a décidé de lui faire parvenir des missiles russes à diriger contre les États-Unis. Les bateaux russes sont déjà en route vers Cuba. Alors, le président des États-Unis, Kennedy, menace tout simplement d'avoir recours à l'arme atomique si jamais les missiles arrivent à Cuba. En pleine guerre froide, pour la première fois le mot maudit de « conflit nucléaire » vole de lèvres en lèvres. À Athènes, les troupes sont consignées, la presse devient survoltée, les nouvelles restent rares et l'attente devient de plus en plus fiévreuse. Une fin d'après-midi, pour tromper ma nervosité, je pars me promener au bord de la mer. Je suis seul, je me dis que la guerre nucléaire peut éclater à n'importe quel instant et que ce serait la destruction d'une grande partie de la planète. Je me pose des questions absurdes, savoir qui survivrait et comment, qu'est-ce qui serait changé et qu'est-ce qui ne le serait pas. En tout cas, j'envisage que le destin de l'humanité puisse basculer dans la minute. Au fil des jours, la peur grandit partout. Au dernier moment, la fermeté de Kennedy agit. Alors que les bateaux russes sont presque en vue de Cuba, sur l'ordre de Khrouchtchev ils font demi-tour. Le maître de l'Union soviétique a cédé. La crise se résorbe et le monde se rassure, pour un temps seulement.

Cette année 1963, on décide de fêter avec éclat le centenaire de l'arrivée en Grèce de mon grand-père Georges Ier. Depuis des semaines je redoute cette corvée. Non sans raison. Car pendant une semaine il nous faut chaque soir assister à une interminable séance de commémoration. Au Centre économique, à la Banque de Grèce, à l'Académie, à l'Université, à la réunion des maires de Grèce, les discours que nous subissons encensent nos ancêtres et les présents souverains. J'apprécie les compliments sur ma famille. Faut-il croire en la sincérité de ceux que nous recueillons ? La foule applaudit. Au contraire des politiciens discoureurs, elle est sincère mais a-t-elle de la constance ? Il y a dans ces manifestations quelque chose d'artificiel qui me cause un vague malaise. Je sens que la sauce ne prend pas. Et encore un déjeuner donné par le gouvernement à l'hôtel Grande-Bretagne. Et une soirée de gala au théâtre royal pour applaudir une *Iphigenia* qui n'en finit pas de mourir. Nous en arrivons à la grande soirée au stade, cette reconstitution en marbre blanc du stade antique qui avait été inauguré pour la résurrection des Jeux olympiques au XIXe siècle. L'armée y donne un spectacle suivi de ballets folkloriques. De soudaines trombes de pluie interrompent ces réjouissances. C'est la débandade, et un désordre total parmi les officiels. On s'arrache des parapluies de fortune et on cherche désespérément sa voiture en se cognant contre d'autres désespérés. Ce soir-là encore, plus que les précédents, j'ai le cœur dans les talons. Je sais que le lendemain, 25 mars, m'attend l'épreuve suprême.

C'est la fête nationale qui commémore l'indépendance du pays. Une revue militaire en constitue le clou à laquelle évidemment assiste la famille royale, les hommes en tête. Les années précédentes j'ai esquivé le pire en défilant du haut de mon tank. Mais cette année-là, le roi Paul et surtout l'héritier Constantin exigent que j'assiste au défilé à leurs côtés… c'est-à-dire à cheval, animal que j'ai toujours détesté. Ma mère m'avait forcé à apprendre l'équitation, sans grand succès. Mais depuis le Maroc où je m'étais plu à galoper dans le sable j'évite ces quadrupèdes autant que je le peux.

Le lendemain matin, après l'habituel Te Deum à la cathédrale, nous nous retrouvons au Vieux Palais, dans les bureaux du président du Parlement pour des rafraîchissements. Enfin, le moment fatal arrive. Nous descendons dans la cour et nous enfourchons nos montures. Lentement, le grand portail du Palais s'ouvre. Devant nous s'étend la longue et large avenue Panepistimiou entièrement vide. Mais des deux côtés, des trottoirs aux balcons et sur les toits, un million de spectateurs nous attendent, hurlant, applaudissant, agitant des drapeaux. Le roi et les princes en tête du cortège, nous chevauchons au son des orchestres militaires et des salves d'honneur. Je me sens happé par un gouffre. Je défaille de terreur. Si jamais il y a le moindre incident, si mon cheval part au galop, il n'y aura personne pour m'aider et un irrémédiable ridicule m'anéantira *ad vitam*. Pendant toute la revue, je ne pense qu'à mon cheval, je ne m'occupe que de mon cheval, surveillant son humeur. Il paraît plutôt placide, mais sait-on jamais ! Du spectacle, je ne vois rien. Enfin nous sommes autorisés à descendre de cheval. La tension nerveuse m'a vidé. La seule qui a deviné mon angoisse et qui a manifesté de la compassion est la reine Frederika. Elle a tâché de me raisonner sans succès, puis m'a refilé un calmant, lequel m'a aidé un peu. Incontestablement elle possède l'intelligence du cœur et elle a le geste spontané. Je me jure que pour rien au monde je ne traverserais l'épreuve une seconde fois, même si selon toute évidence j'y serais appelé l'année suivante. Il me reste douze mois pour que mon inventivité trouve une brillante esquive à ma pitoyable parade équestre. Pendant toutes ces journées, je vis dans un état d'hibernation. Je ne lis pas, je ne pense pas. Je subsiste comme un bovin en train de ruminer. Cette semaine mortelle de tensions et de tracas est trop lourde pour moi, trop indigeste pour être avalée avec légèreté. Le poids m'en reste comme un boulet au pied du condamné. La revue militaire a été la goutte d'eau, la sonnette d'alarme. L'ennui des cérémonies officielles, après m'avoir effleuré, me suffoque. La contrainte me devient intolérable.

6

Festivités et politique

Arrive en Grèce en visite officielle la plus grande star de l'époque : le général de Gaulle. Au début, lorsqu'il a été question de sa venue, la reine Frederika a ronchonné : de Gaulle est aussi le personnage le plus visé par des attentats. La reine craint un incident qui aurait des conséquences dramatiques. Cependant, ses réserves sont emportées par l'excitation générale qui gagne le pays entier, à commencer par le Palais. Moi-même, depuis que j'ai vécu le suspense de son retour en politique alors que j'étais étudiant en 1958, il n'a cessé de me fasciner, par son panache, ses audaces, son franc-parler, son humour dévastateur, les passions qu'il suscite, négatives ou positives, ses accès de férocité, son goût de la grandeur, son style incomparable. C'est son propre metteur en scène et le meilleur qui jamais a paru. J'écoute avec enthousiasme ses discours, je regarde ses apparitions à la télévision qui sont autant de happenings électrisants. Je dévore ses bons mots, aussi percutants qu'irrésistiblement drôles. Grâce à lui, la politique est devenue un grand spectacle que tout le monde, ami ou ennemi, suit passionnément. C'est d'ailleurs une des choses qui me le font tant regretter.

En ce jeudi 16 mai 1963 atterrit à Athènes le divin Charles, plus roi de France que jamais aucun membre de ma famille ne l'a été. Le ban et l'arrière-ban se trouvent à l'aéroport pour le recevoir. Lorsque la porte de son avion s'ouvre et qu'il paraît en haut de l'échelle, un frémissement d'excitation agite les rangs. Assisté de son aide de camp, il descend l'échelle. L'attendent cent cinquante personnalités alignées selon leur ordre d'importance et selon un protocole minutieusement établi. De Gaulle salue chacun par son titre. Or il ne connaît personne et, de plus, il est très myope ! « Bonjour monsieur le sous-directeur de la Banque nationale. Bonjour monsieur le président de la chambre de commerce de Salonique », et ainsi de suite. Chacun croyant être connu de l'Illustre se rengorge alors qu'il n'a fait qu'apprendre par cœur pendant le vol la liste communiquée par le protocole. Quel souci du détail, quel professionnalisme !

Lors des visites officielles, la question des décorations prend une importance capitale pour les entourages des deux chefs d'État, celui qui reçoit et celui qui est reçu. Le principe est bien simple : chaque Cour royale ou républicaine essaie de soutirer autant que possible des décorations de l'autre Cour, laquelle est décidée à en accorder le moins possible. Ces négociations, qui se déroulent longtemps avant la visite officielle, occasionnent des chamailleries et des intrigues interminables. De Gaulle, effaré par la consommation de légions d'honneur qu'avait faite la IVe République, a décidé de mettre le holà à ces excès et de ne plus l'accorder qu'avec une certaine parcimonie. Le roi et la reine ont déjà le grand cordon et l'héritier Constantin l'obtient durant cette visite. Le Général a aussi proposé de nous décorer ma cousine Irène et moi, non pas de la première classe de la Légion d'honneur mais de la seconde, c'est-à-dire de la cravate. Le roi Paul piqué a fait répondre que « dans notre famille, nous n'acceptons que les grands cordons », c'est-à-dire la première classe. « Eh bien, ce ne sera rien du tout ! » a répondu de Gaulle, nous privant ainsi de légion d'honneur ma cousine et moi !

Malgré cela, dès son arrivée, il comble l'attente de tous. Louis XIV visitant une province n'aurait pas eu plus d'attention, de hauteur et de courtoisie. Il ne fait que jouer son personnage, mais en l'ayant encore plus fignolé que d'habitude. Pendant qu'il serre les mains des officiels, je l'observe. Je constate que la réalité dépasse la fiction. Avec le nez archibourbonien, le ventre énorme, rond et pointant, les épaules étroites, les petits yeux glacials et sombres, pas l'ombre d'un sourire et les pieds les plus longs qu'on puisse rêver, il force sa propre caricature. La Grèce entière vire au snobisme le plus incontrôlable et ne se tient pas de bonheur. Notre cortège parcourt les avenues parmi les nuées de motards, les voitures de police, les enfants des écoles agitant des drapeaux, les escortes de gorilles énormes et reconnaissables, l'air soupçonneux mais serviable.

Le soir, il y a grand dîner et réception au Palais royal. Auparavant, selon l'habitude, nous nous réunissons dans la petite bibliothèque du premier étage avant de faire notre entrée. Il n'y a là que la famille. Bientôt, de Gaulle et sa femme nous rejoignent. Nous bavardons à bâtons rompus. Il s'adresse à chacun de nous, posant aimablement des questions sur nos activités et démontrant que ses services lui ont tout appris sur nous et qu'il a tout retenu. À la fin du dîner, il se lève pour faire son discours en réponse à celui du roi Paul. Quel privilège d'être là, à un mètre de lui, et de l'écouter. Quelle langue ! L'entendre est un plaisir si rare, unique. La langue française à son apogée, la phrase courte, le mot simple, précis, le style aéré, l'ensemble aisé, élégant, parfait. Il ne fait d'ailleurs que parler car il n'écoute pas. C'est avec une surprise amusée que je vois les efforts de la reine Frederika, pour charmer, se perdre dans cette glace. Elle est piquante, choquante, vive et malicieuse, elle joue comme jamais les jolies femmes spirituelles et ne recueille pas même un sourire. En revanche, il fait montre d'une déférence inouïe envers le roi Paul, il respecte en lui le principe monarchique. C'est là l'erreur qui flatte tant le monde : l'être, il s'en moque pas mal, mais il honore le principe, le symbole, la hiérarchie.

Le lendemain, il y a un banquet au yacht-club de Turkolimano au Pirée. Comme la veille, et selon le protocole, le roi Paul doit prononcer un discours. Il en sort les feuillets de sa poche et se lève, lorsque le Premier ministre Constantin Karamanlis jaillit de sa place et entame un discours à la place du souverain. Tout le monde remarque l'impair et un froid polaire tombe sur l'assemblée. Le ministre français des Affaires étrangères, Couve de Murville, se penche vers sa voisine la reine Frederika dont les yeux étincellent de colère et lui murmure avec un fort accent : « *I think, Madam, that it is a bit of overzeal*[1]. » Deux jours plus tard, nous devons nous rendre à Salonique où a lieu un grand défilé

1. « Je pense, madame, qu'il s'agit d'un petit excès de zèle. »

militaire en l'honneur de de Gaulle. À l'aube, le téléphone me réveille. Mon cousin Constantin m'annonce dans la nuit que le roi son père a dû être opéré d'urgence de l'appendicite. Nous sommes lui et moi chargés de régaler notre hôte à sa place. L'avion royal nous emmène à Salonique et atterrit un peu avant celui du Général. Nous le recevons et le menons à la tente d'honneur où l'on doit attendre que les régiments se mettent en place. Je prends mon courage à deux mains et j'ose le troubler dans ses réflexions pour lui demander si mon oncle Henri, le comte de Paris, a un avenir. « Aucun, me réplique-t-il d'une voix de stentor, l'opinion publique rejette la monarchie. » « Mais, mon général, votre succession dépend plus de l'homme que du régime. » « Oui, mais si les Français n'ont rien contre la personne de monseigneur le comte de Paris – qu'ils estiment et aiment, ainsi que sa famille –, ils ne le dissocient pas du régime monarchique. Ils ne peuvent croire que son retour ne signifierait pas la monarchie. L'opinion n'est pas près d'accepter Monseigneur. » « Alors ? » « Peut-être dans longtemps. En tout cas, moi je ne resterai pas longtemps – même très peu. » Est-ce le véritable prétexte ? En tout cas, je m'attendais à cela. Oncle Henri ne sera jamais son successeur comme cela avait été murmuré, évoqué, espéré. Au cours du défilé, de Gaulle s'émerveille de la tenue de nos troupes. Il faut avouer qu'elles contrastent avec quelques détachements de marins venus du croiseur de *De Grasse* qui paradent assez mollement. Après un déjeuner au club militaire, il repart comme il était arrivé, majestueux. Il laisse tout le monde ébloui, émerveillé, séduit. La famille, au début réticente, est comblée mais refuse de l'avouer. Le « il est très sympathique » est déjà considérable. Les politiciens outrageusement flattés sont aux anges, quoique sa flatterie ait un fond de mépris qui devrait les frapper. Le Premier ministre Karamanlis n'a recueilli aucun compliment personnel. Le Général a eu le malheur de jouer son personnage sur une scène trop petite et devant un public peu critique, mais c'était là son génie : l'authenticité du personnage le rendait, en toutes circonstances, vraisemblable, monolithique, inéluctable. Il était d'une grandeur, d'une hauteur, d'une précision, d'une sûreté, d'une mesure olympiennes. Cependant, il m'est apparu anachronique et pour cela touchant. La France embourgeoisée et amorphe n'est pas la France de ses illusions. Il n'est pas suivi et fait cavalier seul, sans adversaire devant, ni disciples derrière. En réalité, il n'y a rien ni personne d'autre que lui.

De Gaulle tourne à peine les talons que la crise politique éclate. Un mois plus tôt, la reine Frederika et sa fille Irène se sont rendues à Londres pour le mariage de notre parente, Alexandra de Kent. Des manifestations à l'initiative des communistes grecs sont déclenchées contre la reine dans la capitale britannique. Les manifestants assiègent l'hôtel Claridge où elle réside. Voulant sortir, elle est forcée d'emprunter une porte latérale mais l'ayant aperçue les manifestants la poursuivent. La reine et sa fille Irène se mettent à courir, puis, pour échapper aux manifestants, obliquent dans une petite rue, un cul-de-sac. Les deux femmes harcelées par des hurlements menaçants qui se rapprochent dangereusement ne trouvent de salut qu'en sonnant chez une inconnue, laquelle a la présence d'esprit d'ouvrir sa porte, de les recueillir et de se barricader. Plus tard, la police interviendra, chassera les manifestants et délivrera la reine. Cependant, le scandale est énorme, non pas tant à cause des manifestations que du total manque de protection qui expose une reine régnante au pire. Le gouvernement britannique est entièrement fautif et la reine Elizabeth II indignée s'excuse en personne auprès de sa cousine Frederika. Bien que tout cela ait été concerté et organisé, cette explosion de haine à laquelle elle n'est pas habituée frappe profondément la malheureuse souveraine. Lorsque je la revois à Tatoï après son retour, elle me paraît moins amère que désorientée par ces attaques qu'elle estime désormais dirigées non pas contre la monarchie mais contre elle en personne. Or, elle n'en comprend pas la raison. Cependant, on parle le moins possible en famille de l'incident alors que les médias déblatèrent nuit et jour.

Bientôt, le roi Paul et la reine Frederika commencent à préparer leur visite officielle en Grande-Bretagne prévue depuis longtemps. Ils se réjouissent énormément de cette occasion de retrouver la reine Elizabeth et notre cousin germain, le duc d'Édimbourg, dans les circonstances les plus prestigieuses. Le Premier ministre Karamanlis apparaît soudain comme un rabat-joie. En fait, depuis des mois, le tirage entre les souverains et le Premier ministre n'a fait qu'augmenter. Le feu couve depuis longtemps qui, soudain, embrase la scène. Après les insultes essuyées par la reine Frederika à Londres quelques semaines plus tôt, les dangers qu'elle a encourus et l'invraisemblable mollesse de la sécurité britannique pour la protéger, le gouvernement grec considère qu'il n'a pas reçu d'explications satisfaisantes de la part des autorités britanniques. Aussi Karamanlis demande-t-il purement et simplement l'annulation de la visite officielle. Le roi et la reine protestent. Ils considèrent cette visite plutôt comme une affaire de famille. L'annuler serait donner une gifle à Philip et Elizabeth. Karamanlis insiste. Les souverains refusent d'obtempérer à ses objurgations. Le Premier ministre se trouve ouvertement en désaccord avec le chef de l'État et n'a plus qu'à lui offrir sa démission.

La nouvelle suscite une explosion de cancans, de rumeurs, de suppositions à travers le pays. Le Premier ministre a démissionné mais la droite dont il est issu garde la majorité au Parlement. Aussi trouve-t-on un autre Premier ministre du même parti de droite pour préparer les élections de toute façon fixées au mois de novembre suivant. Tout paraît donc rentré dans l'ordre.

Arrive la fête onomastique du roi Paul et, comme chaque année, nous nous rendons à la cathédrale pour le Te Deum. En ce jour de fin juin, il fait une chaleur lourde. Le soleil semble tomber verticalement sur chacun. Peut-être est-ce à cause de la température, en tout cas les rues bondées les années précédentes demeurent presque vides. Le cortège qui avance à allure requise me paraît beaucoup trop lent pour des applaudissements clairsemés. L'épreuve est insidieuse, et donc d'autant plus pénible. Sans nous l'avouer, nous le ressentons tous.

Le roi Paul et la reine Frederika s'envolent finalement pour cette fameuse visite officielle à Londres. Leur séjour est parsemé d'incidents violents suscités par l'extrême gauche grecque et ses alliés anglais. Les manifestants s'en prennent même à la bonne reine mère d'Angleterre qui n'a rien à voir avec l'affaire. Alors qu'elle passe dans son énorme Rolls bordeaux, émergeant d'un nuage d'organza et de plumes, souriant gracieusement et saluant de la main, les manifestants lui hurlent : « *Fascist swain*[1] *!* » La presse grecque s'en donne à cœur joie pour décrire une situation effarante.

Peu après, en cet été 1963, nous nous rendons au mont Athos pour en fêter le millénaire. Située au nord de la Grèce, la Sainte Montagne se présente comme une presqu'île escarpée qui s'avance dans la mer et se termine par un pic dépassant les deux mille mètres. Des forêts épaisses la recouvrent, d'où émerge une vingtaine de très vieux et très grands monastères-forteresses. Le mont Athos, relique du Moyen Âge, bizarrerie de l'Histoire, anachronisme, est une république théocratique, un État autonome gouverné par des moines et dépendant uniquement du patriarche de Constantinople. L'État grec a son mot à dire dans la police, la sécurité et l'ordre de la Sainte Montagne. Cependant, seule l'autorité ecclésiastique délivre les permis indispensables pour y pénétrer. Une tradition fort ancienne interdit à toute créature féminine, humaine ou animale, d'y mettre les pieds. On murmure qu'au cours de l'Histoire quelques femmes célèbres ont tenté d'outrepasser cette règle et que cette violation leur a porté malheur. À part quelques civils qui s'occupent de l'exploitation agricole et forestière du mont Athos, celui-ci n'est habité que par des religieux. Chaque monastère élit des représentants qui se réunissent à la « capitale », Karyès, un gros bourg situé au centre du mont Athos. Là-bas, la vie n'a pas changé depuis des siècles. On suit toujours le calendrier et l'horaire byzantins plus du tout adaptés à l'époque contemporaine. On est censé vivre vertueusement et frugalement.

1. « Truie fasciste ! »

Le mont Athos abrite de fabuleux trésors artistiques : fresques, icônes, orfèvrerie, manuscrits, mosaïques, ornements brodés, reliquaires et joyaux forment un ensemble unique au monde que les moines conservent jalousement. Ils ne les montrent qu'avec les plus grandes réticences, et encore en abritent-ils dans des cachettes d'eux seuls connues – ce qui ne les empêche pas, selon les rumeurs, d'en laisser voler ou d'en vendre des quantités impressionnantes...

Cette vénérable institution fête son millénaire. Les patriarches de tous les pays encore orthodoxes ou qui ont vu l'orthodoxie y régner – Russie, Europe de l'Est, Balkans, Moyen-Orient – doivent s'y retrouver sous la suzeraineté d'Athénagoras, l'illustre patriarche de Constantinople, la plus grande vedette de l'orthodoxie qui œuvre pour le rapprochement des Églises. Le roi Paul, qui non seulement se montre fort pieux mais qui est aussi très fier d'être le dernier roi régnant orthodoxe, se fait une joie de présider avec Athénagoras cet anniversaire.

Un soir de juin, j'embarque avec la famille sur le *Polemistis*, le destroyer transformé en yacht royal ancré au Pirée. La vie à bord s'organise. Chaque membre de la famille reste la plupart du temps dans sa cabine. La mienne est confortable mais exiguë. Je préfère monter sur le pont pratiquement désert où je croise à peine un officier ou un marin. Je lis, je regarde le paysage. Les îles défilent dont je tâche de deviner le nom en regardant la carte. Nous déjeunons et dînons dans le mess des officiers. C'est rustique mais agréable. L'exiguïté de l'espace qui nous est réservé nous rapproche les uns des autres. Tout le monde est gai, de bonne humeur. Les plaisanteries fusent dans une atmosphère où prédominent l'affection et la complicité.

Nous faisons cap vers le nord. Le soleil descend lentement sur les montagnes de Thessalie, peignant en orange les forêts et en mauve la mer sans une ride. Je respire la Méditerranée à pleins poumons et me délecte de cette croisière à la visée historique. Le lendemain matin, nous débarquons tôt au petit port de Daphné, le seul du mont Athos. Les dames, interdites de séjour sur la Sainte Montagne, restent à bord. Nous sommes, le roi Paul, Constantin et moi, en grand uniforme bardé de cordons, de décorations, d'épaulettes et d'aiguillettes. Nous nous serrons dans une minuscule et antique jeep qui emprunte la seule route du mont Athos, soulevant des nuages de poussière. Partout des genêts en fleur, des prés verts, des frondaisons moutonnantes. Tout en bas, les grands vaisseaux blancs qui ont amené les officiels et qui ressemblent de cette hauteur à des jouets. La vue s'étend sur des dizaines de kilomètres jusqu'à l'île de Samothrace. Sur tout le parcours nous ne rencontrons pas un seul être humain. À Karyès, la « capitale » du mont Athos, nous attendent un détachement de soldats, quelques rares civils, mais surtout des grappes, des nuées de religieux faisant flotter leurs voiles noirs. Une fois de plus en pareille circonstance, je me tiens droit comme un i, je dissimule mon excitation et ma curiosité par un air grave et guindé, à tel point qu'on pourrait me croire sombre et blasé. Ma timidité confrontée à la solennité de la cérémonie m'inflige une mine de constipé.

La petite église où nous pénétrons me paraît d'emblée le plus sublime capharnaüm. Elle est bondée, seulement éclairée par des cierges qui illuminent des fresques ancestrales, des voûtes pendent un méli-mélo de lustres en cuivre de toute beauté et, dans un désordre total, des veilleuses, des stalles anciennes, des icônes miraculeuses. En face de nous se tiennent en demi-cercle parfaitement immobiles dix patriarches barbus, vêtus d'ornements d'une indescriptible splendeur, ruisselants d'or et de brocarts, raidis de pierreries, sortes d'idoles d'un autre temps. Athénagoras, le patriarche de Constantinople, les domine tous de sa taille très grande, chantant d'une voix grave, allongeant la barbe la plus longue que j'aie jamais vue, et vêtu d'un manteau représentant sur fond de satin bleu des palmiers et des étoiles d'or. Il s'est coiffé de la couronne de l'empereur byzantin Nicéphore Phocas. Le service se poursuit pendant plus de trois heures et demie dans un fatras et un imprévu inouïs. Les vieux moines nous cassent les oreilles avec leurs voix de crécelles. Seule la voix d'un ténor russe emplit toute l'église comme il l'aurait fait d'une salle d'Opéra. Pendant ce temps, ce sont de grands envols de moines noir corbeau qui s'affairent et des grandes discussions liturgiques dans tous les coins. Chacun donne des ordres et s'agite. Presque tous ces prélats sont fort âgés. L'évêque de Corfou pique un somme dans sa stalle. Des moinillons ricanent. Un comparse agite les immenses lustres. En entrant dans l'église, j'ai même cru à un tremblement de terre, un cri m'a échappé. Ce mouvement de balancier est destiné à créer un peu de fraîcheur, ce qui ne diminue en rien la chaleur intenable qui nous fait suer abondamment et nous plonge dans la torpeur.

D'emblée Athos m'enthousiasme avec ses paysages sans pareil, ses dégringolades de forêts jusqu'à la mer et partout le sommet hautain et aride du Mont sacré couvert de nuages. Parmi les bois touffus, sur des rochers vertigineux, affolants, orgueilleux, se dressent les monastères, des burgs dont Gustave Doré ou Victor Hugo n'oseraient rêver, non pas sombres et sinistres comme le goût romantique l'exigeait mais entourés de soleil d'été, de mer, de vergers accrochés on ne sait comment.

Dedans, c'est un entrelacs de bâtiments à moitié vides et de couloirs tortilleux et sans fin. Caves, escaliers, passages, chapelles, habitations, tout cela à ne savoir s'y retrouver, soudain à un détour des balcons offrent des vues à couper le souffle, la mer se balançant à cent, deux cents mètres en dessous. Ah, ces balcons pourris, branlants, mais incassables, d'où je ne bouge pas. En pénétrant à l'intérieur on se plonge dans un décor de *Boris Godounov* ou d'Eisenstein pour *Ivan le Terrible* mais bien propre, si bien repeint, si parfaitement grec. Les chambres mises à notre disposition pour de brefs repos sont mignonnes et blanches, précédées de salons turquisants, avec peluches et photos inénarrables d'augustes visiteurs. Les chapelles sont des fouillis peinturlurés, pomponnés, bichonnés, avec des icônes sans prix, des ex-voto touchants et hideux, des horreurs variées, des peintures naïves « guimauve » et un amas de petites tables, de petits bancs, de trônes baroques, de chandeliers géants. Les moines. Ciel, ces moines ! Ou plutôt l'enfer, ces moines... ! soignés, fleurant bon, avec, dans les souterrains, croupissant, quelques anachorètes hirsutes dont les autres rigolent. Ces moines gras, roses, incultes, finauds, rusés, dévorés de méfiance, potiniers, serviables, naïfs, perfides, amis de la bonne vie et adorant leur grasse oisiveté, sachant qu'ils couvent des trésors, n'y connaissant rien, terrorisés qu'on les vole, s'asseyant dessus, cachant tout, offrant leurs merveilles béatement aux vers, à la poussière, à la dégradation plutôt que de risquer d'être chapardés. Ils ne sont pas onctueux et hypocrites comme pourraient l'être les catholiques. Ils sont impudents, grognons, candides, prodigieusement intrigants, dignes successeurs des moines politicards de Byzance. Bref, je suis décidé à revenir au plus vite pour tout explorer en privé et mieux profiter de cette atmosphère surréaliste.

7

Marina

Depuis un certain temps, je n'habite plus à Tatoï. La reine Frederika décide qu'il est temps que les garçons de la famille aient leur chez-soi. On installe pour mon cousin, l'héritier Constantin, une grande villa sur les pentes de la montagne Pentélique, quant à moi, je trouve à louer au village d'Ekali, situé au nord d'Athènes. À cette époque, ce coin retiré, aujourd'hui pullulant de résidences, commence à attirer du monde, quelques rares villas s'y construisent. La campagne, buissonneuse et pierreuse, débute aux limites de mon jardin. La villa est assez jolie avec ses murs en belles pierres et ses terrasses. De grands lilas embaument le jardin mais c'est surtout la vue qui constitue la splendeur des lieux. Elle s'étend sur la plaine de l'Attique embrumée de chaleur, sur le Parnès et autres montagnes lointaines, et s'étend derrière au loin, jusqu'aux pointes de l'Eubée. Je fais venir de Paris une partie du contenu de mon hôtel particulier de la rue de Miromesnil, la maison de mon enfance héritée de ma mère. Je me constitue un rempart de livres et de disques qui me met à l'abri des visites. Et je passe ainsi des soirées merveilleusement paisibles à lire, à écouter une symphonie, en sirotant un cognac ancien et en fumant un cigare. Les après-midi libres, je poursuis mes explorations inaugurées lors des manœuvres d'Anavyssos et j'écume les recoins les plus sauvages de l'Attique. Au lieu des jeeps de l'armée, j'utilise désormais ma propre voiture qui se révèle être d'une résistance à toute épreuve, et je me fais accompagner de l'indispensable aspirant Andreas Battas. Cette existence solitaire influe sur ma façon de voir les choses. La reine Frederika a eu raison de me sevrer. N'habitant plus avec la famille, je ne suis plus lié à son rythme, à ses programmes, je n'ai plus à épouser ses opinions, ses réactions. L'indépendance me rend mon libre arbitre. Je suis au comble du bonheur de ma liberté retrouvée.

Cependant, j'ignore où cela me mène. Je me laisse porter et je m'en trouve on ne peut mieux. Conjointement, je prends mes distances vis-à-vis de l'armée où mes responsabilités en sont venues à me peser, au point que je les néglige et que je me cherche une autre activité. Tout naturellement et par la plus petite porte, j'en arrive à l'écriture. Adolescent, j'ai pondu quelques poèmes que j'ai glissés dans un tiroir dont par bonheur ils n'ont jamais refait surface. Depuis, je me contente de rédiger quotidiennement mon journal. Je prends contact avec l'équivalent grec de Sciences Po, l'école de Pandios. Je propose une thèse sur l'influence de la révolution grecque en France. Le sujet est accepté. Le plus discrètement possible, sans rien changer à mon existence, je me mets au travail. Les après-midi libres, j'abandonne les promenades aventureuses pour des recherches dans différentes bibliothèques d'Athènes. Quant à la rédaction,

1. 1939. Moi-même âgé de quelques mois avec mes parents, le prince Christophe de Grèce et la princesse Françoise de France. (© Archives personnelles)

2. Ma grand-mère Isabelle de France, duchesse de Guise. (© Archives personnelles)

1. 1964. Mariage du roi Constantin de Grèce et de la princesse Anne-Marie de Danemark. Je tiens la couronne nuptiale au-dessus de la mariée. Au premier rang des invités, le prince Philip, Benedikte de Danemark, roi Baudouin et reine Fabiola de Danemark, reine Ingrid de Danemark, roi Gustave VI Adolphe de Suède, princesse héritière Margrethe de Danemark. (© Archives personnelles)

2. Te Deum à la cathédrale de Salonique. Je baise l'évangile tendu par l'archevêque. À côté de moi le roi Paul de Grèce. (© Archives personnelles)

3. Visite officielle du général de Gaulle en Grèce. Revue militaire à Salonique. Le général, le prince héritier Constantin, moi-même. (© Archives personnelles)

3

1

2

3

1. Mon mariage avec Marina le 7 février 1965 dans la salle du trône du palais d'Athènes. L'officiant, Monseigneur Jeronimos est le chapelain du palais.
(© Archives personnelles)

2. Marina et moi sur les quais de la Seine peu après notre mariage.
(© Archives personnelles)

3. Noces d'argent de la reine Juliana de Hollande à Amsterdam. Au premier rang : prince Philip, grande-duchesse de Luxembourg, reine Elizabeth II, shah d'Iran, reine Juliana, prince Bernard, sa mère, grand-duc de Luxembourg, impératrice Farah d'Iran, grand-duc de Luxembourg, duchesse de Kent. Je suis au troisième rang derrière la reine Juliana.
(© Archives personnelles)

1. Été 1964. Mon arrivée officielle à Amman en Jordanie, reçu par le prince Mohammed frère du roi Hussein. (© Archives personnelles)

2. Moi-même reçu par l'empereur d'Éthiopie Haïlé Sélassié. (© Archives personnelles)

3. Marina et moi dans les jardins du gouverneur général du Pakistan à Lahore. (© Archives personnelles)

4. Marina, au bout à gauche, a dessiné les costumes pour *L'Assemblée des femmes* d'Aristophane. Au milieu, la femme aux cheveux noirs et turban est l'actrice Anna Synodinou. (© Archives personnelles)

1. Ma cousine germaine Monique d'Harcourt, comtesse Boulay de la Meurthe. (© Archives personnelles)

2. Marina et moi au milieu de personnalités new-yorkaises. L'homme à la barbe blanche est Jerome Robbins, à côté de lui la princesse Letizia Boncompagni puis le peintre Jasper Johns. Au premier plan Lily Auchincloss. À ma droite, notre grande amie Clarice Rivers. (© Archives personnelles)

3. Mon oncle le comte de Paris et moi-même. (© Justin Creedy Smith).

je prends sans vergogne sur le temps que je devrais consacrer à mes devoirs militaires. Je déniche au rez-de-chaussée de l'école d'officiers de réserve un bureau où personne ne pénètre jamais. Deux grandes tables poussiéreuses sur lesquelles j'empile mes livres et mes manuscrits, une chaise de paille, des murs à la chaux, le plafond élevé, les volets toujours fermés. Pénombre et silence. Personne ne sait que je me cache là. J'écris, je dors sur la table lorsqu'un coup de fatigue me saisit. Les élèves passent et repassent devant la porte en bavardant. J'entends qu'on m'appelle, je ne bouge pas, figé dans mon antre secret.

J'achève ma thèse. Elle est publiée mais des événements politiques survenus entre-temps m'empêchent de la soutenir. Aucune importance car la manie et le goût de l'écriture me sont venus. Qu'est-ce qui m'attire en elle ? J'aime les belles histoires et j'aime les partager. J'aime faire découvrir, j'aime raconter ce que je crois être intéressant. Écrire, c'est distraire, charmer, passionner, faire voyager le lecteur. Le mouvement est lancé. Je pense que je suis fait pour ce métier, indépendamment de la qualité de ce que j'écris. C'est en le pratiquant de moins en moins timidement que je le découvre et que je découvre en parallèle que je ne peux ni ne sais rien faire d'autre.

Juillet 1963. Mes plus vieilles connaissances parisiennes débarquent à Athènes sur l'invitation de Marina Karella qui organise une croisière sur le voilier de ses parents. Marina appartient à une grande famille grecque d'industriels du textile. Je l'ai rencontrée plusieurs fois mais elle ne fait pas partie de ma *parea*, ce petit noyau d'amis qui m'entourent depuis mon arrivée en Grèce. Elle en connaît tous les membres et souvent elle prend part à nos sorties. Un an plus tôt, elle m'avait annoncé qu'elle partait à Paris étudier aux Beaux-Arts. J'en suis resté étonné, une telle initiative est quasiment impensable dans une famille de la bourgeoisie traditionnelle grecque. Les jeunes filles sont destinées à faire un beau mariage, souvent arrangé, et à donner à leur mari de nombreux enfants. Leurs résultats scolaires, leur formation, leur culture, généralement on s'en moque pas mal ; quant aux études universitaires, elles sont considérées avec la plus grande méfiance. Aller à l'étranger pour y étudier et devenir artiste, c'est habituellement hors de question. D'emblée j'admire l'ouverture d'esprit des parents de Marina qui acceptent sans sourciller les desideratas de leur fille. Pour l'encourager et pour qu'elle se sente entourée en France, je lui promets de l'envoyer à mes meilleurs amis. Ils l'accueillent, elle les séduit aussitôt. De retour en Grèce, Marina les invite pour les remercier de leur gentillesse et me convie à les revoir. Au début d'un week-end de la fin août, j'arrive au Pirée et je vois, se balançant mollement, le plus beau voilier du monde, le *Thendara,* le bateau de la famille de Marina. Ce deux-mâts à la coque et aux voiles blanches affiche une finesse, une élégance et la nervosité d'une bête de race.

En fin d'après-midi, nous ancrons dans l'île d'Hydra. On descend à terre. Le petit port me rebute avec ses hordes de touristes, ses hippies dépenaillés et ses boutiques de souvenirs. Pour fuir cette banalité vacancière, je traîne le groupe dans les ruelles qui fuient à partir du port. Rapidement, elles deviennent des escaliers qui se rétrécissent. Les uns après les autres, nos amis renâclent. Tous sauf Marina. Elle grimpe avec moi les marches de plus en plus raides qui montent vers des maisons de plus en plus modestes. Nous sommes seuls. Nous avançons dans une suite de tableaux plus séduisants les uns que les autres, avec des pans de murs blancs, vieux rouge, jaune pâle, des floraisons de coupoles, des jardinets telles des jungles fleuries, des vieilles en noir sur le pas de leur porte qui nous regardent passer avec un brin de suspicion. Nous découvrons des palais blanchis à la chaux et des églises abondamment dorées. J'ai une soudaine illumination. Je vois apparaître Marina, sa personnalité, son caractère, son âme, telle qu'elle est dans son intégralité. Par une sorte de fulgurance, je sais que c'est elle que je vais épouser. Ce sera elle, et nulle autre jamais. Je ne me demande même pas si elle acceptera ou refusera. Ce n'est même pas une conviction, c'est une certitude. Marina, évidemment ! Marina c'est la Grèce et la Grèce, c'est Marina. Parce qu'elle est cent pour cent grecque, de sang, de caractère, de qualité. Je tombe amoureux d'elle en un instant. Elle est belle, elle se meut avec une grâce et une élégance naturelles. Plus tard, je devais découvrir l'artiste qui allait encore plus m'attacher à elle. Pour l'heure un mélange de force, de douceur et d'humanité. Je sais que si elle répond à mes sentiments, je serai non seulement aimé mais protégé et encouragé. Elle est d'un naturel quasi miraculeux, ce que je trouve prodigieux parce que j'ai été moi-même éduqué avec une armature rigide. Extrêmement ouverte, extrêmement tolérante, avec une certaine réserve et un brin de mystère qui ajoute à son charme. Sa joie de vivre me séduit.

Nous sommes revenus au bateau comme si de rien n'était. Le soir, nous assistons à une fête ravissante dans le palais Koundouriotis, qui domine le vieux port. Nous dansons ensemble jusqu'à très tard. Une semaine plus tard, nous partons avec nos amis communs en excursion pour le Pilio. Cette montagne qui se dresse au nord-est de Volos est célèbre en Grèce pour sa verdoyance. Vergers opulents et eaux murmurantes entourent de très anciens villages. Nous logeons dans un hôtel branlant, isolé, avec des treilles, des fleurs, des pommiers, deux vieux courtois et une servante accorte et efficace comme hôtes. Nous soupons sur une terrasse couverte de vigne dans la nuit lumineuse. J'arpente avec elle la plage déserte d'Aghios Yannis et ramasse des galets en marbre scintillants. Lorsque nous revenons à Athènes, je ne lui ai toujours rien dit.

Le soir du 10 septembre 1963, j'invite à dîner les « vieilles connaissances » de Paris qui n'avaient pas quitté la Grèce et bien entendu Marina. Une réception comme j'en ai donné de nombreuses, et pourtant celle-là n'est pas comme les autres. Sans le laisser voir, j'ai mis les petits plats dans les grands, j'ai soigné la décoration de la maison. Toute la journée la nervosité m'a habité. À mesure que l'heure approche, je sens grandir en moi un mélange d'appréhension, de fièvre, d'exaltation. Mes invités paraissent. Le dîner se déroule sans anicroche. Je ris un peu trop fort, je renverse un verre de vin, je me répète sans le vouloir. Après nous être levés de table, nous nous trouvons dans la bibliothèque qui se prolonge par une terrasse couverte. Je demande à Marina de venir au salon car j'ai quelque chose à lui montrer, une aquarelle que je viens d'acquérir. Elle me suit, je lui montre l'œuvre qu'elle admire dûment. Puis, de but en blanc :

« Marina, j'ai une chose à vous dire : je vais me marier.

– Toutes mes félicitations. Et avec qui ?

– Avec vous ! »

Marina commence par éclater de rire. Puis elle prend une expression concentrée et grave. Elle réfléchit à peine une minute ou deux. Elle accepte. Je ne suis pas surpris. Instinctivement, dans mon inconscience, je ne doutais pas un instant qu'elle accepterait. Nous ne nous attardons pas. Heureusement mes invités ne remarquent pas nos mines. Ils boivent, bavardent, rient, mettent de la musique. Ni Marina ni moi ne revenons sur ce qui s'est passé. La soirée ne se prolonge pas. Lorsque nous nous quittons, nous nous regardons droit dans les yeux. C'est tout, mais c'est assez pour que je sache que ma vie a irrémédiablement basculé.

Dans la société des années d'après-guerre, socialement, il n'y avait rien au-dessus des royautés. Je me laisse dorloter par la conscience d'appartenir à une famille qui a fait l'Histoire et qui laisse derrière elle des monuments, impressionnants témoignages de sa gloire. Cependant, mon origine n'a jamais influencé mes choix affectifs, professionnels ou autres. Mon indépendance d'esprit, je la garde envers et contre tous, même si je l'ai souvent mise en sourdine. Ce monde royal, qui lorsque j'habitais la France républicaine était une illusion, depuis que je suis arrivé en Grèce est devenu réalité. Je ne suis certes pas différent des autres, mais je suis traité différemment des autres. En Grèce, je découvre que la royauté est un métier à vie qui m'attend. J'examine sous toutes les coutures ce métier, et je m'aperçois qu'il ne convient absolument pas, ni à ma nature, ni à mes envies.

Marina représente la clé de mon indépendance puisqu'en l'épousant je vais commettre un mariage morganatique, c'est-à-dire une union entre une personne de sang royal avec une personne qui ne l'est pas. Pendant longtemps on a exigé des princes qu'ils épousent des princesses non par snobisme mais par intérêt. Le prince n'épousait pas une princesse mais la province qu'elle amenait en dot. Puis cet usage a périclité mais la tradition du pur sang royal par des mariages « égaux de naissance » a perduré. La reine Victoria s'est élevée contre ces perpétuelles unions entre cousins en disant qu'elles amenaient la dégénérescence. Cependant, les autres familles royales étaient restées tout aussi sévères vis-à-vis de ce qu'elles jugeaient des « égarements » impardonnables. Dans ma famille maternelle, le duc de Penthièvre, frère de mon arrière-grand-mère, s'était vu exclu à tout jamais de la famille pour être entré dans une semblable union, à tel point que jusqu'à récemment j'avais ignoré son existence. De même, le mariage du cousin de ma mère, le duc de Nemours, avec une Américaine l'avait fait rayer des cadres, inspirant à mon grand-père le seul bon mot qu'on lui ait jamais connu : « Ce n'est plus le duc de Nemours, c'est désormais le duc de *No More.* »

Les Grecs, chez qui l'aristocratie et les titres n'existent pas et pour qui la personnalité de l'individu compte beaucoup plus que le rang, se moquent pas mal de ces nuances. Mais ma famille tient à maintenir intacte la tradition royale. Je m'attends donc à des sanctions, je serai exclu de l'existence de la monarchie, je ne participerai plus aux cérémonies officielles, je ne bénéficierai plus des privilèges que j'ai eus jusqu'alors, je devrai renoncer à mes droits au trône. Reste la question de mon nom. Il est très probable que l'on me retirera mon titre. Alors, comment vais-je m'appeler ? Quel patronyme me donnera-t-on ? Cela, je n'en sais rien et peu me chaut car l'important c'est Marina, à quelque prix que ce soit. Et d'ailleurs, être exclu de la Cour me permettra de retrouver mon indépendance et de me choisir un métier. L'idée de voir supprimer mes privilèges égratigne ma vanité, mais Marina le vaut bien.

Cependant l'appréhension me retient d'annoncer tout de suite ma décision à ma famille. Je préfère pour l'instant passer le temps exquisément en la compagnie de Marina. Alors que j'en suis à mes premiers balbutiements dans l'écriture, Marina s'établit déjà dans son art. Elle a débuté au théâtre et s'est fait un nom. Elle dessine les costumes et les décors pour *L'Aigle à deux têtes* de Cocteau. J'apprécie l'énergie et l'indépendance d'esprit de cette jeune fille qui à vingt-trois ans s'implique comme une professionnelle. Elle me fait découvrir Maria Callas. Toute la Grèce frémit lorsque la plus illustre de ses enfants revient au pays. La Callas, après bien des années passées à subjuguer les foules étrangères sur les principales scènes du monde, accepte de chanter à Épidaure dans le théâtre antique. C'est la première fois qu'elle revoit la Grèce depuis l'occupation allemande. Tout le monde veut être de la fête. Le théâtre d'Épidaure qui contient 14 000 places est pris d'assaut.

Marina connaissait Maria Callas. Travaillant avec le peintre grec Tsarouchis, elle avait eu l'« énorme privilège » comme elle le dit elle-même de collaborer aux costumes de Maria Callas. C'était pour la représentation de *Norma*. Lors des répétitions, Marina était tellement emportée par sa voix qu'elle avait appris l'opéra par cœur.

Marina assista aussi Tsarouchis pour les costumes de *Médée* de Cherubini, ce qui fait que nous avons eu la chance d'assister à la répétition générale ainsi qu'à la première. À cette occasion, nous trouvons Nauplie, la ville la plus proche d'Épidaure, en révolution. Trente-cinq yachts encombrant la baie et l'hôtel Xenia où se pressent « la Cour et la ville » ont de quoi remplir les colonnes mondaines de tout l'Occident. À Épidaure, c'est une marée humaine, des files de voitures immobilisées et la foule bariolée des 24 Heures du Mans. Nous prenons place sur les bancs de marbre au milieu du public frémissant d'excitation. Le silence se fait. Les notes de l'ouverture se font entendre. La première scène est déjà avancée lorsqu'elle paraît. Elle entre lentement depuis le fond vêtue d'une très longue cape rouge sombre dont elle tient le pan rabattu sur son visage. Parvenue à l'avant-scène, elle l'écarte brusquement et crie : « *Io sono Medea*[1]. » La foule ne peut retenir un « Ha ! » d'émotion comme si chaque spectateur avait été touché au cœur. La musique de Cherubini, les solistes, des chœurs d'une perfection inouïe, tout cela n'est qu'un pâle écrin pour elle.

Sa voix bouleverse, mais elle-même sait être ensorcelante. Je le constate au troisième acte alors qu'elle reste silencieuse presque un quart d'heure pendant que Jason et les chœurs chantent à l'intérieur du temple. Elle marche de long en large, exprimant le désespoir. C'est là qu'elle m'apparaît extravagante, fascinante, superbe, avec ses cheveux roux, ce corps magnifique. Chaque geste est à sculpter, ses grimaces, ses mains aux pouces recourbés, sa démarche, cette force et cette grâce.

C'est une folle, une sorcière. Et cette manière de rejeter ses voiles, diabolique, grandiose, un sens prodigieux de la scène. Elle vit pour le public, elle surpasse de loin tout ce que j'ai pu voir jusqu'alors. Après la

---

1. « Je suis Médée. »

représentation, nous allons la féliciter dans sa loge. Elle est encore plus belle de près. Le maquillage de scène souligne ses yeux qui n'en finissent pas de s'étirer, le nez impérieux, la bouche magnifique ouverte sur un sourire carnassier. Elle nous accueille gracieusement. En fait, Maria Callas avait littéralement envoûté l'immense théâtre antique d'Épidaure et encore aujourd'hui sa voix est toujours là, présente, en ces lieux.

Je me plais à faire découvrir à Marina une Grèce et des Grecs inconnus d'elle. Elle rencontre mes copains de l'armée et entrevois des univers au sein desquels elle n'avait jamais pénétré. Tout de suite, elle s'y intéresse. À ma suite, elle marche des heures sous un soleil de plomb au milieu des épines et des pierres effilées, elle escalade des montagnes escarpées toujours et selon son habitude en talons aiguilles, elle pique-nique sur des sommets éventés, elle avale sans broncher des nourritures étranges pour elle, elle dort sur une vieille couverture dans des monastères abandonnés traversés la nuit par des courants d'air glacials. Elle n'aime pas particulièrement la campagne. Comme de beaucoup de Grecs, marcher lui est un sport inconnu. L'amour la rend vaillante. Je ne m'aperçois de rien, tout à ma joie de la voir apprécier autant que moi une nature sauvage, inviolée, dans des paysages bien différents de ceux qu'elle a connus jusqu'alors.

Un soir, je lui offre un divertissement inédit. J'embarque avec nous une quarantaine de copains de l'armée dans un bus loué pour l'occasion et nous allons à Péania, un village de l'Attique, dîner dans une taverne populaire. On boit considérablement, mais il y a aussi un bouzouki d'une qualité inoubliable. Les garçons s'en mêlent. Ils chantent, ils dansent comme je les ai déjà vus faire. À la fin le patron, Barba Vangeli, cuit et recuit d'alcool, vient faire sa révérence, rouge brique et prêt à crouler. Marina est plus ivre qu'eux tous réunis, mais rien ne se remarque, ce qui à mes yeux ajoute à ses qualités !

Il faut que je me décide à affronter ma famille. Je sais le roi Paul, malgré son infinie bonté, assez strict sur les règles. Quant à la reine Frederika, je la soupçonne d'avoir conçu quelques projets matrimoniaux pour moi. Je me rends régulièrement à Tatoï pour dîner en famille. Je choisis une de ces réunions pour demander à leur parler après le dîner. Je vais dans le bureau du roi. Mes cousins partent se coucher. Je reste seul avec le roi Paul et la reine Frederika. Je vais leur annoncer une nouvelle qui ne leur fera pas plaisir. Je vais me marier hors de notre milieu. La reine sourit et lance le nom d'une jeune fille de la société grecque à laquelle la rumeur publique me liait. Elle est très étonnée lorsque je prononce le nom de Marina. J'ai bien gardé mon secret. Ni l'un ni l'autre ne se départissent de leur calme et de leur gentillesse. Le roi Paul me paraît assez décidé à accepter, à condition que je renonce à mes droits et à mes titres. La reine tente de me fléchir, mais sans insistance et peut-être sans conviction. Elle est connue pour savoir convaincre par tous les moyens. Or là, très vite, je la sens à bout d'arguments, peut-être d'ailleurs n'en cherche-t-elle pas vraiment.

Il existe en Grèce une loi obligeant les membres de la famille royale à obtenir le consentement de leur chef de famille, le roi, pour se marier. Ce n'est pas simplement un règlement familial, c'est une disposition constitutionnelle. Le consentement du roi est enregistré par le Parlement. Toute union matrimoniale contactée par un membre de la famille royale sans le consentement du roi demeure illégale.

Marina partira à l'étranger pour de longs mois. Du temps où je vivais à Louveciennes, plusieurs fois j'ai vu une de mes cousines expédiée pour un long voyage tous frais payés dans quelque lointaine contrée. C'était la méthode utilisée par mon oncle Henri lorsqu'il voulait détacher une de ses filles d'un admirateur qu'il n'appréciait pas. À l'époque, nous les plus jeunes, nous nous en amusions mais aussi nous en étions indignés. Suffisait-il donc de tomber amoureux à mauvais escient pour se voir offrir de superbes et longues vacances ?

Le roi Paul et la reine Frederika souhaitent nous éloigner Marina et moi dans l'espoir que, le temps aidant, nos sentiments se rafraîchissent et même se diluent au point que nous renoncions à nous marier. D'un autre côté, s'ils résistent à la séparation, nous serons au moins sûrs qu'il ne s'agit pas d'une passade et nous serons prêts à en assumer les conséquences. De toute façon, Marina devait retourner à Paris pour suivre ses études à l'école des Beaux-Arts. J'attends la première occasion pour demander une permission et courir à Paris la retrouver.

J'en profite pour informer oncle Henri. Je me rends seul à Louveciennes. Je trouve la maison plus triste et plus déserte que jamais. J'ai craint la réaction de mon oncle. Je le sais intraitable sur certains mariages. Il doit d'ailleurs se montrer impitoyable envers plusieurs de ses enfants, tantôt pour les forcer à rompre une union qu'il désapprouve, tantôt pour les chasser de la famille pour avoir outrepassé ses volontés. Cependant, il accueille avec la plus grande chaleur la nouvelle de mes « secrètes » fiançailles. Il me félicite de mon choix et exprime le souhait de rencontrer au plus vite Marina.

Quelques jours plus tard je la lui présente et il la serre dans ses bras comme un membre de la famille à part entière. Il tient ainsi à exprimer l'affection qu'il n'a jamais cessé d'éprouver pour moi, mais il est aussi plutôt ravi d'encourager une union qu'il devine être désapprouvée par la reine Frederika, laquelle n'a pas ses plus grandes affections. Ma permission touche à sa fin. Ma seule consolation en quittant Marina est de retrouver la Grèce. Elle me manque chaque jour et, lorsque l'avion commence à la survoler, j'en ai les larmes aux yeux de joie. Preuve, s'il en faut une, que je suis décidé à m'y incruster, grâce à Marina, avec Marina.

8

Nouveau règne et royautés exotiques

Or voilà que des rumeurs circulent à Athènes selon lesquelles le roi Paul serait gravement malade. J'en suis très surpris car, me rendant plusieurs fois par semaine à Tatoï, je ne me suis aperçu de rien. Cependant, quelques jours après, y retournant pour dîner, je remarque que l'atmosphère familiale est devenue lourde. Personne ne dit rien, ce qui me semble étrange. En ville, les rumeurs enflent. On parle d'un ulcère, d'une opération. Et, comme toujours en Grèce, les bruits de plus en plus extravagants se répandent auxquels j'ai été entraîné à ne pas faire attention. Cependant, une tournée officielle que la famille et moi devons effectuer à Épire est annulée sans explication.

J'apprends soudain que le roi Paul a été opéré. Deux jours plus tard, le 23 février 1964, je vais déjeuner à Tatoï. Je trouve le convalescent de bonne humeur et presque rétabli. Je quitte la maison tout à fait rassuré. Pendant une semaine je ne me rends pas à Tatoï, aussi c'est avec stupéfaction que j'apprends, de la bouche même de l'héritier Constantin, que son père le roi est au plus mal et qu'il n'a plus que quelques jours à vivre. Il m'annonce cette nouvelle avec un grand calme qui recouvre la plus profonde émotion. Tout Athènes entre en ébullition dans une atmosphère à couper au couteau. Je n'ose plus m'y aventurer tant je suis dérangé par les crieurs de journaux annonçant les pires nouvelles, par les gens qui chuchotent et qui courent dans le froid, le bruit et une atmosphère chagrine. À l'armée, tous se montrent d'une discrétion exemplaire mais je suis constamment préoccupé, à l'aube d'un changement aussi important. Les journées maussades s'écoulent. Je n'ai le cœur à rien, je guette le moindre pas, la moindre sonnerie de téléphone. Je n'ose déranger la famille ni me rendre à Tatoï sans y être invité. Je comprends qu'ils veulent rester seuls. Cependant autour de moi, on s'étonne que je ne sois pas auprès d'eux. Cette pression invisible finit par vaincre ma gêne.

Le jeudi 5 mars, je vais à Tatoï, à 6 heures du matin, avant de me rendre à la caserne. Mon cousin Constantin m'annonce que l'état de son père est désespéré mais qu'il peut durer encore. Je n'ai pas le courage de rester à l'armée. À midi, déjà, les abords de la propriété sont assiégés par les journalistes. Je m'installe dans mon ancienne chambre sous les combles. L'atmosphère est paisible et sereine. La reine Frederika et ses trois enfants entrent et sortent du salon tels des fantômes silencieux, souriants mais bouleversés. Ils détestent les mines funèbres et les affectations en usage dans ces circonstances. Les trois sœurs du roi, la reine de Roumanie, la duchesse d'Aoste et la princesse Catherine de Grèce, arrivées de l'étranger, ont des attitudes plus austères.

L'après-midi se passe à errer d'une pièce à l'autre, pour me défouler, je sors marcher dans le parc et je reviens à l'heure du thé. La reine Frederika parle comme une mystique, très influencée par la pensée indienne. Pour elle, la mort n'existe pas. Les bien-aimés défunts nous entourent et nous dialoguons avec eux. La réincarnation nous permettra de les retrouver en chair et en os. Elle demeure vêtue d'une longue robe d'intérieur et comme à son habitude porte des bijoux somptueux.

Le dîner est aussi détendu qu'on peut l'être en ces moments qui mêlent la tension et la tristesse. La grippe nous saisit. Je ne tarde pas et monte me coucher avec 38° de fièvre. Le lendemain matin, vendredi 6 mars 1964, la grippe ayant augmenté en intensité, le médecin de la Cour me renvoie chez moi et m'ordonne de me mettre au lit. Je me bourre de medicaments et demeure dans un état second. À 17 heures, Constantin m'appelle au téléphone, avec des mots simples il m'annonce que le roi Paul s'est éteint. « Je viens », lui dis-je simplement. Toute autre parole aurait paru hors de propos, pas dans le style de la famille. Je sors du lit, je m'habille et je me fais conduire à Tatoï. Des centaines de journalistes grecs et étrangers bloquant l'entrée principale, j'utilise des routes détournées pour arriver jusqu'à la maison. Je trouve la famille brisée, silencieuse, sans pleurs. Leurs voix restent claires et ils parviennent à me sourire. Je les embrasse l'un après l'autre. Nul besoin de paroles, chacun sait, chacun ressent. La reine Frederika parle calmement, sans paraître voir ni entendre. « Évite le sentimentalisme », me glisse Constantin alors que je m'approche pour saluer sa mère.

La continuité monarchique doit être assurée à tout prix. Aussi la prestation de serment du nouveau roi se prépare-t-elle pour le soir même. Après le dîner, nous partons pour la ville, le nouveau roi Constantin, la princesse héritière sa sœur Irène et moi. Au Palais royal, nous revêtons la grande tenue. J'endosse mon uniforme, me barde de décorations et, mon armure officielle une fois ajustée, nous entrons dans la salle du trône. Mal éclairée, il y règne une température quasi glaciale. Nous trouvons le gouvernement au complet mené par Georges Papandréou visiblement bouleversé. Pas un membre de la Cour ne manque. Tous ont eu le temps de revêtir leur grand uniforme couvert de broderies. Paraissent l'archevêque d'Athènes et son clergé en ornements de brocarts et coiffés de leurs mitres endiamantées. L'archevêque présente l'évangile à la reliure d'or et d'émail au nouveau roi qui tend la main pour prêter serment. D'une voix forte, il jure de respecter la Constitution de défendre la patrie. Ensuite, les félicitations sont écourtées. Chacun a hâte de se retrouver seul avec ses sentiments. Le roi Constantin part avec sa sœur, tous les deux le visage fermé et retenant leurs larmes. Il est minuit passé lorsque je me retrouve chez moi à Ekali et que je peux me coucher avec plus de 39 ° de fièvre.

En Grèce, le chagrin est profond. Les gens pleurent sincèrement le roi Paul, je m'en aperçois lorsque quelques jours plus tard nous défilons dans les rues derrière son cercueil que l'on transporte du Palais royal à la cathédrale. Les Grecs, ils ne s'y trompent pas, ont apprécié ce gentilhomme affable, cultivé, doux mais ferme sur ses principes, souriant mais restant légèrement distant avec une grâce inimitable. Les citoyens, les politiques de tous les partis le regrettent unanimement. Les monarchistes, bien sûr, la droite qu'il avait laissée tomber en lâchant Karamanlis, la gauche qu'à cause de son statut même il ne pouvait gagner, les républicains car il y en a, tous, sans exception, le pleurent. Ils le respectaient pour la noblesse de son caractère. Ils s'étaient attendris devant la famille très unie qu'il formait avec la reine et ses enfants. Ils savent que Frederika et lui étaient après tant d'années de mariage restés parfaitement amoureux l'un de l'autre. Mais ils se trompent en attribuant à la reine Frederika une influence prépondérante. Le roi Paul la laissait faire, mais lui-même faisait toujours à peu près ce qu'il voulait. Il n'avait pas de grand rôle politique mais son sang-froid, sa connaissance des hommes et sa sagesse le rendaient précieux. Il était mort avec une dignité et une simplicité qui avaient atteint la grandeur.

Le 12 mars ont lieu les funérailles nationales. Tous les rois d'Europe s'alignent en grand uniforme. Pas un prétendant au trône ne manque. Beaucoup de présidents de la République et pas mal de représentants des États du Moyen-Orient et de l'Asie. Je retrouve ceux que j'ai été chargé de chercher la veille à l'aéroport : le Premier ministre du Cambodge, « une potiche installée par le prince Sihanouk », mon oncle Henri, le comte de Paris, qui loge à la maison, le prince régnant du Liechtenstein, la reine de Hollande. Les prélats officient plutôt rapidement. Puis nous sortons sur le parvis et le cortège s'ébranle. En tête viennent des dizaines d'évêques, ils chantent des hymnes et agitent des encensoirs de métal précieux. Suit le cercueil installé sur une prolonge d'artillerie tirée par les soldats des trois armes. Il est recouvert du pavillon royal. On a placé dessus la grande couronne en or du roi Othon. Le roi Constantin en grand uniforme et la reine Frederika en voiles de deuil suivent. Puis la famille, les deux filles du roi Paul, son gendre, le prince Juan Carlos d'Espagne, et mon cousin Pierre et moi. Derrière nous s'avancent les souverains, les chefs d'État et autres potentats du monde entier.

Le soleil d'hiver brille d'un éclat particulier. Il fait presque chaud. Jamais je n'ai vu autant de monde dans les rues d'Athènes. La foule se presse partout, jusque dans les arbres, sur les réverbères, sur les grilles des monuments. C'est une mer, un océan de visages. Beaucoup de recueillement, des pleurs mais aussi des applaudissements. Nous marchons ainsi pendant plus d'une heure depuis la cathédrale jusqu'à l'hôtel Hilton le long de l'avenue Vassilissis Sofias, la reine veuve tient vaillamment le coup. Au Hilton, nous trouvons les voitures de la Cour qui nous emmènent à Tatoï. Sur tout le chemin la foule continue d'être serrée et de retarder notre progression. Il faut deux heures et demie pour faire ce trajet que normalement nous parcourons en une demi-heure. Sur la colline qui sert de panthéon à la famille, le roi Paul a choisi la place de sa tombe, peu éloignée de celle de mes parents. La cérémonie est brève, mais grandiose dans sa simplicité et rehaussée par l'inimaginable beauté de la nature. Les choristes de l'église du Palais entonnent les majestueuses hymnes byzantines pendant qu'un orchestre militaire invisible joue lentement et en sourdine l'hymne national. Rois et présidents chamarrés se tiennent immobiles entre les troncs des pins. Les evzones tirent leurs salves. Le cercueil est descendu. Le silence s'est fait. On n'entend plus que le vent dans les branches et les sanglots étouffés. Puis chacun, à tour de rôle, vient s'incliner et jette une pincée de terre dans la tombe.

Cette matinée marque l'entrée dans l'Histoire d'un jeune homme de vingt-trois ans, mon cousin le nouveau roi Constantin. Peut-on concevoir la popularité dont il jouit à ce moment-là ? Il est grand et beau, tout le monde le suppose libéral et profondément attaché aux valeurs démocratiques. Il a gagné la médaille d'or aux Jeux olympiques et il est fiancé à la plus ravissante des princesses, Anne-Marie de Danemark. Malgré le chagrin causé par la disparition du roi Paul, le pays entier tressaille d'espoir. Moi-même j'ai été frappé de son tout premier jour de règne, par son calme, son courage, son sang-froid pour tout décider et ordonner avec dignité. Bien sûr, il bénéficie du capital moral de son père, mais devant les responsabilités et les difficultés, je suis persuadé qu'il saura faire face, et ainsi résorbera la menace latente que j'ai sentie naître et peser sur l'existence même de la monarchie, d'autant plus qu'entre le roi et son Premier ministre, c'est la lune de miel. L'année précédente, les élections ont porté au pouvoir à la tête du parti du Centre Georges Papandréou. La plupart avaient accueilli ce changement avec l'excitation joyeuse que suscite une nouveauté. La famille royale, qui avait vu cesser les attaques de l'opposition désormais au pouvoir, en tirait satisfaction. Cependant, ces mêmes qui pendant des années avaient hurlé contre la famille, contre la monarchie, et qui soudain se transformaient en agneaux ne m'avaient rien dit qui vaille. J'avais prévu « une ère d'incertitudes et d'intrigues ». Au mariage de Constantin, je me demandais si je n'avais pas eu tort. En effet, le vieux Georges Papandréou considérait Constantin avec une véritable tendresse paternelle. Il était décidé à se faire son mentor pour guider ses premiers pas de souverain.

Comme toujours dans les funérailles, il y a tout de même eu des détails cocasses. Chargé d'accueillir la délégation américaine, j'ai été fortement intimidé en recevant l'ancien Président Harry Truman qui accompagnait la première dame des États-Unis, Lady Bird Johnson. Il est apparu mal rasé dans un costume fripé mais l'esprit plus vif que jamais. Dans la Mercedes qui nous emmena à Athènes, coincé en grand uniforme entre l'épouse du Président et lui, je tâchai de faire des frais. Je lui racontai que mes deux arrière-grands-pères maternels, le comte de Paris et le duc de Chartres, s'étaient battus dans la guerre de Sécession.

« De quel côté se sont-ils battus ?

– Le Nord, bien sûr, monsieur le président.

– Du mauvais côté », me lâcha-t-il sèchement.

Quelques minutes plus tard, je connus une expérience assez unique en son genre. Je lui fis découvrir sa propre statue qui ornait un square d'Athènes. Il fit la moue : « C'est dangereux d'élever des statues tant que les gens sont vivants car ils deviennent impopulaires et on renverse les statues. » Dans son apparence de petit retraité américain, je le trouve un personnage formidable. C'est lui qui a sauvé la Grèce du communisme en lui accordant l'aide économique et militaire nécessaire pour gagner la guerre civile à la fin des années 1940. J'ai toujours admiré le fait que, son mandat terminé, il ait pris sa valise, soit sorti de la Maison Blanche, ait commandé un taxi pour aller à la gare. Exemple digne d'un grand homme, qui n'a pas été suivi par ses successeurs en Amérique et ailleurs.

Lors des funérailles, sa distraction interloque ceux qui, comme moi, en recueillent des bribes. À la fin de la cérémonie qui a bouleversé l'assistance, la famille reçoit les condoléances. Harry Truman passe devant la reine Frederika qui se tient très droite dans ses voiles de crêpe noir et lance : « Merci, ma chère, pour cette charmante réception ! » Telle est la dernière apparition publique de ce personnage qui appartient déjà à l'Histoire.

Revenu à mon quotidien, je vois approcher avec terreur la date fatale du 25 mars, la fête nationale, où va avoir lieu le défilé militaire pour lequel le roi Constantin exige que je sois à ses côtés… encore à cheval. Or revivre l'épreuve de l'année précédente est au-dessus de mes forces. Cependant rien ne peut me l'éviter. Pour me donner du cœur au ventre, je pars en excursion avec des copains de l'armée. Nous nous baignons dans la mer glaciale de l'hiver puis, après le déjeuner, nous escaladons la pente escarpée et rocailleuse de la colline d'Argos sur laquelle se dresse l'imposante forteresse médiévale. Soudain c'est l'accident. Je glisse et me foule la cheville. Je souffre atrocement. Mes amis me transportent à dos jusqu'au bas de la colline. Le hasard veut que l'un d'entre eux vienne justement d'Argos et que sa famille y possède une clinique. Nous nous y rendons par une lourde et grise après-midi. On m'étend, je gémis de douleur. Médecins et infirmières entrent et sortent. Arrive le médecin-chef, le père de mon camarade, le directeur de la clinique. On me fait des radiographies. On me met dans le plâtre et on m'installe dans une chambre entouré de mes garde-malade improvisés. Je téléphone à Athènes pour annoncer la nouvelle. Mon aide de camp s'agite. Le secrétaire du roi s'alarme. Le médecin de la Cour donne son avis et le roi lui-même appelle pour prendre de mes nouvelles. La gendarmerie est alertée. Au bout de quelques jours, je peux être ramené chez moi à Ekali. Je me tiens sur une chaise longue avec ma jambe plâtrée sur un tabouret. Je reçois les visites des membres de la Cour, des délégations de l'armée et même de ma chère vieille tante Alice, la mère du duc d'Édimbourg, tous venus me souhaiter un prompt rétablissement. Je lis dans le journal le communiqué de la Cour annonçant mon accident et j'écoute à la radio le déroulement des festivités du 25 mars auxquelles, bien entendu, je n'ai pu prendre part... Et je jubile de ma merveilleuse organisation.

Avec Marina, je communique presque quotidiennement par téléphone puisqu'elle se trouve à Paris. Je lui raconte tout, je la fais participer autant que possible à mon quotidien. Les cérémonies à peine achevées, je vais la voir. Elle travaille sa peinture, elle sort avec nos amis communs, elle tourne en rond, elle s'ennuie dans ce semi-exil volontaire. Cependant, je ne peux m'attarder, je suis rappelé à Athènes car le roi Constantin va se marier en septembre de cette année 1964. Il décide de m'envoyer inviter des souverains orientaux et africains – dans le but d'établir des liens avec eux. J'infère de ces responsabilités qu'il me confie une excellente disposition, non seulement vis-à-vis de moi mais aussi de mes projets matrimoniaux. Il les connaît, sans s'exprimer sur ce sujet. C'est pourtant de lui que dépend désormais la décision qui engagera mon avenir et ma vie. Les Cours qui m'attendent lors de ce périple n'appartiennent pas à notre terrain de chasse habituel. Jusqu'à récemment en effet, les royautés européennes, toutes liées par de multiples parentés, se réunissaient entre elles. Elles recevaient les souverains non européens uniquement lors de visites officielles. Elles ne les conviaient pas à ces grandes réunions de la *royal mob*, la plèbe royale comme l'appelait avec dédain la reine Victoria. C'est ma famille grecque, en particulier mon cousin Constantin, qui prend l'initiative de cette ouverture vers les autres continents. La Jordanie, avec la proximité de ce pays et la personnalité éminemment sympathique de son jeune roi, est une cible facile. Le Maroc, avec un souverain occidentalisé que je connais personnellement, ne doit pas présenter de grandes difficultés. L'Éthiopie et l'Iran, avec des empereurs prestigieux, valent la peine qu'on tente le coup. La Libye reste quelque peu en dehors du circuit, mais comme ses souverains passent leurs vacances annuelles en Grèce, il doit être aisé de les y ramener. La Thaïlande est gagnée d'avance, car les souverains danois, parents de la future mariée, ont établi de solides liens d'amitié avec ces souverains exotiques lors d'une visite officielle. Le Japon paraît tellement inaccessible, avec une monarchie figée dans une tradition ésotérique, qu'on le raie des listes. Je me lance dans un véritable marathon de Cour en Cour, sachant qu'au bout m'attend la plus merveilleuse et la plus attendue des récompenses.

Je m'envole avec mon aide de camp, le dévoué capitaine Korkolis. On nous a adjoint, peut-être pour faire plus sérieux, le vieil ambassadeur Lapas, plein d'expérience et connaissant à fond les usages diplomatiques. À l'arrivée à Amman, j'inaugure un protocole minutieux qui se répétera à chaque étape de ce voyage. L'avion de ligne, au lieu de s'arrêter devant le terminal, est dirigé vers l'extrémité de l'aéroport. Il coupe les moteurs, les passagers sont priés de ne pas bouger. La porte de la carlingue s'ouvre, des officiers se précipitent et me font signe de les suivre. Je sors le premier. Au bas de l'échelle m'attend le prince Mohammed de Jordanie, frère du roi. On se salue puis on se fige. L'orchestre militaire entonne l'hymne national grec suivi de l'hymne national du pays qui me reçoit. Puis le prince me fait passer en revue un détachement d'honneur au garde-à-vous. Je m'incline devant le drapeau. Je remercie l'officier de service. Et nous nous enfournons dans un cortège de voitures noires qui part à toute vitesse précédé de motards. Nous allons droit au petit palais mis à ma disposition, où le programme prévoit un temps de repos avant l'audience du souverain. Alors que la partie la plus importante et la plus dramatique de son règne n'a pas encore commencé, alors qu'il n'a pas traversé les guerres et les tragédies qui l'attendent, le roi Hussein est déjà une légende. Son royaume a été créé à la fin de la Première Guerre mondiale grâce à un oubli. Les Anglais, pour récompenser l'illustre dynastie des Hachémites de les avoir aidés à se débarrasser des Ottomans, et pour se faire pardonner de les avoir spoliés de l'Arabie, leur fief héréditaire, au profit de la dynastie saoudienne, leur avaient distribué royaumes et principautés qui avaient tout de même une vague assise historique. Ils s'aperçurent qu'ils avaient oublié dans les récompenses l'émir Abdallah. Qu'à cela ne tienne, on découpa sur la carte pas mal de kilomètres carrés de désert et on inventa de toutes pièces une nouvelle entité. Or ce royaume fabriqué de bric et de broc devait se révéler le seul État stable de la région, grâce, en grande partie, à son souverain. L'émir Abdallah avait admirablement mené la barque jordanienne, mais il avait été assassiné. Un fanatique s'était glissé sur les marches de la grande mosquée de Jérusalem, puis avait tiré plusieurs coups de revolver. Il voulait aussi tuer son héritier et petit-fils Hussein, qui n'avait dû son salut, selon la légende, qu'au fait que des moines grecs orthodoxes l'avaient caché dans leurs amples voiles noirs.

Son père, le roi Talal, étant mort fou enfermé dans un palais sur le Bosphore, Hussein avait commencé à régner en 1952 à dix-huit ans, confronté à la situation la plus périlleuse. Périlleuse elle était restée, mais il avait formidablement consolidé la Jordanie et, par là, son trône. Lorsque je pénètre dans son bureau, il me paraît très petit de taille et sa tête est très grosse par rapport à son corps menu. À peine ouvre-t-il la bouche que sa voix magnifique, profonde et chaude me prend. Il semble un jeune étudiant timide et silencieux, les cheveux en brosse. Son côté réservé, loin de limiter son charisme, ne fait que l'augmenter. Je dévide le discours que j'ai composé et appris par cœur et qui est un tissu des plus exquises banalités. Il répond sur le même ton, il plisse les yeux pour me faire un large sourire : l'audience est terminée. Cet homme jeune et réservé m'en impose. Contre vents et marées, il mène sa barque, assailli de menaces et de dangers. Il se tient comme en retrait dans l'Histoire et, pourtant, son extraordinaire fermeté, sa conviction inébranlable viennent à bout de tous les obstacles. Beaucoup de charme et une pudique discrétion se mêlent en lui.

J'atterris à Casablanca quelques jours plus tard. Le temps est gris et je ne fais qu'apercevoir la campagne sur la route qui me mène à Rabat. Revoir le Maroc suffit à faire déferler en moi la nostalgie de mon enfance et le souvenir de ma grand-mère. Le Palais royal de Rabat, le Méchouar, est une véritable ville défendue par des remparts médiévaux. Je traverse une suite interminable de très vastes et très hautes salles où les moucharabiehs en dentelle de bois et les stucs multicolores alternent avec les parois blanches immaculées. Entièrement de blanc vêtus sont aussi les serviteurs. Je suis entouré d'une nuée de chambellans et d'officiers en grand uniforme. Des hallebardiers en tenue bariolée frappent le sol pour annoncer mon entrée. Des trompettes sonnent, je m'avance dans l'immense salle du trône au bout de laquelle, assis sur un trône surdoré et démesurément grand, m'attend le roi Hassan. Il a bien changé depuis que je l'ai rencontré au retour de son exil malgache. Ses traits se sont creusés, mais il a embelli. Le bouillonnant jeune homme a fait place à un homme calme, mesuré et digne. Il déploie pour moi un charme irrésistible et une courtoisie de la vieille école. Je sens que pour un rien il peut devenir redoutable. À mon discours, il répond avec un esprit éblouissant et un style éminemment poétique. Je suis donc assis dans un fauteuil en face du vaste trône et nous devisons de choses et d'autres. La conversation en vient au protocole. Dans ma prétention, j'assène : « Mais, Sire, le protocole, c'est la Bible des imbéciles. » Dans son français impeccable et fleuri, il me répond d'une voix douce : « Cher prince, vous avez à côté de vous le chef du protocole. Mais rassurez-vous, vous n'avez pas dit que le protocole était le Coran des crétins. »

Cap sur l'Iran à présent. À l'aéroport de Téhéran m'accueille un frère du Shah, le prince Mahmoud, un géant beau, sympathique et disert. Les courtisans se plient en deux devant moi et prononcent des phrases ravissantes. Je loge dans un palais vaste et tarabiscoté construit au XIXe siècle par la dynastie précédente des Kadjar. Je découvre un jardin éclairé *a giorno* par des lampadaires de bronze, des salons au décor féerique de petits miroirs taillés enchâssés dans des boiseries blanches. Une multitude de tapis de grand prix couvre les sols de marbre. D'opulentes courtines de velours rouge défendent des appartements privés. Ils sont bourrés de lourds meubles dans un style vaguement Napoléon III. C'est le règne de la peluche plus que de la dorure. Après un dîner intime avec le charmant prince Mahmoud, je m'endors dans mon palais empli de gardes, de serviteurs et de chambellans qui s'aplatissent devant moi à peine j'apparais. Mon atavisme me fait trouver naturel ce traitement qui ne l'est pas et auquel je n'ai jamais été habitué.

En comparaison, la résidence du Shah où je me rends le lendemain est beaucoup plus petite et simple. Les jardins bruissent d'une multitude de fontaines qui crachent sous toutes ses formes l'eau, la plus grande richesse du pays. L'intérieur sobre et de bon goût est décoré dans le plus pur style Louis XVI mis à la mode par la maison de décoration parisienne Jansen. Le Shah me reçoit pour le thé et me garde une heure et demie. Bien qu'il sache immédiatement abolir les distances, il garde une imperceptible retenue que je juge être celle des véritables potentats. Il est réservé dans ses manières mais extrêmement libre dans ses paroles. De tous les souverains que je visite, c'est le seul à m'entreprendre sur la politique. Mais je ne suis pas de taille à discuter avec un homme admirablement informé et connaissant ses dossiers par cœur. Il a la profonde amabilité de ne pas le laisser paraître.

Après l'audience, je réalise un souhait que je caresse depuis des années. Je visite les joyaux de la Couronne dans les souterrains de la banque Melli. C'est le plus grand ensemble de bijoux au monde. Hormis ceux destinés à être portés, je découvre les objets les plus divers incrustés de pierreries, mais aussi d'autres pierreries non montées, des diamants énormes alignés sur des étagères, des tas d'émeraudes en cabochon s'entassant sur de vastes plateaux et des coffres d'or et d'émail débordant de filets de perles. Et encore n'y a-t-il qu'une petite partie des joyaux exposés. De vieilles valises de cuir fendues par le temps, s'échappent des ruisseaux de pierres précieuses sur le sol même des souterrains. Le Shah Reza, père de l'actuel, avait fait venir le joaillier Marcel Chaumet pour estimer le trésor. Celui-ci, au bout d'une semaine, avait émergé du souterrain et déclaré qu'il était inutile de tenter une estimation, car si ces joyaux étaient mis brusquement sur le marché, le cours des pierres se serait effondré. Ces trésors viennent principalement de l'Inde. À la fin du XVIIIe siècle, Nadir Shah, le souverain persan, avait envahi l'Inde, s'était emparé de Delhi et avait fait prisonnier le Grand Moghol. Il était reparti avec le trésor de celui-ci. On dit qu'il avait fallu pas moins de trois mille chameaux pour transporter les joyaux en Iran. Ce qu'il en reste dans la banque et qui d'ailleurs sert de couverture à la monnaie – exemple unique au monde – ne représente qu'un quart du trésor. Un autre quart a été volé au cours des années. Quant à l'autre moitié, elle a été enterrée par Nadir Shah dans sa province natale du Khorasan. Le trésor attend toujours celui qui le découvrira. L'impératrice Farah m'a assuré que cette légende a une base d'authenticité.

Je dois me lever à 2 heures du matin pour attraper l'avion d'Athènes. Le prince Mahmoud, entouré de courtisans ensommeillés, a le courage de me raccompagner. Le cortège de voitures de la Cour avance à la lente allure requise par le protocole pour que les Iraniens puissent apercevoir les invités de leur souverain. Seulement, au milieu de la nuit, les avenues restent désespérément désertes et nous dodelinons en tâchant de nous faire des frais.

Au bout de quelques jours, je me retrouve en Libye. Le vieux roi Idris, dans sa sagesse, a séparé géographiquement les pouvoirs. Il a parqué le gouvernement dans la capitale Tripoli, lui-même avec la Cour réside à Tobrouk, et il a expédié le corps diplomatique dans une cité de l'intérieur. On commence par m'emmener en voiture visiter les lointains vestiges de Leptis Magna. Je découvre les avenues énormes bordées de colonnes, des escaliers géants, des forums sans fin. Bien que, à ma honte, les ruines gréco-romaines ne soient pas mon fort, celles-là, dans ce cadre de sable, de palmiers, de désert et de mer, me séduisent. Aussi, par sa prodigieuse extension et ses gigantesques éboulis de colonnes, Leptis Magna embaume le romantisme. On avait dressé plusieurs tentes bédouines multicolores sur la plage pour un déjeuner. Je suis entouré d'une nuée d'officiers et d'officiels libyens, de l'ambassadeur de Grèce et des membres de l'ambassade. J'aurais infiniment apprécié, sauf que la température atteint quarante-deux degrés à l'ombre. Passe encore, je raffole de la chaleur. Mais surtout, un trouble d'estomac – comme on dit poliment – me dérange. Il n'y a pas le moindre recoin pour se retirer et on ne me laisse pas seul une seconde. Je ne connais pas d'angoisse plus terrible que celle de devoir sourire et faire des frais à une nuée d'officiels alors que la catastrophe menace à tout instant.

Le lendemain, quelque peu ressuscité, je suis emmené à Tobrouk dans un avion prêté par la base américaine. Les Américains, tout-puissants en Libye, en exploitent le pétrole. À Tobrouk il n'y a que le bleu de la mer et l'ocre intense de la terre, sinon rien que des pierres et du sable, pas un arbre, pas même un brin d'herbe, quelques tentes de nomades et des chameaux. Une petite ville toute blanche se serre autour d'un Palais royal plutôt agreste. On entend le caquètement des poules qui picorent dans la cour. L'octogénaire roi Idris, visage émacié et barbe blanche, est tout de blanc vêtu. Après les compliments d'usage, on commence à parler de sa santé – sujet inépuisable. De là, on glisse aux chevaux et à la guerre, les deux matières que ce grand seigneur arabe préfère et connaît le mieux. Cet homme infiniment cultivé peut réciter des milliers de vers. Il se contente, en guise de compliment, de me faire cette citation du Prophète Mahomet : « Le flambeau de la civilisation est transmis par le cerveau des Grecs, la langue des Arabes et la main des Chinois. » Puis il semble se replier sur lui-même. L'âge le fatigue rapidement.

En route pour l'Éthiopie, nous sommes obligés de faire escale à Khartoum. Nous y atterrissons à 5 heures du matin. L'aube colore de rose pâle le ciel où tournoient les éperviers. La chaleur est déjà étouffante. Nous ne trouvons strictement personne à l'aéroport. Une erreur de date fait manquer à l'appel les membres de notre ambassade. Tout s'arrange, l'ambassadeur vient nous récupérer et nous fait visiter la ville. À Khartoum, il n'y a rien, mais ce rien est déprimant, jamais je n'ai vu endroit plus plat. Nous explorons une banlieue sans fin puis une vague savane qui n'est même pas du désert. Rien n'accroche, rien n'est solide, positif, beau ou même laid. Le soir, il y a une réception sinistre pour les quelques Grecs de la colonie. Je décèle chez eux un formidable ennui, une indifférence à tout, une hibernation mentale suscitée par l'environnement. En plus, le Nil en crue charrie des tonnes de boue laissant dans l'air des odeurs infectes, ce qui n'arrange pas notre humeur.

Après la chaleur poisseuse et intolérable du Soudan, nous tombons sans transition dans une Normandie fraîche et pluvieuse en atterrissant à Addis-Abeba. Les nuages bas courent, la bruine transperce, et au palais mis à ma disposition les bûches flambent dans les cheminées. Tout est anglais dans cette demeure et dans le jardin, des pelouses impeccables et des grands arbres. Il fait si froid que je me mets immédiatement au lit pour prendre mon petit-déjeuner. Tout en grignotant mes tartines, j'examine l'argenterie scintillante. Je reconnais sur la théière, le sucrier et le pot à lait un A surmonté d'une couronne. C'est le monogramme de ma tante Anne, la duchesse d'Aoste, qui avait été vice-reine d'Abyssinie avant la guerre. J'en suis là de mes réflexions, lorsque la porte s'ouvre et un adolescent fait irruption. Il est grand, assez beau, et doté d'un sympathique toupet. C'est le propriétaire des lieux, le petit-fils préféré du Négus qui, je crois, portait le titre de duc de Harrar. Il se plante devant mon lit, me pose plusieurs questions fort indiscrètes sur le sens de ma visite en son pays, sur ma vie privée, puis il disparaît. Je ne l'ai jamais revu et je n'ai jamais su ce qu'il était devenu.

Plus tard, dans mon grand uniforme, je me hisse dans une très haute et très antique Rolls-Royce de la Cour. Sous la pluie battante, nous roulons sur une route bordée d'eucalyptus. À la vue du pavillon impérial qui surmonte la voiture, les Éthiopiens, tous grands, maigres et allurés, se jettent à quatre pattes le front sur la terre mouillée. Ces marques incongrues de respect me fascinent et me gênent à la fois. Nous traversons une capitale qui me paraît une suite ininterrompue de bidonvilles pour aboutir dans un vaste et magnifique parc. Je suis moins impressionné par la pauvreté du présent entrevu que par la fabuleuse antiquité de cet empire. Bientôt, nous atteignons le Palais. Deux lions vivants prudemment enchaînés paraissent pourtant plutôt raplapla. Ils gardent le trône devant lequel le Négus Haïlé Sélassié Ier m'attend debout.

Le Roi des rois et Seigneur des seigneurs est petit, et pourtant jamais je n'ai rencontré de personnage au charisme aussi impressionnant. Il arbore une superbe tête aux traits sémites accusés. Descendant en ligne directe du roi Salomon et de la reine de Saba, il est l'héritier du légendaire Empire éthiopien, royaume chrétien fondé dans la nuit des temps et qui a subsisté à l'écart des grands courants et des guerres séculaires. On murmure que ce prince, cadet de la dynastie, n'a pas hésité dans sa jeunesse à expédier plusieurs membres de sa famille dans un autre monde pour accéder au trône. Sur les photos de son couronnement, ses yeux sombres étincellent alors que, très beau, il porte un grand manteau de velours surbrodé et sur la tête une haute couronne en or. Avec une exquise affabilité, il se met à discuter avec moi, non point de politique mais d'icônes macédoniennes – sujet qu'il connaît à fond. Son immense culture s'étend aux domaines les plus divers. Avec des gestes lents, il se montre la simplicité même. Il me paraît sincère, direct et même affectueux. Redoutable sans doute, mais sec absolument pas. Je m'enhardis à me montrer un peu provocant. Lorsqu'il me demande si j'ai tout ce que je veux et si je suis bien installé : « Je me sens d'autant plus chez moi, Sire, lui dis-je, que je suis entouré d'objets ayant appartenu à la sœur de ma mère, la duchesse d'Aoste, ancienne vice-reine d'Abyssinie. » Et pour cause, dans les années 1930, les Italiens avaient chassé quelque temps Haïlé Sélassié de son trône et de son pays. « Durant mon exil, la duchesse d'Aoste et son mari ont fait beaucoup de bien à mon peuple. Lorsque vous la verrez, dites-lui que je suis profondément reconnaissant et que je serais enchanté de la rencontrer si je viens en Italie. » J'ignorais que le Négus déteste bien moins les Italiens qui l'avaient exilé que les Anglais qui l'avaient soi-disant soutenu et lui avaient fait vivre mille difficultés avant de lui rendre son trône. Quelques années après ma venue, les images du vieux monarque en train de nourrir grassement ses chiens tandis que le pays affronte une épouvantable famine le font tomber dans l'opprobre. Sa chute lors du coup d'État de 1974 précipitera trois mille ans de monarchie éthiopienne dans le néant ! Détail cocasse, jamais je ne me serais douté que ce souverain deviendrait l'idole de musiciens jamaïcains qui prendraient pour nom son ancien titre *Ras Tafari* pour devenir des rastafaris. Loué dans les mélodies de Bob Marley, le Négus est toujours considéré comme le Messie par la communauté rasta !

Je quitte avec regret l'Éthiopie, pays éminemment noble aux traditions millénaires fascinantes. Je fais escale à Asmara, au Caire, à Athènes, à Francfort, avant d'atterrir à Munich. Une voiture m'attend qui m'emmène à tire-d'aile sur l'autoroute jusqu'à Salzbourg. Je retrouve le confort familier de l'hôtel Goldener Hirsch. Mes amis sont déjà partis pour l'opéra qui a commencé. Je compte les rejoindre à l'entracte. Je suis en train de me changer lorsque la porte s'ouvre. Marina entre, elle m'avait attendu. C'est avec elle que j'ai rendez-vous au bout de cette course effrénée de palais impérial en palais royal. Nous nous jetons dans les bras l'un de l'autre, nous sommes heureux, nous sommes ensemble, rien d'autre ne compte plus. Notre trop longue séparation s'est achevée et cette fois-ci je reviens avec elle à Athènes.

À peine sommes-nous de retour que le rideau se lève sur le mariage du roi Constantin. En Grèce, c'est la première fois depuis un temps immémorial qu'un roi régnant, un jeune et beau chef d'État, se marie. Le ban et l'arrière-ban royaux accourent, venus de tous les continents. Les médias du monde entier grouillent. Les touristes débordent de partout. Le pays unanime vit dans une fièvre joyeuse. La fiancée, la princesse Anne-Marie de Danemark, et sa famille arrivent à bord du yacht royal, le *Dannebrog*, datant d'avant-guerre, une merveille de steamer, à la ligne très fine, aux cheminées penchées vers l'arrière, avec, hissé sur le pont et flottant jusqu'à la mer, l'immense pavillon royal à croix blanche sur fond rouge. Le navire ancre dans la baie du Phalère un soir de septembre. Pour une fois, la beauté pure saupoudre les pompes officielles. Le soleil descend lentement, dorant le paysage. La baie est remplie de yachts, de bateaux de guerre, de barques. Les canons tonnent, les sirènes hurlent. L'air est doux et la brise caressante. La barque royale s'approche, suivie de plus de cinquante chris-crafts. Les hymnes nationaux sont couverts par le grondement lointain de la foule, cette foule très gaie, cette foule d'été, cette foule de vacances qui applaudit à tout rompre le cortège. Les motocyclettes de la police lâchent de gros nuages de fumée. Les grappes de journalistes ressemblent à des fourmilières dans lesquelles on aurait donné des coups de pied. Le soir tombe, les réverbères s'allument et les ovations se font encore plus bruyantes. Arrivé au Palais, le roi du Danemark me décore de l'ordre de l'Éléphant, une des plus anciennes mais aussi la plus jolie des décorations. J'ai beau être prêt à abandonner le monde des royautés, je me laisse aller sans vergogne aux douceurs de la vanité, plus ou moins contrôlée.

Le grand spectacle peut commencer avec l'arrivée des royautés et dignitaires étrangers. Tous les membres de la famille se transforment en agents de voyages, chacun galopant pour aller chercher les convives qu'il est chargé d'accueillir. Tous les avions amenant les délégations arrivent en même temps, la confusion règne et l'aéroport se transforme en cirque. Le maître de cérémonie court dans tous les sens, ne sait rien, confond les vols. Six avions tournent en l'air et c'est nous qui décidons lequel doit arriver le premier. On fait attendre les uns, on force l'autre à atterrir, on galope d'un bout à l'autre de l'aéroport, les orchestres militaires se trompent d'hymnes nationaux. La reine Frederika fulmine contre ce désordre. On bat les reporters qui s'en donnent à cœur joie, on bouscule les touristes qui regardent avec ébahissement ce spectacle incongru, on gronde des vieux généraux qui s'encombrent dans leurs épées bringuebalantes... Chacun prend un air digne pour accueillir son VIP, on ignore ceux des autres, on fourre le sien dans une voiture et « embarquez-moi ça ». Les voitures de la Cour ne suffisent pas pour l'occasion, on a loué d'extravagantes et antiques bagnoles au moteur pétaradant. Un après-midi, j'échappe à ce tourbillon car je suis chargé de chercher le prince Rainier de Monaco au Pirée. Son yacht se fait attendre deux heures. Les rangs des troupes d'honneur se débandent, il fait chaud, le soleil brille. Assis sur une chaise, seul sur le quai désert, je sirote des cafés en pensant aux autres, là-bas à l'aéroport, qui doivent devenir fous. À côté de moi, quelques officiers en grand uniforme bavardent, les bateaux de pêche passent et repassent, la mer clapote, nous scrutons l'horizon. Enfin le yacht apparaît, se range à quai. Je prends livraison du prince souverain, le dépose à l'hôtel King George entièrement réservé pour les invités de la noce.

Deux jours avant le mariage a lieu le grand bal de la Cour. Nous descendons lentement l'allée bordée de cyprès séculaires qui mène au pavillon de marbre élevé au fond des jardins du Palais royal. Les invités grecs font la haie des deux côtés. Ce bal excite le pays entier. On s'est battu pour y être invité, on s'est ruiné en élégance. Je défile en grand uniforme, bardé de l'ordre de l'Éléphant, entre deux de mes plus belles cousines, Anne de France et Christine de Savoie-Aoste. Arrivés au bout de l'allée, nous nous serrons comme des sardines et nous attendons l'arrivée des souverains régnants entourant les fiancés. Puis, on se salue, on bavarde, on se rue sur les buffets opulents. Pas un roi d'Europe ne manque. Le centre d'attraction est leur doyen, le grand-père maternel de la fiancée, le roi de Suède Gustave VI Adolphe. Ce gentilhomme octogénaire, courtois et discret, extraordinairement cultivé, passe pour un des très grands experts en porcelaine de Chine. De même, il participe en véritable professionnel à des fouilles archéologiques en Grèce et en Italie.

La reine d'Angleterre nous a dépêché ses enfants, Charles, Anne, et bien entendu son mari, né prince Philip de Grèce. Le seul chef d'État non couronné est Mgr Makarios. On le trouve fort exotique, les étrangers lui font beaucoup de frais, les belles princesses catholiques s'effondrent en génuflexions devant lui et cherchent désespérément sur sa main l'anneau à baiser, ignorant que les prélats orthodoxes n'en portent pas. Du peloton se détachent deux jeunes femmes remarquables, les princesses héritières de Danemark et de Hollande, Margaret et Beatrix, riches toutes deux de forte personnalité et d'intelligence hors du commun, qui allaient devenir des reines justement populaires et admirées. Le roi de

Thaïlande paraît toujours glacé de timidité, enfermé dans son silence. On murmure qu'il ne s'est jamais remis de la mort tragique et inexpliquée de son frère auquel il a succédé. Puis tous les regards se tournent vers la fabuleuse reine Sirikit. Elle apparaît en brocart d'or et diamants, marchant avec toute la grâce d'une danseuse, souriante, l'image même de la féminité. Parmi les souverains détrônés siège l'ancienne femme de Farouk, la reine d'Égypte Farida. Issue d'une grande famille égyptienne, elle gardait beaucoup de sa beauté et toute sa grâce rayonnante. Du temps de sa splendeur, elle avait offert l'hospitalité la plus fastueuse à la famille royale grecque qui le lui rendait en l'invitant au mariage de Constantin. Elle vivait chichement et le diadème qu'elle arborait était la seule relique du passé qu'elle avait sauvée de la débâcle. Ferme la marche le superbe lord Mountbatten qui tourne autour de la non moins superbe mais beaucoup plus jeune que lui Marie-Gabrielle de Savoie.

Je me lève aux aurores ce vendredi 18 septembre 1964. Harnaché, en grande tenue de gala, je file au Palais, je monte dans la salle à manger du premier étage où un certain nombre de cousins sont en train de prendre leur petit-déjeuner autour de la très longue table. La ponctualité étant la politesse des rois, tout le monde se montre d'une exactitude héréditaire. À l'heure dite, les maîtres de cérémonie entrent dans le salon où nous sommes réunis, puis nous poussent dans les voitures alignées dans les allées du Palais. Le cortège se met en route dans les grandes avenues d'Athènes. Une foule immense se presse aux terrasses, aux balcons, sur les trottoirs contenus par deux rangs de troupe. Le cortège défile lentement puis s'engage dans les rues plus étroites qui mènent à la cathédrale. Là, les badauds peuvent nous dévisager. Ils en reconnaissent certains, s'interrogent sur l'identité d'autres et font en grec les commentaires les plus savoureux. Les sourires et les applaudissements ne manquent pas, la liesse est réelle. Les voitures s'arrêtent devant la cathédrale, chambellans et valets se précipitent pour ouvrir les portières. Devant le portail attend l'archevêque qui tend l'évangile à baiser aux plus importants. On pénètre dans le sanctuaire, les ors des uniformes, des bijoux, des décorations, des ornements brillent de tous leurs feux. Les femmes portent des couleurs vives et claires. Les visages graves et souriants, les entrées splendides, la foule bruissante, scintillante, curieuse, les fleurs, les bougies, les révérences de Cour, la pompe nuptiale, les chœurs byzantins, les salves des canons, la rumeur de la foule dehors constituent la plus belle cérémonie du monde, chatoyante, grandiose, sans faute et... heureusement assez brève. Ces rois, ces reines, ces princes et princesses, non pas joués par des acteurs dans des films d'époque, se meuvent naturellement avec des accessoires qui ne sont pas en toc et forment le ballet le plus authentique, le plus parfait que j'ai connu jusqu'alors. La reine Frederika est la *kumbara*, le principal témoin de ce mariage orthodoxe, ce qui implique qu'elle doit tenir au-dessus de la tête des mariés les couronnes nuptiales. À la répétition qui a eu lieu la veille, on s'est aperçu qu'étant plus petite que son fils, elle ne parvenait pas à remplir ce rôle. Aussi lui a-t-on ajouté un tabouret sur lequel elle se tient. Alors que les couronnes matrimoniales grecques sont de simples cercles fleuris fort légers, nous avons hérité de la tradition russe grâce à la reine Olga, c'est-à-dire de lourdes couronnes fermées en or et émail. La *kumbara*, la reine mère, n'a pas la force de tenir ces pesants instruments pendant toute la cérémonie. Aussi est-elle remplacée par douze jeunes gens dont moi-même qui les prenons à tour de rôle. La couronne d'or que je tiens pendant quelques instants au-dessus de la tête du roi Constantin me donne une crampe au bras. M'échoit le moment de la « danse d'Isaïe », c'est-à-dire les trois tours traditionnels qu'opèrent les mariés menés par l'officiant autour de l'autel. Les invités jettent alors grains de riz et pétales de fleurs sur les nouveaux mariés. Nous sommes ainsi allègrement bombardés. Le décorateur de service a eu l'idée de faire tomber à cet instant du haut de la coupole une pluie de pétales de roses blanches qui procurent le plus bel effet. Cependant, un cousin facétieux murmure en anglais mais d'une voix assez forte pour être entendu de tous : « Mon Dieu, quelqu'un a tiré sur le Saint-Esprit ! » ce qui provoque pas mal de ricanements.

Tout le monde est profondément ému par cette allégresse, par ce mariage heureux, qui succède si vite au chagrin causé par la disparition du roi Paul. La reine Frederika cache difficilement son émotion, le roi Constantin, lui, est verdâtre, surtout de fatigue après avoir passé les deux dernières semaines à tout organiser et à tout superviser jusqu'au moindre détail. Pendant que les invités se rendent au Palais, où comme moi ils attendent en bavardant et en observant les toilettes des uns et des autres, Constantin et Anne-Marie font en calèche découverte le tour de la ville, acclamés par des millions de spectateurs. Le lunch commence très tard sous des tentes dressées dans le jardin du Palais royal. Il y règne une chaleur affolante. On assiste au départ habituel des mariés, puis tout le monde, dans un état avancé d'épuisement, s'égaille et disparaît.

9

Mariage

Le dimanche 4 octobre 1964 paraît dans le journal *Eleftheria* un article évoquant mes fiançailles avec Marina. La nouvelle est reprise par toute la presse avec les commentaires les plus sympathiques. On se félicite unanimement qu'un membre de la famille royale épouse pour la première fois une femme de sang grec. La machine se relance, le roi Constantin prend contact avec moi et nous mettons au point ma renonciation au trône, première étape pour l'acceptation de mon mariage. Bientôt, un communiqué de la Cour annonce nos fiançailles, les rendant ainsi officielles. Nous sommes noyés sous un déluge de fleurs, de messages, de coups de téléphone et autres félicitations. Puis il y a double présentation. Un dîner me permet de rencontrer la famille de Marina, les Karella.

Éminemment honnêtes et travailleurs, modestes, timides même, ils ont horreur d'étaler leur argent. Cependant ils n'en perdent pas une et ne se laissent pas faire. Ils connaissent l'âme humaine et ses détours, et prouvent qu'ils ont énormément d'humour. Généreux ils sont hospitaliers à la manière grecque. Ils ignorent jusqu'au mot snobisme et l'idée que la fille de la maison épouse un membre de la famille royale ne les impressionne pas. Avec tout le respect qu'ils ont pour la dynastie, ils se considèrent comme une famille digne et respectable qui ne lui doit rien. Mon beau-père, Teddy Karella, est petit. On le voit souvent trottiner à petits pas les mains derrière le dos. Timide, observateur, il est fort intelligent et généreux. Il nourrit une véritable passion pour son unique fille mais n'ose trop l'exprimer devant son épouse qui répartit ses affections d'une façon plus égale. Ellie Karella, ma belle-mère, est une autre paire de manches. Plutôt grande, bien faite, admirablement habillée, coiffée, maquillée, bijoutée, c'est une grande dame du monde alors que mon futur beau-père n'aime pas les mondanités. Intelligente, un caractère d'acier, difficile, exigeante, persuadée d'avoir toujours raison mais aussi incroyablement généreuse. Elle a eu un fils, Alexandre, d'un premier mariage et un fils de Teddy, Nico, plus jeune que Marina. Tous deux habitent à la maison et m'accueillent à bras ouverts.

Depuis la mort de son mari et l'accession au trône de son fils, la reine Frederika a quitté Tatoï pour s'installer dans la jolie villa de Psychiko, un faubourg résidentiel d'Athènes où elle avait habité avant guerre. Elle y réside avec sa fille cadette restée célibataire, Irène. Elle nous invite à dîner Marina et moi. Je conçois quelque appréhension de cette entrevue, qui pourtant se passe le mieux du monde. La reine mère manifeste la plus grande cordialité envers Marina et déploie son charme comme elle seule sait le faire. Nous devons bientôt ne plus faire partie de la Cour ni participer aux activités officielles de la famille royale, ainsi la carrière dans l'armée que suit tout prince de dynastie régnante n'a plus de sens pour moi. D'autant plus que cette armée, je souhaite depuis un certain temps la quitter, ayant réalisé que le métier des armes ne me convient pas. D'un commun accord avec le roi Constantin, je mets un terme à mon service.

Pour me prouver sa confiance et son affection, Constantin m'envoie en mission en Arabie Saoudite. Une obscure histoire de consulat honoraire a fâché le roi Fayçal contre la Grèce. Par ailleurs, il s'est montré fort piqué de ne pas avoir été invité au mariage de Constantin. J'ai pour tâche d'arranger les choses. Je suis curieux de rencontrer ce souverain dont tout le monde parle. Il a pris le contre-pied des autres membres de sa famille, en particulier son frère aîné le roi Saoud, celui-là même qui était venu nous visiter à Corfou et qui a été détrôné. Austère, frugal et monogame, Fayçal est un ascète au milieu de sybarites. Pendant des décennies, il a été ministre des Affaires étrangères, aussi connaît-il les problèmes de ce monde mieux que quiconque. Intelligent et énergique, il est décidé à transformer un pays encore médiéval assoupi sur ses richesses en nation moderne qui ne devrait pas sa prospérité uniquement au pétrole. Djeddah, une de ses capitales lorsque j'y débarque, garde un parfum du passé, avec de très hautes maisons de terre battue ornées de moucharabiehs. Les vieux quartiers disparaissent rapidement au profit de bâtiments ultra-modernes. Fayçal a effacé de sa Cour le folklore qui si longtemps en avait fait la renommée. Plus de palais gigantesques, de débauche de marbres, de harems prolifiques, de cadeaux extravagants. Les Mille et Une Nuits avaient fait place à la simplicité, peut-être un peu terne. La Cour était devenue popote et patriarcale. On me loge dans une grande villa désuète et poussiéreuse. Le roi Fayçal ne s'est pas logé à meilleure enseigne, ainsi que je peux le constater lorsqu'il me reçoit en audience.

Son physique impressionne. Grand, maigre, voûté, la barbiche en pointe, le visage creusé, l'œil glauque, le regard lourd et scrutateur, son sourire, malgré les dents gâtées, charmant mais volontiers sarcastique, il a des manières exquises, des gestes et un débit de parole fort lent. Il procède par allusions et sous-entendus. Il n'aime pas les compliments et me le fait sentir à peine commencé-je mon discours. Il l'écoute avec politesse et indifférence. Il me retient à déjeuner. Comme toujours dans cette Arabie hospitalière, les convives sont nombreux, princes de la famille royale, ministres, ambassadeurs. Malgré le protocole, aucune raideur et beaucoup de bonne humeur. Et de nouveau, cette simplicité dans le service et le menu. Fayçal, qui déteste perdre du temps, consacre le déjeuner au travail. C'est-à-dire qu'il ne cesse d'interroger ses collaborateurs sur les affaires en cours. Il laisse chacun exprimer son opinion, puis prend une décision irrévocable.

Le lendemain, contre toute attente, le roi Fayçal me convoque pour une seconde audience. Or il me semble que nous avons épuisé les questions en suspens. Peut-être veut-il simplement sympathiser. Il commence par me faire un discours éblouissant sur la politique internationale. Très vite, il glisse sur sa seule passion, le progrès de son pays. Il en parle avec un entrain, un feu communicatifs. Il téléphone, convoque ses collaborateurs, m'emmène dans ses bureaux pleins de statistiques, de plans, de cartes. Son visage s'est animé, ses yeux étincellent. Emporté par son obsession, il m'a oublié. Tolérant et libéral autant qu'il le peut, l'enveloppe de ce chef d'État moderne cache une sorte de prophète inspiré par Dieu, un ascète des temps anciens pourtant tellement ancré dans le siècle.

Onze ans plus tard, en 1975, un matin, se présente au Palais un jeune neveu du roi, son homonyme, Fayçal ben Moussaid. Dans l'antichambre du roi, il rencontre par hasard le ministre du Pétrole du Koweït qui attend, lui aussi, d'être reçu. La porte du bureau du roi s'ouvre, le Koweïtien est invité à entrer, le neveu du roi le suit sans que quiconque y fasse attention. Les deux hommes s'avancent vers le roi qui fait quelques pas vers le Koweïtien la main tendue. À ce moment, un coup de feu retentit et le roi s'écroule le visage en sang. C'est le jeune neveu, Fayçal ben Moussaid, qui a tiré. Le roi meurt. Pendant l'enquête, on interroge l'assassin sur les raisons de son geste. « Je voulais tuer la tête de la religion car je suis athée. » Parti étudier en Amérique, le jeune homme est tombé sous la coupe d'un professeur d'université qui lui a farci la tête d'idées antireligieuses. L'assassinat du roi Fayçal m'affecte profondément mais ne me surprend guère, il appartenait à la race des martyrs.

Quittant Djeddah, je m'envole vers Le Caire où je retrouve Marina pour quelques jours de vacances loin du tumulte athénien. Affublée de son jeune frère Nico et d'un copain de l'armée comme chaperons, nous entreprenons une tournée touristique. Nous commençons par le célèbre monastère de Sainte-Catherine au Sinaï, haut lieu de l'orthodoxie et de la tradition byzantine. À l'époque, c'est toute une expédition. Nous partons du Caire après dîner dans un taxi conduit par un Grec nommé Iraklis (Hercule), le seul qui connaît vraiment la route. Alors que nous dodelinons en traversant le désert vaguement éclairé par la luminosité de la nuit, je vois soudain devant moi un bateau tout illuminé glisser au milieu des sables. Je crois à une hallucination. Il s'agit tout simplement du canal de Suez. Nous le traversons en bac. Puis la route se poursuit de plus en plus imprécise pour devenir une piste caillouteuse. Nous arrivons au monastère à l'aube, accueillis par un froid virulent. On m'a réservé la seule chambre habitable, ornée d'un lit à baldaquin et surtout du seul poêle qui fonctionne. Les autres sont condamnés à des cellules glaciales. Je ne peux laisser Marina geler. Avec des draps raccordés par des épingles à nourrice, nous établissons une séparation dans ma chambre pour respecter les lois de la pudeur. D'un côté Marina occupe mon lit, de l'autre, les trois garçons nous dormons sur des matelas. Je n'ose imaginer ce que les bons moines imaginent de cette installation. Le lendemain, Marina guillerette escalade en talons aiguilles les deux mille marches qui mènent au sommet de la montagne où Moïse reçut les tables de la Loi. Je découvre ainsi qu'entre elle et les chaussures de marche, il existe une incompatibilité irréparable.

De là, nous allons en Jordanie, principalement pour visiter Jérusalem. À la création de l'État d'Israël à la fin de la Seconde Guerre mondiale, la vieille ville avait été laissée au royaume hachémite alors que les quartiers modernes avaient été concédés au nouvel État. Nous trouvons l'église du Saint-Sépulcre en réparation. Dans un méli-mélo de siècles et de religions règne un effarant désordre. Les moines grecs zélés, point trop respectueux des lieux, veulent nous montrer tout, ne nous laissant pas une seconde en paix pour nous recueillir. Ils m'exaspèrent au point que je décide d'emmener mon monde à la mosquée d'Omar voisine. Malgré les nuées de gardes armés d'énormes fusils et les enfants qui lâchent des pétards dans toutes les directions, il règne sur cette terrasse façonnée par le temps et l'Histoire une sérénité étonnante.

En cette fin 1964, la cité millénaire et trois fois sainte est devenue une usine à touristes. La paix règne et il n'y a aucun problème entre la vieille ville jordanienne dans la vallée et la nouvelle ville israélienne installée sur les hauteurs. Cependant, alors que nous nous promenons Marina et moi dans les rues étroites par une nuit paisible, je formule cette étrange prédiction : « Malgré les apparences, l'Histoire n'a pas abandonné ces lieux. Elle y reviendra en force et en violence. Jérusalem n'en finira pas de faire parler d'elle. »

Je reviens à Athènes. Le 28 janvier 1965, le roi Constantin me convoque dans son bureau au Palais. Je reconnais la très vaste table, le haut fauteuil Renaissance où il a pris place, les chaleureux rayonnages de livres anciens. Mon cousin n'a toujours pas trouvé de solution quant à mon futur statut. De guerre lasse, il consent à ce que je conserve mon titre. Il me tend le modèle d'une lettre que je dois lui adresser en ce sens. Pas de lettre, pas de consentement royal. Et cela à une semaine de mon mariage. La solution qu'il me propose a été utilisée dans de nombreux cas de mariages morganatiques. Marina, quant à elle, ne veut à aucun prix que j'abandonne mon titre, non pas pour devenir princesse, car cela lui est complètement égal de garder son nom de jeune fille, non pas pour elle-même mais parce qu'elle affirme que, si je renonce à mon titre, il se pourrait qu'un jour je le lui reproche.

Dans ces jours critiques, mon assurance, ma certitude de vaincre flanchent parfois. Je me demande si je réussirai, mais plus je doute, plus je suis déterminé à faire ma vie avec Marina, de quelque façon que ce soit. Il m'arrive d'avoir envie de tout envoyer promener, de prendre Marina par le bras, d'aller à l'étranger, de nous marier n'importe où, de ne pas nous marier, cela m'importe peu mais de vivre notre vie. Mais non, il faut songer à l'avenir, à nos descendants éventuels, à la Grèce dont je ne veux jamais être coupé. Finalement, après cogitations et discussions, nous nous mettons d'accord sur un document détaillant le statut de ma femme et de mes futurs enfants.

Marina et moi avons souhaité un petit mariage, nous avons convié peu de monde. Cependant, ma famille française, pour me manifester sa solidarité, s'est pointée en masse, menée par oncle Henri Paris et les siens. Mes beaux-parents donnent chez eux un dîner suivi d'un bal où mes cousines font assaut d'élégance avec les dames athéniennes et les vedettes de la scène grecque. Le lendemain, pour occuper les étrangers, je les mène en excursion à Mycènes. Dans l'autocar loué à cette occasion, je les mêle à une vingtaine d'amis de l'armée chargés de les distraire. Tous jeunes et fringants, ils remplacent leur connaissance imparfaite des langues par leur animation et leur plaisir évident de plaire à ces jolies étrangères. La visite des ruines est épique, menée par ma tante Bébelle, la comtesse de Paris, qui s'est instituée notre guide. Elle parsème son laïus d'énormes erreurs que reprend, horrifiée et respectueuse, l'archéologue que j'ai convoquée. Pour combattre le froid très vif, je fais apparaître des bouteilles de vodka et les libations se poursuivent dans le car au retour. La jeunesse mise en condition abandonne toute retenue et se livre à des farces de collégiens.

Le 7 février 1965, je me réveille dans le calme et le silence de ma maison d'Ekali. Je pars au volant de ma voiture. Arrivé au Palais royal, j'endosse mon uniforme et mes décorations. Je retrouve dans un petit salon du premier étage ma famille grecque : Constantin et Anne-Marie, ma cousine Irène, la reine Frederika qui porte un collier de perles et diamants orné du plus gros saphir taillé du monde, et même tante Alice, la mère du duc d'Édimbourg, dans ses voiles gris de nonne. Par la porte entrouverte, j'aperçois Marina qui arrive avec son père. Sa robe de coupe très simple et très noble lui sied à ravir. Un léger diadème de fleurs en diamants retient un voile de dentelle ancienne, celui-là même porté par ma mère lors de son mariage. J'ai envie de me précipiter vers elle, de la serrer dans mes bras. Je n'ai le droit pour l'instant que de l'admirer de loin.

Un grand salon nouvellement construit qui fait suite à la salle du trône a été transformé en chapelle. Lorsque la centaine d'invités a pris place, j'y pénètre au bras de la reine Frederika. Je salue avec componction le roi Constantin et remarque du coin de l'œil le Premier ministre Georges Papandréou et le ministre de la Justice dont la présence est indispensable au mariage d'un membre de la famille royale. Marina, entrée au bras de son père, se place à mes côtés. Nous échangeons un regard. Nous avons gagné mais ce n'est que commencer. Une aventure nous attend, celle de nous aimer. Puis la chorale du Palais entonne la première hymne. La cérémonie est brève.

Après le déjeuner, Marina et moi quittons le Palais sous la neige que nous considérons comme le meilleur augure de bonheur. Nous avons décidé de ne pas partir le soir même en voyage de noces, coutume que je juge inconfortable et conventionnelle. À la place, nous offrons un divertissement inédit aux convives étrangers. J'ai réservé à Péania, village d'Attique proche d'Athènes, cette même taverne où j'avais invité Marina du temps de nos fiançailles. Le patron Barba Vangeli nous reçoit pour une fois sur son trente et un et un peu moins ivre que d'habitude. J'ai convoqué les copains de l'armée que j'avais emmenés à Mycènes et qui désormais fraternisent avec cousines et amis étrangers. Il y a abondance des plus délectables nourritures grecques et des barriques entières de vin tout aussi grec sont vidées.

Notre amie Maya a réussi à nous amener les deux plus grandes vedettes de bouzouki de l'époque, Zambetas et la chanteuse Vicky Moscholiou, dont les noms sont restés légendaires. Ils chantent, ils jouent comme jamais. Les copains de l'armée entraînent les jeunes et jolies étrangères dans des farandoles de plus en plus rapides. Oncles, tantes et autres cousins les rejoignent au milieu des rires. La soirée se prolonge, de plus en plus animée, de plus en plus bruyante, et de nombreux invités ne se rappelleront jamais comment ils sont revenus à leur hôtel. Ainsi notre vie maritale débute-t-elle dans la gaieté, la sincérité, l'affection.

Je me réveille avec une sensation nouvelle, celle d'appartenir tout entier à la Grèce. Je songe qu'éduqué à l'étranger par ma famille française, la Grèce était longtemps restée pour mon cœur une *terra incognita*. Ce pays petit et plutôt pauvre dont le nom retentit dans le monde entier, cette nation désormais sans grande importance politique mais que tout le monde connaît, que tout le monde admire, que tout le monde chérit, où tout le monde veut aller, cette terre âpre et magnifique où est née la civilisation occidentale, ce peuple qui a inventé la liberté et qui me l'a donnée, ces gens indépendants et généreux, courageux, hospitaliers, cette population aux vastes sentiments, m'ont conquis pour toujours. Je veux être grec et non plus seulement prince de Grèce. Je veux m'ancrer définitivement dans ce pays et mon ancre porte le nom de Marina. Ce matin-là, quand je me réveille, je réalise que c'est la Grèce que je viens d'épouser.

10

Voyages, officiels ou pas, crise politique

Marina transporte ses pénates dans la maison d'Ekali, que je loue depuis plus de deux ans. Les Grecs en général détestent la campagne et Marina n'apprécie pas particulièrement l'isolement de notre maison. Cependant, une nature austère, des paysages immenses et splendides nous protègent du monde extérieur.

Nous nous consacrons à nos travaux, Marina peint, j'écris. Or voilà que la vie officielle sur laquelle j'ai fait une croix me rappelle à elle. Ce n'est plus la Couronne mais le gouvernement qui en est l'instrument. Georges Papandréou, le Premier ministre, décide de m'envoyer pour une visite de bonne volonté dans plusieurs États africains. Je demande que Marina m'accompagne, le gouvernement accepte à condition que je paie ses billets et son hébergement – ce que je m'empresse de faire. Détail qui me fait sourire quand je vois les suites imposantes dont s'entourent les tournées officielles du moindre fonctionnaire et les dépenses que cela entraîne pour l'État... Le gouvernement s'est décidé pour l'Afrique noire naguère française, et d'un commun accord nous avons choisi les États que je visiterai. Auparavant, je tiens à aller à Paris demander la bénédiction du général de Gaulle, simple prétexte pour rendre visite à mon idole. Il accepte de me recevoir en audience le mardi 13 avril 1965. Le jour dit, la voiture de l'ambassadeur de Grèce en France me mène au palais de l'Élysée et me dépose devant le perron où je suis accueilli.

L'Élysée, dans un faux Louis XVI, assez vide, mélange la dignité et la bonne franquette. La maison a le charme d'une demeure privée plutôt que la froideur d'un palais présidentiel. Le protocole très digne, les secrétaires et aides de camp assez familiers et « en famille ». Le Général paraît fatigué et agité. L'esprit part, incisif, avec des questions nettes puis ça flotte et il repart plus vaguement. Les formes courtoises recouvrent une indifférence souveraine. Il fait un exposé sur les États africains, puis réfute d'un mouvement de main les aides étrangères. « Reste : la France. » Il affiche un extravagant mépris pour les pays africains, gardant pour eux le ton d'un maître d'école jugeant les élèves, distribuant les blâmes et les compliments hautains, ces derniers très mesurés. Il manifeste une incroyable haine contre Sékou Touré dont il parle comme d'un « pou puant ».

J'ai commis l'erreur d'inclure dans ma tournée la Guinée. De Gaulle, devançant la marche irréversible de l'Histoire, avait décidé d'accorder l'indépendance aux anciennes colonies africaines de la France. Il créait aussi la Communauté française, établissant avec ces pays nouvellement indépendants de solides liens économiques et pour ainsi dire politiques. Donc, en fait, la France partait mais restait. Seul de tous les pays africains, la Guinée avait refusé de participer à la Communauté française et de Gaulle ne pardonnait pas à son président cette gifle.

À la fin de notre entretien, il se lève et m'assène en levant les bras au ciel : « L'Afrique… c'est vide. » Pas follement encourageant.

Je me sens un voyeur de l'Histoire et aujourd'hui je suis servi. Un détail, cependant, me fait sourire. Le Général, je l'ai appris par l'ambassadeur de France à Athènes, mon ami le baron Baeyens, a désapprouvé mon mariage qu'il considère comme une mésalliance. Ce royaliste s'avère plus royaliste que le roi !

Nous volons vers Dakar en compagnie de l'ambassadeur Karayannis, élégant, courtois et fin, et l'économiste Papanicolaou, un homme de grande taille, très direct avec de la suite dans les idées et dont la compagnie est aussi intelligente que stimulante. Nous arrivons à 4 heures du matin. Quelques heures plus tard, commence la ronde des visites, au ministre des Affaires étrangères, aux Huileries et Grands Moulins de Dakar, au ministre du Commerce, à l'Assemblée nationale… Je trouve le Parlement vide, je me demande à quoi il sert avec un parti unique. Une des plus grandes personnalités de l'Afrique noire se trouve être le président du Sénégal Léopold Senghor. Non seulement c'est un patriote exemplaire mais surtout un poète de renommée internationale qui a été élu à l'Académie française. Il a épousé une Française, une Normande. Il possède une maison en Normandie qui lui semble sa Terre promise. Nous sommes reçus par Senghor, le style et la langue d'une extrême qualité. Très français, fort cultivé, courtois et réservé. Nous discutons de sa

Normandie adorée et de la culture normande. Il nous traîne dans un cocktail de journalistes français où il fait un speech bref, fin, brillant. On l'imagine peu en poète, ce n'est pas le Paderewski noir mais un politicien qui apprécie son confort, bon écrivain mais sans beaucoup d'illusions.

Nous dînons seuls dans la maison mise à notre disposition sur le cap Vert, dans les jardins, il y a du vent, de grands éperviers presque à ras de terrasse, l'océan, des couleurs superbes un peu fondues, l'air du large, et au fond Gorée l'île des esclaves, mystérieuse et attirante. Dakar, grande ville blanche, garde un air de capitale impériale mais démodée et provinciale. Tout le monde est très civilisé, le protocole digne, le palais de Senghor de bon goût. Il y a de la grandeur sans trop de richesses. Senghor ne ressemble à aucun des autres présidents africains. Ce n'est pas qu'il les dépasse, c'est qu'il est hors concours par sa culture, son écriture, sa personnalité toute de spiritualité et de réflexion, de philosophie, de sagesse et quelque part aussi de résignation.

Le lendemain, l'avion de Senghor nous emmène à Saint-Louis-du-Sénégal. Nous visitons le lycée sous une chaleur de plomb. La ville, vieillotte et croupissante garde le charme d'antiques colonies. L'air de la mer nous rafraîchit un instant. Nous parcourons la Langue de Barbarie en contemplant l'envol de milliers d'oiseaux.

Ensuite, cap sur la Guinée, maudite par de Gaulle en la personne de son président Sékou Touré. À Conakry, nous sommes installés dans une propriété de rêve, un jardin fleuri et européanisé, un pavillon à air conditionné, une piscine avec famille de crapauds familiers, au bord de la mer boueuse. Dans notre chambre, nous trouvons un énorme panier de mangues pour lesquelles Marina développe une passion inconsidérée. Elle veut toutes les goûter. Honteuse de sa gourmandise, elle cache les restes dans un tiroir d'une commode, avec pour seul résultat qu'au bout de deux jours, la chaleur ambiante et l'air conditionné engendrent une odeur de pourriture sucrée qui devient insoutenable.

Sékou Touré, le communiste, l'adversaire de la France, nous reçoit en audience au Palais. Nous avons un tel succès qu'il nous emmène dans sa datcha. Nous poursuivons l'entretien pendant deux heures sur la terrasse au bord de la mer. Le soir grisâtre tombe sur l'océan qui clapote sous la terrasse. Des barques passent au loin. La mer est ocre. Les lampes s'allument. Il me charme, il est puissant et convaincant. Il est absolument hors des réalités, persuasif, répétant sans cesse ses théories. En fait, ce qu'il dit a moins d'importance que la façon dont il le dit. C'est la réflexion que je me suis faite après l'avoir quitté. Lorsqu'il parle, son ton de voix, quelque peu monotone, a une qualité hypnotisante, comme les mouvements de son torse qui oscille légèrement de droite à gauche. Il y a en lui quelque chose du charmeur de serpent, le serpent étant nous. Peut-être compte-t-il parmi ses ancêtres de puissants sorciers dont il aurait hérité. Il est follement orgueilleux et très simple. Il est assez naïf, c'est ce qui me touche. Il est sensible, sur le moment, à l'interlocuteur. Il a des « sincérités successives » comme il l'a dit lui-même. Il charme et, en retour, il est facilement charmable.

Les jours suivants, nous rencontrons les Grecs résidents de la Guinée. C'est une surprise de découvrir, dans toutes ces capitales africaines, comme je l'ai déjà constaté à Khartoum, une importante colonie grecque. Ce sont des commerçants venus depuis bien longtemps. Ils travaillent dur, ils ont une excellente réputation d'honnêteté et de sérieux et, finalement, ils ont pignon sur rue. Je suis assez ému que, si loin de la Grèce, ces compatriotes, probablement exilés pour raison de misère, prospèrent, s'épanouissent en Afrique mais jamais n'oublient la Grèce, où ils retournent fréquemment.

À Yaoundé, nous sommes installés pompeusement dans un hôtel miteux. Je suis reçu en audience par le président Ahidjo. Pompe, accueil très protocolaire et réserves. Mais il fond devant les compliments. Il se prend pour le de Gaulle africain, assez intelligent, ferme surtout, autoritaire. Le déjeuner qu'il offre est plutôt ennuyeux avec des convives silencieux.

Nous partons entourés de pompes officielles. À l'aéroport, je parviens enfin à détendre le chef du protocole que j'interroge sur sa très ancienne famille. « Mes ancêtres frayaient à la Cour de Ramsès », m'assène-t-il. Le Cameroun est le plus beau des trois pays, vert, sauvage, immense, gai. Ses forêts ne sont pas étouffantes ou oppressantes. Je sais qu'au nord du Cameroun que je ne pourrai visiter, subsistent des sultanats un peu oubliés, modestes réminiscences des immenses empires africains de jadis et dont il ne reste pratiquement aucune marque.

À peine revenus en Grèce, nous faisons une visite d'un autre genre. Christos Lambrakis est le maître d'un empire de presse et un des hommes les plus puissants de Grèce. Infiniment cultivé, passionné d'archéologie, fou de musique, c'est un homme aussi charmant que redoutable. Il est surtout l'ami d'enfance de Marina et de son frère Alexandre. Libéral, républicain, il déteste la monarchie. Il faut des trésors de bonne volonté, de tact pour qu'il avale le mariage de Marina et m'accepte. C'est lui qui, un beau matin, nous emmène au Phalère où nous nous embarquons dans un hydravion privé. Nous volons jusqu'à l'île de Leucade où nous amerrissons à côté du yacht *Le Christina* ancré devant l'île privée de Skorpios. Sur le pont nous attendent, enfoncés dans deux fauteuils, Maria Callas et Aristote Onassis. Christos, qui est un des adorateurs de la soprano, nous a obtenu cette invitation.

Maria Callas ne parlait que de musique et d'opéra, elle était obsédée par son métier. Elle se trouvait là dans ce décor mais restait loin dans son monde musical. Ce qui l'attachait à l'île, ce qui l'attachait à son propriétaire Aristote, c'était tout simplement son amour pour lui. Maria Callas racontait sa vie comme s'il s'agissait d'un roman, elle parlait de chaque instant de sa carrière avec les directeurs d'opéras, les artistes qu'elle avait connus et elle les évoquait avec une telle vivacité ; et lorsqu'elle n'aimait pas quelqu'un, elle le faisait sentir. En fait, toute sa personnalité dépassait ce décor paradisiaque d'une façon très puissante. Marina et moi avons appris à aimer cette femme avec ses vulnérabilités, avec son infini talent qui transportait le monde entier.

Onassis est parti de rien. Adolescent, il a plongé dans la mer pour échapper aux effroyables massacres de Smyrne. Il a réussi à gagner un navire qui l'a emmené en Argentine. Il a fait une fortune colossale mais reste parfaitement authentique. Il ne prétend à rien de ce qu'il n'est pas. Son luxe est tapageur. Et pourquoi pas ! En affaires, c'est probablement un requin, il l'a plus d'une fois prouvé mais c'est un pur Grec, chaleureux, convivial, qui déteste rester chez lui et n'aime rien tant que les cafés et la compagnie. Maria Callas est devenue pour des millions une déesse. Et pourtant, lorsqu'elle parle grec, elle redevient une femme très simple, aux intérêts modestes, même si elle demeure toujours très professionnelle. Onassis et Callas sont faits l'un pour l'autre car, partis d'une origine assez humble, ils ont atteint des sommets inimaginables, ils restent quelque part dans l'enveloppe de leurs débuts et surtout ils sont totalement, irrémédiablement grecs. Il n'est pas impossible qu'Onassis soit jaloux de la gloire de Callas et que, la noyant dans le luxe et le confort, il cherche aussi à enrayer sa carrière. La simplicité de leurs propos, le naturel de leur accueil contrastent avec leur réputation mondiale.

Cet été 1965 est particulièrement chaud. Le roi Constantin a révoqué son Premier ministre Georges Papandréou. Chassé du pouvoir, ce dernier descend dans la rue et la soulève. Le vieux tribun prononce des discours incendiaires et provoque chaque jour des manifestations de plus en plus importantes, de plus en plus violentes. Au cours d'une de ces manifestations qui enfièvrent la ville, un homme est tué par les forces de l'ordre.

Le hasard veut que notre maison soit pleine à craquer d'amis étrangers venus pour les vacances. Nous les menons au théâtre d'Hérode Atticus pour les représentations dans le cadre du festival d'Athènes. Poussés par la brise, des nuages de gaz lacrymogène lancés par les forces de l'ordre sur les manifestants nous arrivent et font pleurer à l'unisson des milliers de spectateurs. Finalement, le roi Constantin réussit à former un gouvernement... à une voix de majorité. Il se peut dire que tant bien que mal la crise est résorbée.

Cette année-là, la vedette du festival est Robert Kennedy. Il a déjà fait attendre trois quarts d'heure le roi Constantin à l'audience que celui-ci lui a accordée, et lorsque l'ambassadeur d'Amérique a osé dire au sénateur qu'ils étaient déjà fort en retard, celui-ci l'a fait rudement taire en lui disant qu'il se fichait pas mal de faire attendre le roi. Il entre comme un taureau dans l'arène dans le salon du Palais où nous sommes tous réunis et ne salue pratiquement personne. Lorsqu'il est présenté à ma cousine Irène, d'une voix rogue, il lui demande : « Est-ce vous qui jouez au piano ? » Avec un grand sourire, elle lui réplique : « Est-ce la CIA qui vous l'a appris ? » Malgré ces réjouissances, un malaise persistant pèse sur la Grèce. La crise n'est pas oubliée. Le gouvernement Stephanopoulos se débat dans son impuissance, les Papandréou père et fils et la gauche continuent d'attiser l'opinion.

Nous allons saluer ma famille en dînant à Tatoï. Les propos sont banals dans le calme ouaté et luxueux. Pas un mot de politique, aucune allusion à la situation orageuse. On dirait qu'ils savent ce qui les attend et qu'ils s'enferment dans leur antre. J'ai la prescience d'une tragédie mais je ne sais pas quand elle viendra.

Nous avons besoin de prendre l'air. Hormis l'Amérique où elle a habité dans son enfance, Marina n'est pas familière avec les expéditions lointaines, tandis que, depuis ma naissance, je suis habitué aux voyages proches ou lointains. L'Asie nous attire l'un comme l'autre et plus particulièrement l'Inde, la fabuleuse. Nous décidons de partir pour un long voyage de noces de trois mois en Asie. Nous commençons par le Pakistan où nous voyons la nouvelle capitale Islamabad en construction, une succession de chantiers. Nous sommes reçus par le président, le général Ayub Khan. C'est un homme fort grand, pâle de peau, aux yeux bleus. « Je suis grec », nous déclare-t-il. Il affirme descendre d'un soldat d'Alexandre le Grand. Sa fille Nasim a épousé le prince de Swat, Miangul Aurangzeb. Ce petit royaume se situe au nord-ouest du pays, à la frontière de l'Afghanistan. Il est aujourd'hui devenu un des repaires les plus connus des talibans. Nasim et Aurangzeb nous emmènent dans ce paradis perdu situé sur les contreforts de l'Himalaya. J'aime la pureté, les grandes avenues de peupliers défeuillés, les sommets enneigés, les plaines tranquilles. Dans un village, un vieillard s'approche de nous et dans sa langue nous demande de quel pays nous venons. « Yunan », répondons-nous, c'est-à-dire de Grèce. Il ne dit qu'un mot, « Iskander », c'est-à-dire Alexandre le Grand. Je suis profondément ému de voir que le souvenir de ce conquérant est resté dans la conscience populaire comme un élément brillant et positif. À l'époque, le Pakistan est un pays stable, calme, prospère. Les plus somptueux témoignages d'art et d'histoire abondent dans des paysages grandioses. Les officiers de l'armée pakistanaise que nous rencontrons sont grands, blonds aux yeux bleus. Ils sirotent un verre de porto dans leur club et paraissent plus anglais que nature. J'ai eu envie de fuir Karachi, une immense métropole fiévreuse, bruyante, mais j'ai raffolé de Lahore, la ville impériale dont les fabuleux témoignages du passé baignent dans le romantisme. Quant à Peshawar, c'est une ville survoltée, directement sortie d'un film d'aventures.

Nous parcourons ensuite l'Inde. Dans le Nord, nous plongeons pour la première fois dans le folklore des maharadjahs. L'union de l'Inde leur a fait perdre leur trône mais ils restent la fable de tous les Indiens. Ils gardent leur immense fortune, leurs fabuleux bijoux, leurs nombreux palais démesurés et tout leur prestige. Leurs anciens sujets les traitent quasi en divinités. Leurs caprices, leur extravagance, leurs amours, leurs drames nourrissent des conversations sans fin. Jaipur, qui est alors déjà la métropole du tourisme indien, ne m'enchante pas. Certes, les palais satisfont mon goût mais la ville, quelque part, manque de la poésie, du mystère que je trouvais ailleurs. Et pourtant, y règne une femme remarquable, aussi belle qu'intelligente et décidée. Nous rencontrons la maharani Gayatri Devi en pleine campagne électorale. Elle arrive dans les villages à dos d'éléphant, elle en descend élégamment et, devant les paysans accroupis par respect, elle discourt avec grâce. Au Palais où elle nous a conviés à habiter, l'agitation règne car la lutte politique est rude. Pendant le dîner, la maharani court plusieurs fois au téléphone. On la sent préoccupée et nerveuse. Le Premier ministre Indira Gandhi est l'adversaire la plus redoutable, la plus impitoyable. En ce pays où existe toujours le purdah, c'est-à-dire la version indienne du harem, la femme est loin d'être soumise. La maharani de Jaipur montre toute son autorité, sa décision, elle est aux commandes et personne n'ose la contredire. C'est pourtant Indira Gandhi qui aura le dessus. Elle jettera la maharani de Jaipur en prison et l'enfermera avec des femmes de mauvaise vie. La raison en serait que la maharani a dissimulé au fisc des trésors. Des agents d'Indira auraient fouillé le palais et trouvé une cache ignorée même de la maharani bourrée de bijoux enfermés là depuis des siècles. Malgré les dénégations de la malheureuse princesse, la cruelle Indira l'aurait non moins cruellement enfermée.

J'ai préféré Jodhpur, une cité quasi médiévale au milieu du désert. Un immense plateau rocheux la domine où se dressent de vastes palais. À l'entrée de cette forteresse apparaissent en relief quantité de toutes petites mains peintes en rouge. Ce sont celles des défuntes maharanis qui avaient ainsi marqué leur empreinte au henné lorsqu'à la mort de leur époux elles allaient se faire brûler vives selon la coutume du sati. Nous rencontrons le maharadjah régnant, un adolescent aux yeux lumineux les plus grands que j'aie jamais vus. La maharani mère nous loge dans leur résidence, un gigantesque palais de la taille des Invalides. Avant qu'il ne devienne un palace de classe internationale, il était plutôt négligé. C'était une succession de salles et de pièces un peu poussiéreuses, silencieuses, peu éclairées, où, au milieu de splendides témoignages d'Art nouveau, erraient des membres de la maison princière. Les hommes en livrée point trop fraîche, les femmes en sari délavé, ils semblaient tous inoccupés et comme perdus dans cette immensité. Du coup, le service me paraît un peu erratique. Notre hôtesse s'aperçoit de ma perplexité et s'excuse : « Pardonnez-moi de vous recevoir si mal mais nous n'avons plus que mille serviteurs. »

De Jodhpur, nous traversons trois cents kilomètres de désert sablonneux sous un soleil de plomb.

Soudain, apparaissent des murailles roses. C'est la ville de Jaisalmer. Elle semble déserte, abandonnée. Les façades offrent les plus délicates dentelles de granit rose ou de marbre blanc. Alors que nous nous étonnons de ce silence étrange, soudain, d'une façade, surgissent en hurlant des dizaines d'écoliers. Ce seront les seuls habitants que nous y verrons. Nous errons longuement au milieu de ces délicieux témoignages de l'architecture indienne devenus fantomatiques. Nous ne verrons pas le maharadjah, il ne reçoit personne. On murmure qu'il est neurasthénique au dernier degré. Récemment, un joaillier de Delhi s'est aventuré dans son palais. À la surprise générale, le maharadjah l'a reçu. Le joaillier a étalé ses merveilles, en particulier des colliers de grosses boules d'émeraude pour lesquels il demandait le prix fort. Le maharadjah n'a pas sourcillé. « Vous voulez dire que ces petites pierres vertes ont de la valeur. » Il a ouvert plusieurs coffres qui ornaient sa salle de réception, pleins à ras bord des émeraudes les plus grosses, les plus pures qu'eût jamais vues le joaillier. Dernière note en accord avec l'atmosphère de Jaisalmer, nous n'avons pas pu y passer la nuit comme nous l'avions prévu car le directeur de l'unique Rest Haus s'y était pendu la veille.

La Cour de Thaïlande me semble étrange et splendide. La ville entière de Bangkok, alors une capitale de taille moyenne, tourne autour des palais royaux multicolores et scintillants évoquant Disneyland et groupés dans de vastes enceintes blanches. Il y a là des canaux où s'alignent sur des barques plates des boutiques de marché et des pirogues motorisées rivalisant de vitesse. Il y a le marché aux animaux domestiques où je découvre avec bonheur toute une variété de volatiles et de rongeurs. Le vieux prince Dani, octogénaire plus que charmant et alerte, nous fait visiter les palais à une allure épuisante. L'antique princesse Chumbot règne sur la société de Bangkok. Petite, hautaine, admirablement apprêtée, toujours sur son quant-à-soi, elle passe pour la plus redoutable intrigante d'Asie. En notre honneur, elle donne une fête splendide en ses jardins. Nous sommes impressionnés de constater que l'amuse-bouche du souper est constitué de grandes fleurs frites dans l'huile. À la fin d'un ballet folklorique, elle me demande laquelle des danseuses je voudrais ramener chez moi. Marina, informée, rigole. Elle participe à tout, elle s'amuse de tout, elle observe et profite de ces expériences inédites. Elle est faite pour ces voyages et tout bonnement pour la vie qu'elle aime autant que moi. Le soir, dans notre chambre d'hôtel, nous évoquons les incidents de la journée. Nous rions, nous plaisantons, nous sommes heureux. Et puis, il y a celui qui va devenir notre grand ami, le prince Sanidh, hospitalier, divertissant, la prestance d'un grand seigneur. Il nous mène dans les bas-fonds de Bangkok. Fini les palais raffinés tenus à merveille, dorés sur toutes les coutures, emplis de courtisans toujours à genoux devant les membres de la famille royale. Nous pénétrons dans ces lieux bruyants, bondés, vulgaires. Nous nous aventurons dans les bordels de l'armée américaine. À l'entrée du prince Sanidh, les péripatéticiennes bondissent, elles abandonnent les soldats américains qu'elles sont en train de cajoler et viennent se jeter aux genoux du cousin du roi. Celui-ci leur tapote la tête paternellement et les renvoie à leurs Américains qui sont restés les bras ballants, médusés.

Le personnage le plus intéressant de Bangkok est un espion. Jim Thompson est un Américain parachuté en Thaïlande par les services secrets, lorsque le pays était occupé par les Japonais. Il est resté en Thaïlande après la guerre où il a fondé la Compagnie de la Soie Thaïe qui exporte une soie écrue, magnifique étoffe dans les tons les plus somptueux et variés. Grâce au succès des films *Le Roi et moi* puis *Ben-Hur* pour lesquels il a fourni les étoffes, son entreprise se développe considérablement. Il amasse une immense fortune, mais espion il est, espion il reste. On murmure qu'il est même un triple espion, qu'il sert les Américains, les Russes et les Chinois. On susurre encore plus bas qu'il aurait été mêlé à la mort mystérieuse du roi précédent, lequel avait été tué d'une balle de revolver dans sa chambre au Palais royal. Jim Thompson est le véritable roi de Bangkok lorsque nous y débarquons. Collectionneur d'art asiatique averti, il nous invite dans sa villa qui se dresse au bord d'un canal fangeux au milieu d'une minijungle. Bourrée d'objets, il émane de cet endroit une atmosphère entre le sinistre et le menaçant. Quelque chose de sombre plane dans ces pièces qui sont autant de musées. Jim Thompson est un peu à l'image de sa demeure, très charmant, très séduisant, hôte parfait mais il y a tout de même quelque chose de sombre en lui. Le dîner qu'il nous offre dans la salle à manger est éclairé aux bougies. Nous nous regardons souvent avec Marina, entre émerveillement et questionnement devant les sombres boiseries où s'alignent des œuvres d'art incomparables, particulièrement des sculptures et des porcelaines. En rentrant à l'hôtel nous ne cessons de nous interroger sur cet être troublant. Un mois après, le 26 mars 1967, il s'en va visiter des amis en Malaisie, au milieu de la jungle. Après un pique-nique, il demande à ses hôtes de rentrer faire la sieste, il semble très contrarié. Une heure après, ses hôtes trouvent dans sa chambre une cigarette à moitié consommée, son livre ouvert et sa veste accrochée dans la véranda mais pas de Jim Thompson. Il a disparu et on ne saura jamais ce qu'il est devenu. Toutes les polices sont parties à sa recherche sans trouver la moindre trace, ni explication, ni indice. La disparition de ce triple espion à la vie si aventureuse demeure un mystère non élucidé.

Au Cambodge, règne le folklorique et incroyablement malin prince Sihanouk. À notre arrivée, il y a une crise diplomatique. Alors que l'ambassadeur d'Amérique était reçu en audience au Palais, l'éléphant sacré s'est assis sur sa voiture, la réduisant à l'état de crêpe. Sihanouk craint que cet incident conduise à le taxer d'antiaméricanisme. Aussi convoque-t-il quelques jours après l'ambassadeur d'Union soviétique. L'éléphant sacré dûment chapitré s'assoit sur la voiture de l'ambassadeur pendant l'audience. Ainsi l'équilibre est rétabli. Malgré ces gaudrioles, il y a au Cambodge une sorte de lourdeur dans l'air qui m'atteint personnellement, un arrière-goût de cruauté qui dans quelques années se manifesterait de façon effrayante lors du régime de Pol Pot. À Angkor, nous habitons dans l'antique Auberge des Ruines située au milieu des restes des temples. Le premier soir après le dîner, nous allons visiter de nuit le fameux Bayon, ce petit temple aux tours en forme de visages humains. La voiture roule entre les grands arbres immobiles. La route est éclairée par la pleine lune. À l'entrée du petit temple, nous sommes quatre,

Marina, moi et nos amis Manley et Micha. Nous nous séparons et partons en exploration dans la nuit étoilée. Au bout de quelques minutes, l'atmosphère me pèse à un tel point que je reviens au plus vite vers la voiture. À mon étonnement, mes trois compagnons de voyage me rejoignent quelques minutes plus tard. Je les interroge sur l'interruption de cette visite. Ils ne savent pas trop pourquoi mais ils en avaient assez. Perplexes, nous revenons à l'Auberge des Temples.

Le lendemain, nous dînons avec Bernard-Philippe Groslier, le conservateur en chef du lieu. Il nous reçoit au milieu de la jungle dans son élégante villa. Il écoute une symphonie de Haydn et nous sert les meilleurs bordeaux. C'est un homme infiniment raffiné. Nous lui racontons notre soirée de la veille et notre promenade nocturne au Bayon. « Nous avons été fort impressionnés, lui dis-je, par l'atmosphère étrange, étouffante, presque menaçante de ce si joli petit temple. Heureusement, nous avions la présence, derrière le mur d'enceinte, des paysans qui, dans la nuit, parlaient. Il devait y en avoir une vingtaine d'après les voix qui nous tenaient compagnie dans cette visite un peu terrifiante. » « Des paysans, m'a-t-il interrompu, près du Bayon la nuit, impossible. Aucun indigène n'approcherait de ces lieux, surtout la nuit. Ils ont très mauvaise réputation. » Alors, à qui appartenaient ces voix...

Au Laos, nous retrouvons le prince Sanidh de Thaïlande chez le Premier ministre, le prince Souvanna Phouma. À la sortie des agapes officielles et fort peu décontractées auxquelles nous participons, le prince Sanidh nous emmène jusqu'au quartier le plus pauvre de Vientiane. À sa suite, nous pénétrons dans un immeuble lépreux. Nous empruntons un escalier branlant jusqu'au premier étage. Nous nous installons chacun sur un lit sale dans une sorte de dortoir mal éclairé. C'est une fumerie d'opium. Une vieille Chinoise édentée, à la mine cruelle et perverse, s'approche et, avec le cérémonial d'usage, allume les pipes d'opium. Sous le contrôle du prince, nous fumons juste ce qu'il faut pour ne pas sombrer dans un état onirique trop étourdissant. Pendant plusieurs jours, nous serons euphoriques, pleins d'énergie et d'allant, voyant la vie en rose. Par contre, notre ami Micha qui a dépassé la dose indiquée sera malade pendant une semaine.

Puis, nous partons avec l'ambassadeur d'Angleterre Fred Warner pour l'ancienne et ravissante capitale de Luang Prabang. L'avion de la compagnie Air Laos avait été moins que rassurant avec ses portes que l'on fermait d'une simple ficelle mais la cité nous séduit instantanément avec ses temples de laque rouge, noir et or, comme la végétation alentour nous séduit par son exubérance, comme nous séduit le Mékong large et tranquille qui coule entre les falaises rocheuses. La première nuit, l'aéroport voisin de la villa mise à notre disposition est bombardé par les communistes. Les Laotiens s'affolent, apparaissent à tout bout de champ dans nos chambres pour nous prier de rester calmes. Que faire, sinon monter sur la terrasse et regarder le spectacle chaotique. Le lendemain, au lieu d'un abattement général, il y a en notre honneur redoublement de festivités, comme pour nous faire oublier cette curieuse expérience, et nous voilà partis à dos d'éléphant dans la jungle. D'un pas tranquille, les pachydermes s'avancent entre les arbres immenses. Nous ne sommes pas tout à fait rassurés car on nous a murmuré que ces sous-bois regorgent de maquisards communistes… Nous aboutissons dans une très vaste clairière. Sur le pourtour, des soldats mitraillette au poing scrutent le sous-bois. On nous offre le pique-nique le plus délicieux. Pendant que nous sirotons les meilleurs crus français, j'observe les collines point trop lointaines qui entourent la clairière et je me dis que si les communistes voulaient nous y canarder, rien ne leur serait plus facile…

11

Dictature

Nous revenons début avril 1967 gorgés d'images et de souvenirs alors qu'Athènes est la proie de vives tensions. Le gouvernement Stephanopoulos, qui n'est pas parvenu à sortir la Grèce de l'ornière, a été remercié. De nouvelles élections sont annoncées pour la fin mai. L'armée et les conservateurs prévoient un triomphe de l'extrême gauche. Andréa Papandréou annonce que, quel que soit le résultat des élections, si son père Georges Papandréou n'est pas chargé du gouvernement, il en formera un sur la place publique. On a peur, on craint des troubles, l'inquiétude est générale. Je vois plusieurs fois le roi que je trouve tantôt aussi affolé que moi, tantôt confiant dans les solutions trouvées ou à trouver. Le grand ponte de la presse de gauche, Christos Lambrakis, tout en soutenant Papandréou, nage tout autant dans l'incertitude. Le contrat de location de ma maison d'Ekali est venu à échéance et la villa que nous construisent mes beaux-parents dans la propriété familiale de Maroussi aux environs d'Athènes n'est pas terminée. Nous nous installons dans leur appartement avenue Vassilissis Sophias en face du Hilton. Le 19 avril, le roi Constantin m'appelle pour arranger un dîner dans les jours suivants. Le lendemain matin, je lui téléphone pour concrétiser cette rencontre, il est absent. Dans l'après-midi le roi me rappelle, et nous invite dans une taverne le samedi soir, c'est-à-dire deux jours plus tard, en me demandant de lui téléphoner entretemps afin de lui suggérer des amis pour nous accompagner. Le lendemain, vendredi 21 avril, nous dormons encore à 8 heures du matin lorsque le frère aîné de Marina, Alexandre, pénètre dans notre chambre en chantonnant : « Dictature... dictature... » Serait-il devenu fou ? « Pas du tout. Allez donc voir au balcon... » Nous nous précipitons sur la terrasse, Marina sans avoir même eu la patience de jeter une robe de chambre sur sa chemise de nuit. Les avenues sont vides de voitures. Seuls des tanks les sillonnent, certains stationnés au carrefour. En face de notre immeuble, l'hôtel Hilton est gardé par des soldats, mitraillette au poing. Un détail me fait sursauter. Sur le pas de l'hôtel, je vois un des rares clients qui se soient aventurés dehors, le général Dayan, reconnaissable de loin, qui se trouve là par hasard.

Les militaires ont pris le pouvoir, le téléphone est coupé, la radio répète des inepties. Des gens entrent et sortent de chez mes beaux-parents pour apporter des nouvelles, pour en demander. Nous nous habillons rapidement. Nous allons dans le centre d'Athènes, à Kolonaki. Toute la ville semble descendue dans les rues. Les gens chuchotent mais n'ont pas l'air particulièrement effrayés. Des rumeurs alarmantes et bouffonnes courent toute l'après-midi. En fait, on ne sait rien. Qui a fait le coup ? Mystère. Mon inquiétude monte de minute en minute. Enfin, à 17 heures, la radio émet un communiqué : un nouveau gouvernement a prêté serment devant le roi Constantin. On respire un peu mais les rumeurs continuent. On apprend petit à petit le nom des principaux conjurés. De nombreux amis ont été arrêtés pendant la nuit ou à l'aube. D'autres ont eu le temps de disparaître, la police les cherche. On tâche de savoir qui est libre, qui a été emmené. Il se dit qu'il y aurait une révolution à Salonique, que la moitié de l'armée serait contre la dictature. On ne sait pas si le roi la bénit ou la rejette. À l'heure du dîner, un nouveau communiqué de la radio se veut plus rassurant. Vers 22 heures, les lignes téléphoniques sont rétablies. J'appelle Tatoï. Le roi Constantin vient à l'appareil. Il est évident qu'il ne peut pas parler mais il a sa voix habituelle et tâche de me rassurer. Depuis 18 heures, le couvre-feu a été établi. La ville est sillonnée de tanks. Soudain, nous entendons des rafales de mitraillette. De nouveau l'inquiétude. Mais non, ce sont simplement les sentinelles qui tirent en l'air pour effrayer les habitants et les encourager à rester chez eux.

Le lendemain, samedi 22 avril, je me précipite au balcon et je crois rêver. Plus de tanks, plus de soldats, la circulation habituelle. Tout paraît fonctionner normalement. Le calme règne mais les rumeurs, parfois délirantes, parfois très précises et exactes, se succèdent. Nous continuons de recevoir des amis pour tâcher d'y voir clair. J'appelle de vieilles relations de l'armée, des amis officiers dont je suis resté proche. Ils me racontent par le menu ce qui s'est passé et ne sont pas rassurés sur le présent. La police vient deux fois fouiller la maison pour trouver le magnat de la presse Christos Lambrakis qui a pris la fuite.

Enfin, quatre jours après le coup, je peux voir ma famille. Je vais dans la villa de la reine mère à Psychiko où je retrouve le roi et la reine. Constantin décrit en détail cette nuit du 21 avril où il s'est réveillé avec des tanks encerclant Tatoï et où on a pu craindre le pire. Il avait demandé à parler aux chefs de la rébellion au Pentagone et il avait trouvé une atmosphère de mutinerie. Pas mal de monde redoutait les élections à venir et une marée dévastatrice de l'extrême gauche. Un groupe d'officiers de haut grade avait décidé de prendre les choses en main. Dans la nuit du 20 au 21 avril 1967, ils s'étaient emparés des ministères, de la radio, de la télévision. Ils avaient coupé le téléphone et les communications, fermé les aéroports et mis la main sur le roi comme l'exige tout bon coup d'État. En fait, Constantin avait entériné leur action pour éviter des affrontements sanglants entre une partie de l'armée et l'autre mais il ne l'avait fait que du bout des lèvres. Par nature il désapprouvait cette action et, dans son esprit, cette dictature frais émoulue ne perdait rien pour attendre.

Les quatre jours qui viennent de s'écouler sont un cauchemar vécu dans l'incertitude et l'anxiété. Je suis terrifié d'être pris dans une souricière. Marina, admirable de calme et de sang-froid, me donne du courage. On ne sait pas de quel bois se chauffent les dictateurs. Surtout que vont-ils faire ? Très vite, se multiplient arrestations, emprisonnements, exils et même tortures. Toute dictature est une voie sans issue. Comment en sortir sans dommages, sans guerre civile, sans flots de sang ? Voilà ce que je me demande dès l'instauration du régime. Et puis, pas mal de nos amis sont en danger, se cachent, sont jetés en geôle, maltraités.

La Semaine sainte arrive. Nous suivons le samedi saint et l'office de la Résurrection dans l'île de Skopelos. Il fait beau, il fait chaud dans cette nuit étoilée. L'église est si petite que la plupart des fidèles sont groupés dehors, profitant plus du printemps précoce que de la liturgie dont on ne saisit que des bribes. Tout le monde a l'oreille collée au transistor. Là-bas, à Athènes, a lieu traditionnellement devant la cathédrale l'office solennel en présence des autorités. Le souverain sera-t-il présent ? Enfin, le commentateur de la radio annonce sa venue. Et, quelque part, chacun dans la petite foule agglutinée autour de la chapelle se sent rassuré.

Quelques semaines plus tard, a lieu le baptême du prince héritier Paul, dont la reine a accouché juste après le coup d'État. Comme il s'agit d'une solennité familiale, nous sommes invités mais nous ne faisons pas partie du cortège officiel. Notre voiture traverse les barrages de police et s'arrête devant la cathédrale. Nous nous garons dans l'emplacement réservé à la famille royale. Bientôt, nous entendons, venus du dehors, les applaudissements de la foule, les cloches, les salves d'honneur des canons et l'hymne national joué par les orchestres militaires. Le roi et la reine arrivent avec le nouveau-né. Tout se passe le mieux du monde. Puis, on se rend au Palais pour un vin d'honneur. Nous trouvons, dans les salons, la dictature au complet, c'est-à-dire les principaux auteurs du coup d'État. Ils sont menés par un triumvirat et j'observe en particulier le chef, le *deus ex machina* de toute l'affaire, un certain colonel Papadopoulos, un petit homme râblé, insaisissable, impitoyable et décidé. Il a été chef des services secrets et il s'y connaît en organisations souterraines.

Il parle peu, apparaît peu, et se contente d'exercer le pouvoir.

Marina et moi, nous partons à l'étranger pour échapper à l'atmosphère étouffante de la Grèce. Invités à Cadaqués par des amis français, nous faisons le pèlerinage chez Salvador Dalí. Tout y est, la villa abondamment décrite avec ses objets extravagants, témoignages d'une imagination débridée. Le maître entouré de sa cour, son aide de camp tient en laisse un petit guépard et il est partout suivi des jumeaux anglo-indiens très jeunes et d'une beauté saisissante, la peau sombre et les yeux bleus. Selon la légende, l'un est la gentillesse même, l'autre est diabolique. Le maître assène ses aphorismes, ses provocations, ses déclarations intempestives, mais lorsqu'il se met à parler peinture ancienne, il se révèle un des plus grands experts que j'aie jamais rencontrés. Tout ce qu'il dit sur les maîtres du passé est d'une acuité, d'une exactitude, d'une profondeur extraordinaires. Il montre qu'il a une connaissance étonnante de la peinture classique. Quant à Gala, son épouse, nous ne faisons que l'apercevoir tel un fantôme quelque peu menaçant.

Revenus en Grèce, nous emménageons dans notre villa située dans le faubourg nord d'Athènes, à Maroussi, rendu célèbre par le livre de Henry Miller *Le Colosse de Maroussi.* Dans un joli parc planté de grands pins et de pistachiers se dresse cette villa moderne au pied de laquelle s'étale au loin tout Athènes. Deux immenses cyprès montent la garde à la porte. Nous peuplons les pièces ensoleillées avec les meubles que j'ai hérités de mes parents, des livres que nous avons achetés en quantités énormes et les œuvres de Marina. À l'automne, nous organisons un dîner pour la reine mère Frederika.

Toute la journée, nous faisons des préparatifs. Le soir, la maison est fleurie, parfumée, illuminée *a giorno*. Le personnel frémit d'excitation lorsque la longue Rolls-Royce glisse silencieusement et s'arrête devant la porte. En sort, ruisselante de bijoux, en brocart d'argent, la femme la plus célèbre de Grèce, seule invitée. Elle reste jusqu'à 1 heure, d'abord tendue, nerveuse, faisant cliqueter ses cinq bracelets, puis riant, racontant ses souvenirs. Spirituelle, pleine de trouvailles, charmeuse, féminine. Accroupie dans l'atelier de Marina, elle discute de ses tableaux...

Dans le pays, la dictature est tolérée mais pas aimée. Le rôle du souverain demeure énigmatique. Il coiffe constitutionnellement la dictature mais il fait savoir, par son attitude, qu'il n'est pas de cœur avec elle. L'attitude américaine reste ambiguë, plutôt approbatrice au niveau de l'administration et nettement désapprobatrice au niveau des médias. Alors que la dictature semble solidement installée, on a tout de même l'impression que tout peut basculer en vingt-quatre heures. Cette situation angoissante nous rapproche du roi Constantin qui se trouve dans une passe difficile, pour ne pas dire impossible. Nous nous voyons fréquemment pendant l'automne 1967, soit qu'il vienne dîner chez nous à Maroussi, soit que nous allions à Tatoï. Tantôt il nous explique longuement ce qui se passe, tantôt il élude et parle peu. En fait, le roi semble porter un masque dont il ne se départ pas.

Comme dans tous les moments les plus compliqués de l'histoire politique grecque, il y a une nouvelle crise avec Chypre. Très vite, on parle de guerre et le roi Constantin nous demande de retarder notre voyage prévu à Paris. Le 28 novembre 1967, nous allons dîner à

Tatoï. Constantin est en retard. Nous attendons dans le salon avec Anne-Marie. Il arrive vers 10 h 30, la mine ravagée mais le sourire aux lèvres. Il nous raconte avoir obtenu un accord entre la Grèce et la Turquie qui éloigne le spectre de la guerre. Le lendemain, Marina et moi pouvons partir pour Paris.

Le mercredi 13 décembre, nous invitons trois amis au Relais Plazza. Au cours du déjeuner, apparaît dans le restaurant ma cousine Marie-Gabrielle de Savoie. Elle vient nous saluer. « As-tu entendu les nouvelles, Michel ? » « Quelles nouvelles ? » « Un coup d'État à Athènes. » Elle n'en sait pas plus. À une autre table, j'aperçois Amalia Karamanlis, la femme de l'ancien Premier ministre dont nous sommes proches. Je vais lui demander si elle sait de quoi il retourne. Elle est tout aussi stupéfaite que moi. Puis, nous courons aux nouvelles, c'est-à-dire aux téléphones. Il se dit que le roi Constantin serait parti de Tatoï subrepticement à l'aube avec sa famille. À bord de son avion privé, il aurait atteint le nord de la Grèce où il tenterait de soulever l'armée pour renverser la dictature. Personne ne sait exactement ce qui se passe. Nous parvenons à joindre ma belle-mère restée à Athènes. Elle a à peine le temps de dire trois mots avant que le téléphone soit coupé. Dans la soirée, les lignes rétablies, nous parlons de nouveau avec ma belle-mère. Selon elle, Salonique est aux mains des dictateurs. Avant de nous coucher, j'appelle Konstantínos Karamanlis. Loin d'être aux dictateurs, Salonique est passée au roi Constantin. Je me couche un peu rassuré mais terriblement secoué.

Le jeudi 14 décembre, Amalia Karamanlis nous réveille avec les nouvelles. Le roi Constantin est à Rome et l'affaire a échoué. L'armée ou, plutôt, les officiers supérieurs bien tenus en main par les dictateurs ont refusé de se tourner contre eux et n'ont pas suivi le roi. Celui-ci s'est rendu à bord de son avion dans plusieurs villes du Nord, sans succès. Lors de sa dernière étape à Kavala, il a appris que les régiments envoyés par les dictateurs s'approchaient de la ville. Ne voulant pas tomber entre leurs mains, il s'est envolé avec sa famille pour Rome, où il a atterri en pleine nuit sous des trombes d'eau. Il a trouvé refuge dans la superbe villa Polissena qui appartient à nos cousins, les princes de Hesse. Marina et moi prenons le premier avion pour Rome. Nous descendons à l'Excelsior où mes parents avaient vécu avant la guerre. Un taxi nous mène à la villa Polissena dont les abords sont assiégés par tous les paparazzis et les télévisions du monde. Nous fendons des rangs entiers de journalistes jusqu'au portail pas trop sévèrement gardé par la police italienne. Puis, c'est le calme du jardin et les délices de la villa merveilleusement arrangée et bourrée de chefs-d'œuvre. Ma famille est en entier réunie qui passe de l'abattement le plus profond à l'excitation pour nous raconter l'histoire avec des détails rocambolesques. Les Hesse sont là, discrets, serviables et gais, tout de même un peu dépassés par ces bourrasques de la grande Histoire. À la sortie de la villa, après dîner, c'est la démence des paparazzis, de la télévision et des reporters...

Nous restons une semaine à Rome. Plusieurs fois par jour, nous nous rendons à la villa Polissena. La famille oscille entre incrédulité et accablement, résignation et espoir. La tension reste forte dans cette incertitude. Impossible de quitter la villa, elle est assiégée par les journalistes, et puis où aller, qui voir ? Les Hesse se mettent en quatre et s'évertuent à nous faire oublier la pénible situation. Pendant ces journées fiévreuses, nous gagnons une amitié qui ne devait jamais se démentir avec le prince Henri de Hesse. Non seulement un homme délicieux et spirituel à l'humour dévastateur, mais un peintre surréaliste de très grand talent.

Nous quittons Rome le 21 décembre. Nous passons un Noël agité, inquiet.

Le 10 janvier, nous retournons chez nous. C'est un voyage de cauchemar dominé par mon incontrôlable appréhension de l'accueil et des conditions qui nous attendent. Tout se passe sans problème, il n'y a plus d'honneurs mais la gentillesse et la discrétion de tous. Pendant ce temps, le roi Constantin et sa famille ont quitté la villa Polissena et ont trouvé un logement provisoire à Rome. La dictature s'est affermie.

12

Mai 68, publications et naissance

Ce printemps 1968 nous trouve à Paris où nous prenons un appartement dans l'intention d'avoir un pied-à-terre en France. Nous sommes occupés en démarches, en rencontres, en rendez-vous. Pourtant, nous ne pouvons pas ignorer les grèves, les manifestations qui se multiplient. Un après-midi, je suis en train de prendre le thé avec des amis dans un grand appartement au coin de la rue de Grenelle et des Invalides. Une rumeur immense venue du dehors nous jette au balcon. Des milliers d'étudiants défilent. Nous voyons des doigts pointés sur nous, des poings dans notre direction : « Les bourgeois dans la rue ! » Le samedi 11 mai, Paris connaît des émeutes. Il est quasi impossible d'aller au quartier Latin. Chaque nuit depuis une semaine il y a des batailles de rue. L'excitation est générale. Dans cette agitation, les négociations pour l'achat d'un appartement se poursuivent. Le 18 mai, j'assiste à la réunion de copropriété de la rue de Poitiers. La discussion est interminable, à laquelle je me force de montrer de l'intérêt... Je suis fasciné de voir ces bourgeois discuter de « niveau de standing » en ce moment quasi révolutionnaire.

La situation est confuse, les étudiants discutent, rigolent et s'envasent. Les ouvriers paralysent tout, la vie devient de plus en plus compliquée pour cause de grève. Les nouvelles alarmantes circulent. Je ne crois pas que la révolution vaincra – seuls les coups d'État réussissent de nos jours – ni même que le régime s'effondrera, mais de Gaulle en prend un sérieux coup. Ce qui me fascine c'est de sentir qu'en vingt-quatre heures l'État s'est comme dilué. L'administration, la police, les services, tout cela disparaît comme mystérieusement happé, alors que de Gaulle, toutes ces années, a voulu donner l'impression d'un État puissant et indestructible. Où est-il, cet État ? Que fait de Gaulle à se balader en Roumanie pendant cette débandade ? Le dimanche 19 mai, la nervosité et la panique gagnent partout dans Paris. Je vis sur un ton mineur. Tout est exceptionnel ces jours-ci, comme hors du temps et de la réalité. On ne sait toujours pas d'où vient cette révolution et ce qu'elle cherche. Les esprits les plus avisés supposent que, simplement, la France en a assez d'être gouvernée par de Gaulle et qu'elle se révolte simplement parce qu'elle veut du changement.

En ce 21 mai, bien que je ne croie toujours pas à la révolution et à la chute du général de Gaulle, la tension, l'inquiétude, la lourdeur sont à leur comble. Pour la première fois, je me demande si je ne ferais pas une entorse à la discipline, au mode de vie que j'ai choisi ou accepté, bref, je songe à rester quelques jours de plus, bien que le départ soit prévu pour le lendemain. Il y a d'interminables négociations, partir ou pas, et la décision est mille fois remise en cause. Après bien des grincements de dents, finalement Marina partira avec ses parents à cause de son état. En effet, elle est enceinte de quatre mois. Lorsque je l'ai appris, plusieurs semaines auparavant, la stupéfaction, l'émotion, la joie m'ont submergé. J'ai grandi pratiquement sans famille et mon rêve était d'en créer une. Avoir des enfants me semble le suprême aboutissement d'un lien, d'un amour, d'une union. Au milieu du chaos, je ne songe plus qu'au bonheur approchant. Marina, elle, tremble de rage à l'idée que je reste à Paris. Elle aurait tant voulu en faire autant. Cette révolution l'excite, elle a envie de comprendre, de savoir ce qui va se passer. Je déjeune en tête à tête avec elle avant son départ, puis je demeure dans l'hôtel Plaza Athénée quasi désert.

Il ne doit rester qu'une trentaine de clients sur les trois à quatre cents habituellement. Le personnel est en grève mais me choie de façon éhontée car l'hôtel a été vendu à un consortium décidé à le banaliser. Les employés ont manifesté pour garder le niveau de qualité de l'établissement et ont fait signer une pétition à ses fidèles clients. J'ai apposé ma signature en dessous de celle du roi de Jordanie. Depuis, je suis le chouchou du personnel qui m'invite à descendre au sous-sol suivre les événements à la télévision. Cette salle de repos est agrémentée de grands panneaux « La chienlit, c'est lui ». Lui, c'est-à-dire de Gaulle, qui a vilipendé la révolution en la traitant de « chienlit ». Je laisse deviner les commentaires que j'entends en suivant le journal télévisé. Je suis aussi renseigné par un nouvel ami, Olivier Orban, mon futur éditeur, qui tous les soirs va humer l'air de la révolution rive gauche et m'en fait un fidèle rapport. En ce 22 mai, la tension est bien moins grande. Une possibilité d'accord et une détente se dessinent. Après un raidissement, en fin de soirée, l'optimisme revient. À court terme, on peut sans trop de risque dire que l'affaire est terminée.

Le lendemain, il fait beau et frais, je me promène dans le quartier autour du Plaza. Le spectacle est irréel. Il n'y a pas une voiture, pas un passant. Les avenues aux arbres en fleurs sont désertes, sauf lorsque roule, lentement au milieu de la chaussée, le très long convoi de camions gris et blindés de la police. Et les dîners se poursuivent desquels je rentre à pied, faute de moyens de transport. La nuit du jeudi 23 mai est très mauvaise. Olivier Orban me téléphone à 4 heures du matin. Il y a eu de graves émeutes au quartier Latin. Ces derniers sursauts des révolutionnaires ne remettent rien en cause mais la violence est inouïe et le climat agité. Le lendemain, le discours de de Gaulle est très décevant. Inutile d'attendre si longtemps pour de telles banalités. Il fait une lourde erreur de calcul. Il demande la confiance d'abord puis il fera des réformes. Les gens n'ont plus confiance, ils veulent des réformes, et peut-être après y aura-t-il l'approbation populaire.

Je dois quitter l'atmosphère insurrectionnelle de Paris pour rejoindre Marina qui m'attend à Athènes. C'est toute une affaire car, le pays étant en grève, je dois louer une voiture qui me mène à Bruxelles. Si les capitaux ont fui en Suisse, le beau monde, lui, se trouve dans la capitale belge. Elle regorge de réfugiés de Paris qui m'accueillent comme un rescapé de je ne sais quelle catastrophe apocalyptique. Je me sens une vedette avec mes récits que tout le monde boit comme parole d'évangile. Puis, je m'envole pour Athènes. Entretemps, de Gaulle fait un second discours, étourdissant d'intelligence et d'autorité. Un million de personnes descendent dans les rues et se réunissent aux Champs-Élysées pour l'acclamer. La révolution est terminée. Tout rentre dans l'ordre et, pourtant, rien n'est comme avant. Sur le moment, j'ai été influencé par ce que j'ai vu, par ce que j'ai pris sur le vif. Cette révolution a gardé à mes yeux un côté canular. Elle aura toutefois un impact immense qu'aujourd'hui encore je n'ai pas mesuré entièrement. Tout a été chamboulé, tout a été mis sens dessus dessous, à commencer par les esprits, les mentalités. Insidieusement, l'ordre, la hiérarchie, les institutions ont vu leurs bases amollies, liquéfiées. Le résultat, c'est que quasiment tout a été contesté. Cette révolution, qui m'est apparue par certains aspects bouffonne et me reste inexplicable, laisse des traces en moi. Les événements de Paris, maintenant que je suis loin, me remuent, me questionnent sur moi. Peut-être entrevois-je de nouvelles orientations pour la Grèce et pour ma vie ?

Je me jette sur le papier et commence à écrire. Dans *Ma sœur l'Histoire ne vois-tu rien venir ?*, je mêle des réflexions, des souvenirs de ma jeune existence, des interrogations, dans une sorte de recherche sur moi-même, sur mon milieu, sur la monarchie. J'obtiens un succès d'estime et le prix Cazes. Je suis particulièrement fier de ce dernier car j'ai une profonde estime pour le propriétaire de la brasserie Lipp. M. Cazes, un homme intègre, avec énormément de personnalité et de franc-parler, règne en monarque sur sa clientèle, refusant certains dont la tête ou les opinions ne lui reviennent pas et favorisant outrageusement d'autres. J'ai la chance d'être de ces derniers. « Je ne sais pas si vous écrivez bien ou mal mais vous, au moins, je comprends ce que vous écrivez. Pas comme d'autres... » me répète-t-il sans flagornerie.

Avec la famille, c'est une autre paire de manches. Je vais voir mon oncle Henri Paris pour nos affaires puisque nous possédons en indivision la forêt du Nouvion-en-Thiérache, héritée de Marie Stuart. À ma surprise totale, je reçois la pire dégelée. Il me reproche amèrement d'avoir osé dévoiler l'intimité de sa maison de Louveciennes et, surtout, d'avoir décrit ma grand-mère d'une façon qu'il juge insultante. En effet, je n'en ai pas fait la sainte que, d'ailleurs, elle n'a jamais voulu être. Très vite, je décèle que mon livre n'a presque rien à voir avec la querelle qu'il me fait. La cause en revient principalement à des dissensions d'affaires et, aussi, à un ressentiment profondément enfoui. La situation n'a fait qu'empirer pour lui, il a dû fermer la grande villa de Louveciennes avant de la vendre pour se contenter d'un petit trois pièces rue Spontini. En parallèle, mon indépendance vis-à-vis de lui n'a fait que grandir et nous éloigner.

La publication de *Ma sœur l'Histoire* met le feu aux poudres de ce baril de récriminations longuement accumulées. Il me bannit de la famille, interdit à ses enfants d'avoir le moindre contact avec moi et refuse de m'inviter au mariage de sa fille Chantal. Mieux encore lorsque, par hasard, nous tombons nez à nez dans un bal... je m'avance vers lui le sourire aux lèvres et la main tendue, il se retourne et s'éloigne froidement. Je tombe dans une noire dépression. Marina est toujours là pour m'aimer et m'aider. La soirée avait été complètement gâchée. Plus que l'injustice de son attitude, c'est le mal qu'il me fait qui me frappe de plein fouet. Il poignarde l'affection que j'ai toujours gardée pour lui. Je lui demeure profondément attaché et voilà qu'il ne veut pas de moi.

Je reçois pour mon livre une appréciation inattendue, bienvenue, inespérée même et on ne peut plus consolante de la part d'André Malraux. Nous le rencontrons chez les Karamanlis qui nous invitent ensemble à déjeuner, et tout de suite nous accrochons. Je demande à le revoir, il me prie de le visiter à Verrières, le manoir hors de Paris qui appartient à Louise de Vilmorin avec laquelle il vit. J'arrive devant le manoir, une dame m'introduit dans un petit salon à dominante blanc et bleu, les couleurs de Louise de Vilmorin. Malraux m'attend. Je sais toutes les critiques qui ont été faites à son égard, combien on l'a accusé d'imposture dans tous les sens mais moi, je me rappelle l'effet qu'avait eu sur moi la lecture de *La Condition humaine* et de tant d'autres de ses livres. Je me rappelle les visions inoubliables qu'avaient suscitées *Les Voix du silence*. Malraux a une qualité que j'apprécie d'emblée énormément. C'est un véritable aventurier. Sa carrière, son existence constituent son roman le plus réussi. Il raconte et je reste suspendu à ses lèvres. Il a des traits éblouissants, ses analyses sur l'art, sur la politique, sur l'Histoire sont inouïes d'intelligence, d'originalité, de concision. Il a tout vu, tout lu, tout vécu et tout digéré. Tout ce qu'on dit sur lui est vrai, les fameuses grimaces, les raclements de gorge impressionnants.

Il a cependant une vertu immense, il sait écouter. Mes propos ne doivent avoir aucune valeur et pourtant il les enregistre, il les dissèque, il y répond avec pertinence. Il me questionne beaucoup aussi et prête attention à mes réponses, attitude qui me flatte infiniment, venue d'un homme qui sait tant. Nous n'avons pas de temps à perdre en fanfreluches verbales, on va tout de suite à l'essentiel. Il est extraordinairement intense mais jamais aucune tension. Aussi, discuter avec lui était toujours stimulant mais jamais épuisant. Il commence par me dire combien il a aimé dans mon livre le portrait de ma grand-mère, objet officiel de ma discorde avec mon oncle Henri Paris. Je lui avoue les difficultés que ce portrait et d'autres sujets ont causées avec ma parenté. Il hausse les épaules. « Ne vous inquiétez pas de ce que disent vos parents. L'Histoire vous sera reconnaissante de ce que vous avez raconté. » Et ainsi commence un dialogue qui se poursuivra pendant plusieurs années. Je lui serai toujours reconnaissant pour le temps qu'il m'a donné. De Gaulle, son « patron », appartenait à l'Histoire, Malraux procédait du roman. C'était un personnage inventé, irréel. Ce mélange de profondeur, de culture, d'aventure, d'audace et de solitude en faisait un personnage de fiction. Il était tout à fait simple dans son abord et incroyablement compliqué dans sa pensée. Ses formules étaient fulgurantes. Il détonnait dans le cadre aristocratico-bourgeois de la famille de sa compagne, Louise de Vilmorin, mais quel cadre lui aurait convenu ? Aucun. Sa personnalité excédait tous les cadres.

Nous faisons plusieurs fois par an le voyage à Rome pour visiter ma famille grecque qui s'y est installée. Constantin et Anne-Marie habitent une belle villa non loin des remparts de la cité antique. Le sol de leur jardin doit être truffé de débris millénaires, des fantômes mélancoliques errent sûrement entre les pins. Bien qu'ils fassent tout pour le dissimuler, le roi et la reine me semblent profondément tristes. Ils sont jeunes, dynamiques, entreprenants, ils forment avec leurs enfants la famille la plus unie. Alors que la vie s'ouvre devant eux, ils voient leur avenir si incertain que, en quelque sorte, il semble fermé. Les dictateurs inventent pour la Grèce une monarchie sans monarque. Les emblèmes de la monarchie restent partout accrochés, les photos du roi ornent les bureaux officiels, lois et décrets sont pris en son nom mais les dictateurs, sans le dire ouvertement, ne veulent de son retour à aucun prix. Ils le laissent assis entre deux chaises. Pour cet homme qui a passé toute sa vie en Grèce, qui est le plus grec de tous les membres morts ou vivants de la famille royale, l'exil est une rude épreuve dont il a l'élégance de ne pas se plaindre. Sa femme qui l'adore souffre pour lui.

Une monarchie chancelle, une autre est restaurée. Juan Carlos d'Espagne, qui au départ n'avait pas beaucoup de chance et sur lequel bien peu étaient prêts à parier, voit les portes de l'avenir s'ouvrir devant lui. Depuis son mariage, sept ans plus tôt, avec ma cousine Sophie de Grèce, Juan Carlos a été laissé mariner par Franco dans une situation ambiguë. Le Caudillo laisse même se gonfler d'importance d'autres prétendants, comme les Bourbons de Parme qui n'ont pas l'ombre d'un droit à la Couronne espagnole. Puis, brusquement, il se décide. En mars 1969, il présente aux Cortès Juan Carlos comme son successeur et le futur roi d'Espagne. Pourtant, Juan Carlos, avec la prudence que lui inspirent les épreuves traversées, s'est bien gardé de révéler sa véritable valeur. La grande majorité doute qu'il puisse assumer une tâche aussi lourde. Seul Franco a mesuré l'extraordinaire potentiel que dissimule son candidat. L'acuité de son esprit, la prescience de ses visions lui ont désigné Juan Carlos comme le seul, outre sa légitimité, capable de mener l'Espagne là où elle doit aller. Cependant, le nouveau prince d'Espagne ne voit pas les difficultés fondre par la seule grâce de la désignation par Franco. Il a contre lui une bonne partie des franquistes qui se méfient de lui, les démocrates qui voient en lui le suppôt de Franco, une partie de sa famille qui lui reproche de prendre la place de son père et, enfin, la famille même du Caudillo qui cultive d'autres ambitions.

Bientôt, la petite-fille du Caudillo, Carmen, épouse le cousin germain de Juan Carlos, don Alphonse de Bourbon et Dampierre, créé à cette occasion par Franco duc de Cadix. Le marié, Alphonse de Bourbon, est l'aîné de la famille Bourbon mais diverses renonciations l'ont écarté de la succession royale. Même si Franco reste un roc face aux intrigues de son entourage, ses plus proches parents verraient avec un plaisir certain leur fille et petite-fille monter sur le trône d'Espagne. Attaqué sur tous les fronts, Juan Carlos résiste par la tactique la plus intelligente et la seule envisageable, il ne dit rien, il ne montre rien, il ne manifeste rien, laissant porter les jugements peu flatteurs sur lui, le sachant et le faisant exprès. Nous nous connaissons depuis l'enfance et nos vacances communes au Portugal. Adolescent, il m'agaçait par son côté expansif, bruyant. Petit à petit, je découvre combien je me suis trompé sur son compte en mesurant ses qualités et ses réussites. Il possède un instinct extraordinaire qui le fait toujours agir au mieux avec une habileté prodigieuse. S'est établie entre nous une sorte de complicité. Il sait que je sais ce qu'il est vraiment.

Son épouse, ma cousine Sophie, en dehors de nos liens de parenté, est devenue une de mes amies les plus proches et une femme que j'estime profondément. La richesse de sa personnalité réside en sa très grande humanité qui la fait penser sans cesse à chacun et à tous. Son sens du devoir, sa prudence, sa discrétion, sa dignité, son total professionnalisme en font une des reines les plus accomplies de notre temps. Sa jeunesse d'esprit la fait s'amuser d'un rien. Cette femme dont on pourrait croire qu'elle a tout est la moins gâtée et la moins blasée que je connaisse. Elle apprécie tous et tout, aussi tous l'apprécient. Ce couple suscite en moi le respect et l'admiration pour des raisons diverses alors qu'ils sont tellement différents l'un de l'autre.

Le 15 octobre 1968, alors que Marina travaille sur les costumes et les décors pour le *Dom Juan* de Molière que lui a commandés l'acteur Taki Horn, elle ne se sent pas très bien. Nous comprenons que c'est le moment d'aller à la clinique. J'attends, fiévreux, dans l'appartement qui lui est réservé. À 18 h 15, le professeur Samaras arrive en trombe et annonce la naissance d'une fille. J'éprouve l'impression que Marina et moi sommes unis plus fortement que jamais et seuls au monde. Je descends la voir dans les sous-sols surchauffés. Marina est douce, sereine, je vois notre fille, chevelue, avec de grosses joues et des mains ravissantes. Tout de suite s'impose curieusement l'image de ma mère. Il y a un lien entre la nouveau-née et cette femme disparue depuis des décennies, mais lequel ? J'ai le sentiment en voyant ce petit être que notre vie bascule instantanément vers quelque chose d'extraordinaire, d'inattendu, de merveilleux.

13

Persépolis, deuxième naissance, chute de la dictature

Trois ans plus tard, alors que Marina est de nouveau enceinte, nous recevons des invitations de la Cour d'Iran pour fêter à Persépolis le 2500e anniversaire de l'Empire. Depuis des mois, le monde entier ne parle que des préparatifs de ces festivités qui promettent d'être les plus somptueuses de l'époque. Marina n'en sera pas car elle doit accoucher quinze jours plus tard de notre second enfant. Le point de rendez-vous est fixé dans la capitale autrichienne. Le mercredi 13 octobre 1971, l'ambassadeur de Grèce m'emmène à l'aéroport de Vienne. L'avion spécial de Constantin et Anne-Marie arrive de Rome. Peu après, atterrit un Boeing de la Scandinavian Airlines spécialement affrété avec à son bord le roi Frédéric IX et la reine Ingrid de Danemark, le roi Olaf de Norvège et le prince héritier Carl Gustav de Suède. Chacun est happé par son ambassadeur. Je bouscule un Autrichien corpulent, rougeaud, c'est le président de la République.

Nous décollons à midi. Dans l'avion, je bavarde avec Constantin. Malgré nos différences et nos différends, une affection nous lie qui nous permet de trouver tout naturellement mille choses à nous dire.

Nous atterrissons à Chiraz, accueillis par des gardes rutilants et un tapis rouge sans fin. On fait descendre les rois un à un et je regarde par les hublots les pompes. Je descends ensuite avec Constantin et Anne-Marie, accueillis par le prince Golem Reza, frère du Shah, et sa femme.

Noyé dans une nuée de chambellans cérémonieux, l'un d'entre eux s'empare de moi soudainement et m'embarque pour Persépolis. La route sillonnée de motocyclettes et de voitures de police, nous fonçons ventre à terre. L'hôtel Darius à Persépolis est littéralement entouré de gardes, de jeeps et de somptueuses limousines. Un fantastique caravansérail et une grandiose confusion. Tous les cheiks du pétrole habitent ici, des voiles flottant dans les couloirs, des turbans à chaque tournant. Il y a là les enfants du Shah, le Premier ministre iranien Hoveyda, petit rondouillard s'appuyant sur une canne d'argent, plus des escadrons d'aides de camp aux uniformes extravagants, des gardes armés de mitraillettes. L'hôtel, en marbre gris avec de grandes cours et des fontaines jaillissantes, est très beau mais comme il n'est ouvert que depuis quinze jours, le service y est légèrement flottant avec des femmes de chambre en larmes et des valets tournant comme des toupies. Le téléphone est en dérangement depuis le premier jour.

Le lendemain, nous déjeunons au village des tentes officielles, des fils de fer barbelé tout autour du camp, des soldats dans des trous creusés dans le sol, des hélicoptères survolant sans interruption, plusieurs barrages où il faut présenter le laissez-passer. À l'intérieur de cette enclave artificielle, un paradis. Des chapiteaux ronds, jaunes, bleus, des pelouses immaculées, des fontaines et les pavillons royaux qui claquent doucement sous un soleil éclatant. Tout est calme, paisible et joyeux. Déjeuner avec Constantin et Anne-Marie de Grèce, Carl Gustav de Suède, Sophie et Juanito d'Espagne, Hussein de Jordanie et sa femme Mouna. En me regardant, Hussein cligne d'un œil complice et se lance dans des récits historiques sur son pays dignes des plus rocambolesques épopées de Lucky Luke ! J'épie les rois scandinaves qui déjeunent à une petite table. Puis entrent Tito et madame son épouse, énorme, le cheveu noir et brillant, les chairs fermes faisant éclater sa robe, couverte de bijoux telle une vieille danseuse de flamenco. Passe Mme Marcos des Philippines, élancée, suprêmement élégante dans des mousselines longues et claires, une métisse pâle, encore très belle, l'air dur et énergique. Les buffets croulent de victuailles. Petit salut au roi Baudouin et à la reine Fabiola de Belgique qui débarquent à l'instant.

Après le café, une promenade au soleil nous fait passer devant la tente du Négus, la seule fermée, et personne n'ose y frapper. Je rentre à l'hôtel qui continue d'être une termitière en folie. Dans un coin, un vieillard alerte en pyjama blanc, le dernier pape du zoroastrisme, la plus vieille religion du monde encore pratiquée. Plus loin, l'inoubliable dégaine du cheikh du Koweït, tout petit, large comme la table, des grosses lunettes, une abaya entièrement brodée d'or et un poignard passé dans le ceinturon. Repos obligatoire, avant de me parer pour le grand banquet ! Quand tout le monde se retrouve dans le hall, l'excitation atteint son comble. L'épouse de l'Aga Khan défunt, la Bégum, a la taille imposante couverte de diamants. On nous propulse dans un autobus qui nous dépose devant la grande tente impériale. Chacun va saluer le Shah et son épouse Farah, la Shabanou.

Des dorures partout, des glaces, des kilomètres de velours rouge et de gros lustres cliquetants de cristaux que le vent agite comme des encensoirs scintillants. Autour de nous, Ceauşescu, le raide dictateur roumain, les rois du Népal et de Malaisie, le sultan d'Oman et Mascate, petit, jeune, d'immenses yeux noirs, qui sort pour la première fois de son pays. Mon cousin germain, Philip, et sa fille, Anne d'Angleterre. Le président de l'Inde, vieillard insignifiant et silencieux. Le général Yahya Khan, un gros petit homme, les yeux flamboyants, la mâchoire agressive dans un uniforme d'opérette, président du Pakistan. Des princes japonais avec des grands cordons roses. Des souverains de plusieurs royaumes d'Afrique. Le blond vice-président égyptien, le président de l'Afrique du Sud à côté du roi du Lesotho, son pire ennemi. Le prince et la princesse de Liechtenstein, elle superbe, lui se balançant d'un pied sur l'autre. Les Monaco, glamour. J'aperçois le Premier ministre français Chaban-Delmas qui n'impressionne personne. On chuchote que le Shah l'a réprimandé deux heures durant sur l'absence du président Pompidou. Le Négus Haïlé Sélassié, toujours vert pour ses quatre-vingt-cinq ans, scrute ses voisins d'un air grave, Tito dégoulinant de décorations et sa femme, une tour scintillante.

Le cortège se forme. Le ministre de la Cour appelle les couples. Mélanges de rois et de présidents communistes.

Au vingtième couple, plus personne n'écoute. Chacun pousse son voisin pour l'aider. Excédé, le ministre de la Cour crie aux restants : « Et maintenant, entrez comme vous voulez. » Je me faufile à ma place. La tente est dans les tons bleu et or avec en son centre un dais gigantesque au-dessus de la table d'honneur. Silence extraordinaire du service, on n'entend aucun choc d'assiettes. Le menu est interminable, comprenant entre autres des paons avec leurs plumes, et les vins, sept différents, exquis. Je suis assis entre la princesse Chams, sœur du Shah, petite, menue, encore ravissante avec une série d'immenses diamants, et la princesse Basma, sœur d'Hussein de Jordanie, délicate, gracieuse et réservée. En face, le Tunisien Bourguiba junior, séduisant, spirituel et avisé. Après le discours du Shah en persan, réponse qui n'en finit pas du Négus en éthiopien, tout le monde somnole. Olaf de Norvège dort franchement. L'impératrice Farah regarde au plafond. Anne-Marie de Grèce, en robe moulante vert d'eau, arbore les émeraudes russes de la reine Olga, ma grand-mère.

Le lendemain, nous partons en autocar. La tribune d'honneur est installée au pied du grand escalier millénaire du site, pendant trois heures nous avons le soleil dans les yeux. Des présidents s'épongent sans vergogne, d'autres se tortillent aveuglés par la lumière, la visière de mon képi me protège heureusement. Un coureur vient déposer aux pieds du Shah le « message de la nation » plein d'hommages, de compliments, de flatteries.

Le spectacle commence, des soldats en uniforme achéménide sur toutes les ruines avec des piques, des messagers en robe rouge soufflent dans des trompes. Un orchestre barbare joue, tambours, trompettes et des sortes de claquettes, la musique la plus entraînante. Les chars défilent majestueusement, chargés de satrapes barbus et dorés. La cavalerie parthe galope à toute allure. Ensuite, des régiments de chameaux sassanides, des gardes aux turbans verts sur des dolmans rouges, les cottes de maille surmontées d'un casque à trois pointes des Samanides. Débauche de plumes, de cuirasses, de boucliers. Et toujours le rythme lancinant des tambours. Tous les soldats de la même taille, les drapeaux de toutes les époques surbrodés. Derrière nous, les murs et les colonnes sont rosis par le soir. L'armée moderne suit avec trois orchestres militaires convergeant vers nous. Les troupes défilent à la perfection et au pas de l'oie. Nous sommes tous abasourdis par la parfaite démonstration de la grandeur iranienne.

De retour à Téhéran, nous allons en cortège à la place Aryamehr pour l'inauguration de l'arc de triomphe. Une immense place entourée d'une foule survoltée. Sur les pelouses, cinq à six orchestres militaires dont des Écossais et des Suisses. Soudain, un cortège de motos, tous feux allumés, des femmes motardes en uniforme blanc et rouge, des voitures de police et des jeeps militaires, déboulent à cent à l'heure devant des autocars chargés de reines et d'impératrices qui font le tour de la place aux hurlements de la foule. Un autre cortège arrive, tout aussi grandiose, de cent vingt Mercedes entourées de motards avec tous les rois et délégations. Le maire de Téhéran, dans une robe mirifique, fait un discours au Shah assommant mais s'ensuit le plus fantastique feu d'artifice. Des centaines de fusées tirées en même temps dans un vacarme étourdissant. Le ciel s'embrase, multicolore, les marches militaires et les hurlements de la foule comme musique de fond avec l'arc de triomphe en toile de fond.

C'est bel et bien la fête la plus fabuleuse du siècle avec un luxe inimaginable, peut-être un peu trop épicé mais sans la moindre faute de goût. Pour rien au monde je n'aurais voulu rater cela mais je suis gavé de pompes, de police, de palais, de personnalités et je suis enchanté que la féerie soit achevée.

À peine revenus à la maison à Maroussi qu'en ce jeudi 11 novembre 1971 nous partons à l'heure du déjeuner pour la clinique. Je vois Marina disparaître sur un brancard. Je reste seul et je lis sans concentration. Le professeur Samaras téléphone d'en bas que Marina a accouché d'une fille à trois heures moins cinq exactement. Je descends tout de suite voir la minuscule enfant. Moment de profonde émotion. Marina et moi dans les bras l'un de l'autre, nous pleurons de joie. Ainsi Olga entre-t-elle dans notre vie.

À notre retour, je reçois de la part d'éditeurs italiens une commande pour une encyclopédie en plusieurs volumes sur les dynasties régnantes de tous les continents. Mes recherches pour ce dictionnaire des rois me font découvrir des « collègues » royaux insoupçonnés. Je m'intéresse au roi de Hawaï qu'avaient renversé les Américains, à la reine de Tahiti qu'avaient détrônée les Français comme ils l'avaient fait avec la reine de Madagascar, la fameuse Ranavalona. Je reçois à Paris un jeune professeur africain, maigre et modeste, nommé Glèglè, descendant et héritier de l'immense empereur Béhanzin qui a régné avec panache sur le Bénin avant que celui-ci ne soit annexé par les Français.

En Grèce où nous vivons, la dictature s'enlise. Elle maintient la fiction de la monarchie qui se révèle de moins en moins convaincante jusqu'à ce jour de mai 1973 où les journaux titrent sur un « complot » manqué de la Marine réputée monarchiste. La dictature sonne l'hallali contre la monarchie. Quelques jours auparavant, le régime fêtait avec une pompe inaccoutumée la fête du roi en criant « Nous sommes pour lui », pour mieux scander quatre jours après « Mais lui est contre nous, la preuve ». L'extraordinaire publicité donnée par le régime à l'affaire alors que de semblables tentatives furent naguère partiellement passées sous silence, les articles des journaux gouvernementaux, tout prouve que le seul but de l'opération est d'incriminer et de discréditer le roi. Jusqu'alors, le dictateur Papadopoulos conservait l'équivoque mais, par ce geste, il montre qu'il a pris son parti.

Je m'envole seul pour Paris ce vendredi 1er juin 1973. Je déjeune chez une amie lorsque la radio annonce à 13 heures la déposition du roi Constantin et la proclamation de la République en Grèce. Stupeur et calme. Depuis si longtemps, je m'attends et me prépare à ceci mais la brusquerie de l'affaire me fait l'effet d'une gifle. Une heure plus tard, Marina arrive d'Orly. Elle est partie quelques heures plus tôt d'Athènes et ne se doute de rien.

Heureusement, je reçois un précieux conseil. Lors d'un dîner, mon cousin, le roi Siméon de Bulgarie, m'encourage à rentrer en Grèce. « Personne ne t'aura de reconnaissance si tu restes au-dehors ! » Nous perdons nos privilèges, plus de passeport diplomatique, plus de sentinelle à la porte, plus de pavillon d'honneur à l'aéroport, mais la monarchie est depuis si longtemps absente en Grèce, puisque le roi et les siens sont en exil, que la transition n'est pas flagrante. Pourtant, le changement, après tant de rebondissements, m'ahurit un peu. Les dictateurs ont, d'une chiquenaude, renversé la monarchie mais rien n'est réglé. Il est fort facile d'entrer en dictature et fort difficile d'en sortir. On sent que le régime s'essouffle mais on se demande, avec une appréhension grandissante, quelle sera l'issue.

Nous nous trouvons de nouveau à Paris lorsque, le samedi 17 novembre 1973, mon beau-frère Alexandre téléphone d'Athènes le matin : « Des émeutes terribles ont eu lieu cette nuit, loi martiale, tanks dans la rue... » Le soir, les nouvelles sont bien plus graves. Les affrontements du jour ont été pires encore que la nuit précédente. Le lendemain, il y a quelques coups de feu mais le calme est rétabli ! Couvre-feu, loi martiale, élections dans les limbes. La machine est bloquée. Toute la journée, je reste déprimé en pensant à mon pays. Une semaine plus tard, un coup de téléphone de ma belle-mère m'annonce que le dictateur Papadopoulos est renversé pour être remplacé par de nouveaux dictateurs. Une fois de plus, que nous réserve l'avenir ? Certainement pas quelque chose d'agréable mais au moins la dictature est tombée.

Toute la journée, je téléphone à Athènes, à l'ancien Premier ministre Karamanlis qui vit à Paris, au roi Constantin et au colonel Lazaris, le mieux informé. Le matin, le roi semble voir une lueur d'espoir mais le soir il déchante, au contraire de Karamanlis pessimiste le matin et sibyllin le soir. À l'heure du dîner, l'équivoque reste complète. Des ministres civils et une potiche honnête, Kizikis, comme président de la République, le tout forme un paravent incolore et inodore. Qui est derrière tout cela ? Pourquoi ? Et que vise-t-on ? Les Américains, c'est certain, ont trempoté dans l'affaire. À Athènes, on jubile, le « tyran » est tombé ! Le lendemain, Papadopoulos est déjà oublié et sa chute s'accompagne des bassesses d'usage.

On sait cependant vite qui a fait le coup. Ce sont des sous-fifres des dictateurs renversés, bêtes et cruels, des médiocrités sans scrupule. C'est vraiment, paraphrasant de Gaulle, « la chienlit de la dictature ». Ils se maintiennent pendant plusieurs mois au cours desquels nous restons à Paris. L'été 1974 se profile avec l'obligation imposée par mes beaux-parents de passer les vacances en Grèce. Je ne veux pas y aller, Marina le souhaite. Où aller ? Nous partons le 3 juillet.

Dès le début, je trouve l'atmosphère insoutenable. Il y a dans l'air une lourdeur, une attente palpable. Les Grecs semblent refermés, ils ne parlent plus. Les plages sont bondées mais peu de touristes, peu de voitures. Athènes est vide après minuit et nous sommes en juillet ! Nos filles, Alexandra et Olga, habitent un bungalow dans la station balnéaire de Vouliagmeni. J'y passe mes journées, je me baigne, je m'absorbe dans mon travail, je lis et je prends des notes pour un futur livre sur Napoléon. La chaleur est effrayante, la mer est bourrée de méduses urticantes. Je me débats dans les difficultés administratives pour obtenir un renouvellement de mon passeport. Pour la première fois, je déteste la Grèce. Je compte les jours jusqu'au 21 juillet où je dois partir pour Beyrouth. Le mardi 16 juillet, depuis Vouliagmeni je vois toute la journée de gigantesques incendies se propager autour d'Athènes. La maison de mes beaux-parents à Kifisia manque de brûler et à Sounion les colonnes du temple sont noircies. Le lendemain, toute ma belle-famille et moi allons près de Livadia pour la pose de la première pierre de leur nouvelle usine. On se croirait dans un four, plus de quarante degrés. Les paysans sont très déçus que, contre l'usage, on n'ait pas sacrifié le coq blanc. Au retour, nous voyons depuis l'autoroute toute la forêt de la propriété royale de Tatoï flamber sur une dizaine de kilomètres, les cendres en retombent jusqu'au Pirée.

Je m'inquiète pour la Grèce, pour les Grecs. Tout cela est injuste. Ils ne méritent pas toutes ces épreuves, ces dangers, ces menaces. Samedi 20 juillet, réveil à 8 heures, mon beau-frère Alexandre est au téléphone, « une mauvaise nouvelle », dis-je à Marina. Il nous annonce le débarquement des Turcs à Chypre. J'ai plus que jamais envie de partir, il est temps de lever les voiles mais j'ai déjà l'impression que nous sommes pris dans le piège que je redoutais. Nouveau coup de téléphone d'Alexandre : « C'est la guerre entre la Turquie et la Grèce. » Nous nous installons sur la terrasse et allumons la radio. Un seul programme, des chansonnettes grecques traditionnelles, signe que quelque chose se prépare.

Enfin, vers 11 heures, un bref communiqué tombe : mobilisation générale dans tout le pays. Aussitôt, Athènes semble une fourmilière en folie. Nul ne sait trop quoi faire et chacun court dans tous les sens. Les épiceries sont prises d'assaut. Spiro, mon ancien secrétaire, vient me dire adieu sans un mot et j'ai le cœur serré. Nico, mon beau-frère, arrive de l'usine familiale et cherche frénétiquement son uniforme. Des amis entrent, sortent, téléphonent sans arrêt. Nulle part un mot de protestation. Que faire de nos enfants restés à Vouliagmeni ? L'aéroport proche risque d'être bombardé, et puis aura-t-on de l'essence ? Finalement, nous décidons de les laisser là-bas. À la réflexion, la mobilisation n'est pas la guerre. Je fume dans la chaleur. Je fume, je fume. Je suis écrasé d'angoisse, incapable de bouger. La circulation en bas est intense.

Après le déjeuner, la fatigue, l'émotion me submergent, je n'arrive pas à trouver de repos. Les rumeurs les plus extravagantes courent d'une maison à l'autre. Les Turcs ont pris Samos. Le roi serait à Corfou... Évidemment on n'y croit pas, on n'a franchement pas besoin de ces sottises supplémentaires en ce moment. Le soir, Marina et moi allons à Vouliagmeni retrouver les enfants puis nous décidons de les y laisser, ils jouent avec leurs amis dans la paix et la joie. La soirée est splendide, la mer, le soleil couchant, les jardins fleuris... Nous restons assis un long moment hagards, pensifs et assommés par la tension. Vivons-nous vraiment ce cauchemar ? Nous rentrons à la maison d'Athènes. Les Turcs ont débarqué à l'aube au nord de Chypre mais les Grecs semblent bien résister. Il y a une légère accalmie dans l'air. L'aspect de la ville semble à peu près normal. Nous sommes suspendus à la radio, au téléphone.

Le dimanche 21 juillet, Marina angoissée, a mal dormi, elle a entendu durant la nuit des avions survoler Athènes. Le temps est pluvieux, étouffant, Athènes vide. Pour la première fois de ma vie je n'aime pas me réveiller, à l'idée de renouer avec ce cauchemar. Les Grecs de Chypre tiennent toujours mais la pression turque s'accentue. La mobilisation se poursuit dans la plus totale confusion, la plus parfaite imprévoyance. N'appartenant à aucune classe de l'armée, je ne suis pas appelé mais je dois faire quelque chose, je ne sais pas quoi, je ne sais pas à qui m'adresser, je tâche de trouver sans succès mon ami le colonel Lazaris. L'attente, l'indécision sont torturantes. Les enfants rentrent de

Vouliagmeni, selon les rumeurs l'essence va être rationnée. Avec Marina, je ponds un télégramme au chef de l'armée, le général Galatsamos, que j'ai connu durant mon service militaire. Je m'y mets « à la disposition de l'armée grecque, n'importe où, où je peux servir ». Il ne répond pas à mon télégramme.

Je me sens tellement mal à l'aise, je rêve d'être à l'étranger, à Paris, au calme. Je suis comme un cheveu sur la soupe en Grèce et pourtant je suis englué jusqu'au cou dans cette crise. Jamais je n'ai senti plus douloureusement la fausseté et la difficulté de ma position, n'être qu'un prince cadet inutile en de telles circonstances. Tout va mal mais tout peut arriver encore. Un durcissement de la junte, une mutinerie dans l'armée, la folie de quelques régiments attaquant sans ordre, persuadés de prendre Constantinople en deux jours, un coup d'État à Athènes avec des opposants se tirant dessus dans les rues, une guerre civile, une révolution, un autre gouvernement de nullités... Jamais la Grèce n'a été si près du gouffre.

Vers 20 heures, Marina m'emmène voir Christos Lambrakis, notre ami le magnat de la presse. Très tendu, il nous annonce des tiraillements intenses à l'intérieur de l'armée et la possibilité d'un coup d'État cette nuit. En temps normal, je ne croirais pas trop à ces renseignements. Les Turcs acceptent soudain le cessez-le-feu et c'est maintenant le gouvernement grec qui n'en veut plus. L'Angleterre est contre nous, la Russie est contre nous, l'Amérique se moque de nous, la Yougoslavie menace de mobiliser si nous attaquons en Thrace, la Bulgarie s'agite. Si quelque chose doit se passer, ce sera cette nuit.

Dans cette angoisse décuplée par l'oisiveté, les moindres gestes deviennent des distractions, chercher un verre d'eau, ouvrir une fenêtre, faire des pas sur la terrasse. Nous allons nous coucher presque calmes parce que résignés à tout. Lundi 22 juillet, Marina part avec les enfants à Maroussi pour la journée. Vers midi, plusieurs personnes préviennent par téléphone que les tanks arrivent dans Athènes. Alarmé, je n'y crois pas trop et m'assois verdâtre et préoccupé. Marina appelle. Sa meilleure amie Christina lui a appris qu'en effet les tanks sont en ville. Mon cœur s'arrête. Je lui dis de revenir le plus vite possible et je l'attends avec une angoisse mortelle. Nous apprendrons qu'une quinzaine de tanks couverts de bâches et non armés sont passés avenue Alexandra vers la gare de Larissa pour être embarqués vers le nord. Et, pourtant, « tout le monde » a vu en même temps ces tanks dans différents endroits de la ville. Hallucination générale, la rumeur se faisant réalité dans les esprits tracassés.

Marina et les filles arrivent enfin, je suis infiniment soulagé de les voir. Mon secrétaire Spiro, les chauffeurs, le cuisinier sont revenus, on les a renvoyés dans leurs foyers. Jamais je n'ai été aussi ému de revoir Spiro, nous tombons dans les bras l'un de l'autre. La maison est devenue une ruche bruyante. Il y a les enfants, les nounous, tout le personnel. Les trois lignes téléphoniques sont sollicitées sans arrêt. Chacun a ses sources de renseignements et nous communique les nouvelles. Même les gens soi-disant les mieux informés ne cesseront au cours de ces journées de raconter les pires inepties, c'est éprouvant. À dîner, mon beau-frère Alexandre, d'un air sibyllin, annonce de source « très sûre » un coup d'État pour cette nuit. À l'usine de mon beau-père, dans celle de ses frères, des policiers vrais et faux se sont présentés et ont annoncé soit un bombardement soit le black-out. Ils ont conseillé aux gens de rentrer chez eux et de se planquer dans les abris. Un peu partout, c'est l'affolement, le phénomène, visiblement organisé, est aussi bizarre qu'exaspérant. À minuit, nous entendons à la BBC la déclaration de Kissinger annonçant un « possible » changement de gouvernement à Athènes le lendemain. C'est bien la preuve que les Américains sont dans le coup, mais quel coup ? Dans l'instauration de la dictature, les Américains ont joué un rôle mais il reste encore nimbé de brume. Et dans les événements de ces jours-ci, ils ont un rôle majeur, mais lequel ? Comme toujours, leur politique est fumeuse, eux-mêmes peut-être n'y comprennent rien.

Mardi 23 juillet. Aux nouvelles de 8 heures, les combats continuent à Chypre malgré le cessez-le-feu. Ma belle-mère invite fermement le personnel à venir avec elle donner du sang pour les Chypriotes. Non moins fermement, les hommes refusent mais les femmes acceptent. Et nous voilà partis en cortège pour l'hôpital de l'Evangelismos. Il y règne la plus parfaite confusion. Dix infirmières surexcitées viennent nous saluer, nous tâter, bavarder, nous encourager. À la maison, pour la première fois depuis des jours qui ont semblé des siècles, je peux brièvement faire semblant de travailler mais l'angoisse, l'incertitude demeurent. Qui va-t-on envoyer à Genève pour les négociations de paix ? Comment s'asseoir en face des adversaires avec le gouvernement de l'incapable Androutsopoulos ? Les Turcs n'ont pas l'air de vouloir s'arrêter à Chypre. Vers 17 heures, je vais me promener à pied dans la ville.

Près du Vieux Palais, il y a beaucoup de policiers, des badauds et des journalistes. Tout le monde attend quelque chose. Comme la rumeur en a couru depuis ce matin, les gros bonnets de l'armée discutent avec les anciens Premiers ministres et politiciens. Nous allons vers un nouveau gouvernement. Je retrouve Marina, son amie l'actrice Sofia Spiratou et Kosta Staikos. Il est environ 18 heures. Soudain des voitures passent en cornant les trois notes de la victoire. Une fois, deux fois. De plus en plus de klaxons. Sofia sautille sur place d'excitation. Nous nous engouffrons dans la voiture de Kosta et nous voilà repartis vers le centre-ville. Nous nous garons à Kolonaki. La foule maintenant dense grossit de seconde en seconde, on entend des slogans confus mais tous joyeux. La police arrive en renfort mais laisse faire. Des drapeaux grecs apparaissent dans la rue. Ayant horreur de la foule et de l'excitation, angoissé, je plaque notre groupe et décide de revenir à la maison seul, laissant derrière moi Marina transportée de joie et d'espoir. Toute la ville descend dans la rue. Les voies sont entièrement encombrées dans un brouhaha assourdissant. Le mot est lâché : l'ancien Premier ministre Karamanlis revient. Des groupuscules crient « *Erhatai* », « Il arrive », comme s'il s'agissait du Messie.

Alors, la tristesse me saisit. Je connais bien Karamanlis, ses hésitations, ses réticences. Jamais il n'acceptera de revenir en ces circonstances. Le spectacle de cette foule joyeuse me désole, ils se réjouissent trop vite, comme lors de la chute de Papadopoulos. Demain, ils se réveilleront de cette fièvre, de ce rêve et la dictature sera là, plus dure que jamais. Près de Kolonaki, j'aperçois à un balcon une jolie dame qui court comme un lapin. C'est Diana, l'amie de Marina. Elle me voit. Je monte chez elle et c'est elle qui m'apprend le fameux communiqué que vient d'annoncer la radio : « Au vu des circonstances, l'armée remet le pouvoir à un gouvernement civil. » C'est donc vrai. Je me détends enfin. Diana m'offre un whisky et retourne au téléphone. Le bruit dans les rues est inimaginable. Vers 21 heures, je réintègre enfin la maison. Une foule inépuisable descend vers le centre de la ville. Les avenues sont paralysées par un embouteillage monstre. Toutes les voitures klaxonnent. Des camions portant des grappes humaines agitent des drapeaux. C'est le délire, la folie, la confusion, une explosion insensée. Je respire enfin, je suis un peu grisé. Marina surgit joyeuse, racontant l'enthousiasme indescriptible dans les rues. Dehors, la folie se poursuit jusqu'à 1 heure du matin. Évidemment, dans ce raffut dément, il est impossible de faire dormir les enfants. Je bois d'innombrables whiskys et vais me coucher, ivre... de fatigue.

Mercredi 24 juillet. J'apprends que Karamanlis a prêté serment à 4 heures du matin. Dans la journée, la première fournée de ses ministres, la plupart des ombres antiques, prêtent eux aussi serment. Demain, ce sera la seconde fournée, la plupart des gens jeunes de gauche, des victimes de la dictature, les forces montantes, les politiciens de demain. Mais, dès la première heure en ce mercredi, un phénomène extraordinaire, typiquement grec, se produit. Tout d'abord, plus personne ne parle de Chypre, Chypre n'existe plus, tout le monde s'en moque. À la vérité, dès samedi lors de la mobilisation, les Grecs dans leur immense majorité voulaient bien se battre contre les Turcs mais aucun ne voulait mourir pour Chypre. Ensuite, en une nuit, c'est comme si sept ans de dictature avaient été effacés. On s'occupe avec un délice inexprimable de politique, on a déjà retrouvé les vieilles habitudes. Que va dire Karamanlis ? Quel parti va-t-il former ? À quand les élections ? Qui seront les ministres ? Ma belle-mère téléphone sans cesse pour savoir leur nom alors que la radio va l'annoncer dans une heure. Que va faire le parti du Centre ? Hier, nous étions sous la dictature, et aujourd'hui nous sommes comme il y a sept ans. Et déjà les critiques, les criailleries, les supputations, une marée d'ambitions, d'espoirs, des manœuvres, des intrigues. Athènes même a changé, les voitures, les passants, les lumières sont plus nombreux. Règne un petit air de fête.

La démocratie ne peut entériner la décision arbitraire de la dictature renversant la monarchie. Elle met la question du régime au vote d'un référendum : république ou monarchie. Le dimanche 8 décembre 1974, l'attente angoissée commence chez nous à Paris car, en Grèce, se déroule le référendum sur le régime. Dès 18 heures, les téléphones se mettent à sonner. Ce sont des appels d'Athènes, de la famille de Marina. Les premiers résultats ne laissent aucun doute. La monarchie est écrasée à près de 70 % de non. J'ai eu assez le loisir de me préparer à l'éventualité de la chute de la monarchie pour qu'elle ne me surprenne pas. Nous avons désormais rejoint le clan fort peuplé des royaux détrônés. Nous nous fondons désormais dans la masse, sans nous y fondre vraiment. Le roi Constantin et sa famille ont quitté depuis plusieurs années Rome pour Londres où ils se sont installés. C'est de là qu'il a mené sa campagne en faveur de la monarchie mais difficile de le faire sans le contact direct avec la population.

La Grèce que j'ai connue du temps de la monarchie me semble un pays différent de celui que je découvre sans monarchie. Ma famille grecque n'a pas couvert le pays de monuments pour rappeler sinon ses gloires, du moins son existence, tout simplement parce qu'elle n'en a pas eu le temps. En cent ans, et surtout aux XIXe et XXe siècles où la permissivité de bâtir impunément pour les monarchies était abolie, la Maison de Grèce n'a pas eu la possibilité de laisser de témoignages tangibles de son existence, et pourtant elle a beaucoup fait. C'est sous la monarchie que le pays a doublé de surface et, d'une certaine manière, elle a apporté au pays une stabilité et lui a fourni un point de mire. Les yeux des Grecs étaient toujours tournés vers la famille royale et le sont encore. Quarante ans après l'abolition de la monarchie, le roi, la reine et leurs enfants continuent de faire la une des journaux. Mieux, les dépouilles des palais, les souvenirs monogrammés et couronnés voient leur prix monter de jour en jour chez les antiquaires. Aussi puis-je taquiner mes cousines en leur affirmant que nous sommes devenus des pièces de musée.

14

Rencontres extraordinaires

Tout ce que nous venons de subir ne s'efface pas aussi facilement que je l'aurais voulu. Et la Grèce n'est jamais reposante, c'est un pays qui sue la tension, l'agitation. Hors de ce contexte épuisant, les Grecs s'étiolent. Le drame, c'est leur vitamine. La Turquie, une fois de plus, menace et nous risquons la guerre. Marina est déprimée et se torture pour son travail difficile à poursuivre ici, inévitablement, insensiblement, involontairement, on est entraîné dans le maelström grec tout en le haïssant et le fuyant. La Grèce compte moins pour moi depuis que seul compte mon travail d'écriture. Je ne demande en ce moment à la Grèce que d'être un paysage, mais c'est bien une chose qu'elle s'est toujours refusée à être. Je me passionne pour un sujet fascinant et presque inconnu de tous grâce à ma rencontre avec l'archéologue Marinatos, un petit homme sec et précis qui, dédaignant les ruines peu intéressantes d'époques tardives qu'on a jusqu'alors mises à jour sur l'île de Santorin, vient de faire une découverte passionnante.

Santorin ayant été souvent victime d'éruptions, il a percé une couche de poussière volcanique devenue aussi dure que du béton sur quatre mètres d'épaisseur et il est tombé sur une ville entière de l'époque minoenne. Les Crétois Minoens représentent la civilisation la plus séduisante et mystérieuse de l'Antiquité. Elle s'est pratiquement éteinte en 1500 avant Jésus-Christ mais, auparavant, elle a donné des chefs-d'œuvre sans pareil. On ne sait pas d'où ces Crétois Minoens venaient. Ils ne ressemblaient à aucun autre peuple de la région. Ils n'avaient jamais construit d'ouvrage défensif ni de temple. Leur culte se déroulait dans des grottes ou dans les chapelles souterraines des palais, qui eux en revanche abondaient dans une somptuosité et un raffinement inégalés. Marinatos nous emmène sur son champ de fouilles. Tout y est encore *in situ* puisqu'il n'a même pas eu le temps de dégager, classer et emmener les trésors. Des magmas de bronze représentent des vases immenses et agglutinés qui, restaurés, orneront bientôt les musées. Des fresques délicates représentant un lys, une hirondelle, un profil, gardent leur poussière d'origine sous laquelle se révèlent des couleurs encore chatoyantes.

Mais aussi des traces de terribles tragédies : un escalier aux larges dalles a été fendu en deux de haut en bas, « un tremblement de terre bien sûr », explique Marinatos, probablement de l'époque de la grande catastrophe.

« Quelle catastrophe ?

– Celle qui a détruit l'île aux environs de 1500 avant Jésus-Christ en faisant sauter les trois quarts en l'air. Une des plus grandes catastrophes géologiques de l'histoire de l'humanité. Une succession ininterrompue de séismes, plus meurtriers les uns que les autres, couronnée par une éruption volcanique comme nul n'en a jamais vu ni n'en verra, a anéanti Santorin et tout l'empire crétois minoen. Au point qu'il a été rayé de la carte et de la mémoire des hommes jusqu'au début du XXe siècle, lorsque l'archéologue Evens a mis à jour le palais de Knossos en Crète.

« Mais, professeur, l'histoire de cet empire ressemble diablement à celle de l'Atlantide...

– Il s'agit bien de l'Atlantide. Relisez Platon, vous verrez que tout correspond. »

Marinatos lance donc l'hypothèse que la fabuleuse cité disparue de l'Atlantide n'est autre que l'Empire minoen, et que les exagérations que l'on trouve dans le texte de Platon ne sont dues qu'à des erreurs de traduction des paroles du prêtre égyptien qui narra les faits à Solon. Marinatos poursuit ses fouilles, met à jour d'autres trésors. Il s'entête dans sa théorie mais il meurt brutalement sur les lieux de la ville minoenne qu'il a découverte en tombant d'un mur antique qui n'a que dix centimètres de haut.

Entre-temps, je m'attaque au mystère de l'Atlantide. Je pars simplement du postulat que, si l'Atlantide avait été l'Empire minoen, même s'il avait disparu des mémoires, il devait en rester quelques traces dans la philosophie, la métaphysique, la poésie, le théâtre grec antique de l'époque classique. Je me plonge dans cette littérature que tous les érudits connaissent. Je cherche des indices, et j'en trouve. Je commence par relire le texte de Platon concernant l'Atlantide. Et je découvre que ce texte, lorsqu'il a été utilisé par d'innombrables chercheurs, a toujours été tronqué, coupé de passages qui gênaient les théories les plus loufoques. Ce travail de détective et les preuves que j'étale me persuadent qu'effectivement l'empire de Minos et surtout sa fin impressionnante et tragique ont été à l'origine du mythe de l'Atlantide. Quelques preuves entre tant d'autres. Le texte de Platon affirme que l'île de l'Atlantide se trouve entourée d'autres îles, ce qui empêche de situer le continent perdu dans l'Atlantique. Platon affirme aussi que l'Atlantide commerce avec de nombreux pays voisins, ce qui interdit à ce continent de remonter à plus de dix mille ans comme l'affirme le texte. Selon mon avis, Platon a commis une erreur de chiffre car dix mille ans avant lui, il n'y avait aucun grand centre commercial.

Pendant que je poursuis le fantôme de l'Atlantide et que je m'engage dans les dédales infinis de la connaissance, Marina poursuit son œuvre artistique. Elle est prise en main par le plus grand galeriste de l'époque, Alexandre Iolas. Très jeune, il avait été engagé dans la troupe des célèbres ballets du marquis de Cuevas mais, comme il était beaucoup plus beau qu'il n'avait de talent, le « divin marquis » lui donnait surtout des rôles de statue dans les spectacles somptueux qu'il montait. Déjà, Iolas était invinciblement attiré par l'art et déjà, instinctivement, il avait l'œil sur les artistes. De plus, il était chaleureux, tout le monde l'aimait. Aussi, les peintres qui créaient les décors des ballets, ainsi que le marquis lui-même, lui donnaient des maquettes, des costumes. Ainsi débuta-t-il sa collection. Pendant la Seconde Guerre mondiale Iolas s'était retrouvé à New York. Il y avait rencontré des artistes réfugiés en Amérique. Il n'avait pas d'argent mais il en trouvait toujours pour leur acheter des œuvres et leur permettre de subsister. Il avait convaincu plusieurs milliardaires dont il commença à constituer les collections en leur faisant découvrir ces artistes. Visiter avec lui le musée d'Art moderne de New York est une expérience, car devant les plus grands chefs-d'œuvre de cette institution il laisse tomber négligemment : « Celui-là, je l'ai acheté pour cent dollars en 1942 ; celui-là m'en a coûté deux cents. » Lorsque nous le rencontrons, il a déjà ouvert plusieurs galeries un peu partout en Occident. C'est un personnage flamboyant, excessif, complètement baroque, l'œil infaillible pour la peinture. Un homme scandaleux, sincère, éminemment créatif, un marchand impitoyable mais aussi inventeur de génie. J'aimais sa compagnie. Il était divertissant, amusant. Ses jugements sur l'art, sur les artistes, sur les événements, sur les êtres humains m'en apprenaient plus que vingt volumes. De plus, il me faisait rire car irrésistiblement drôle, inattendu, original, éclatant de vie.

Chaque rencontre avec lui devient un grand spectacle, comme cette visite que nous lui rendons dans sa villa de la banlieue d'Athènes. Les portes de bronze doré s'ouvrent et le maître apparaît dans le soleil de midi. Immense robe turque, bleue, brodée d'or et rehaussée de fourrure du même bleu, bottes rouges cloutées de diamants, profond décolleté... Je visite la maison bourrée de tableaux modernes, d'antiquités grecques, de meuble baroques, d'icônes. L'accoutrement de Iolas comporte aussi un énorme diamant jaune qui a appartenu au sultan Abdul Hamid, et des manteaux de vison teints dans les nuances les plus rares, rose ou vert pâle, jaune canari, de plusieurs mètres de long. Dans cet attirail, il pénètre un jour dans la galerie Zoumboulakis d'Athènes. La maîtresse des lieux, Peggy, est en conversation avec une vieille dame convenable et respectable au-delà de ce que l'on peut souhaiter. Devant l'apparition de Iolas, la vieille dame médusée arrondit les yeux, ouvre la bouche puis murmure à l'oreille de Peggy : « Votre maman ? » Iolas, qui a entendu, du haut des marches, lance d'un ton rageur : « Non, sa grand-maman ! » Iolas, qui apprécie le travail de Marina, lui prodigue de précieux conseils, l'expose à Paris, à New York, à Milan, et donne une nouvelle orientation à sa carrière.

Il nous invite à dîner un soir dans sa galerie de New York. En entrant dans le salon orné de chefs-d'œuvre surréalistes, je tombe sur une femme jeune, fine et belle. Sa longue robe de velours bordeaux souligne son côté éminemment aristocratique. Elle porte les cheveux court et a un air lointain, comme si elle pensait à autre chose. Elle tient à la main une rose rouge, et lorsque je la salue, elle se contente de lever vers moi des yeux bleu pâle en me donnant son nom : Niki de Saint Phalle. De ce jour, date une amitié qui va se développer constamment et ne se terminera qu'à sa mort. Au fur et à mesure, je découvre que Niki est une travailleuse acharnée. Pour elle, il y a d'abord son métier, sa création. Tout le temps, avec un bout de papier, elle invente, elle dessine, elle esquisse, elle a des projets qui, au fil des années, deviennent de plus en plus vastes et grandioses. Alors que tant d'artistes, la gloire venue, se reposent sur leurs lauriers, Niki jusqu'au dernier moment ne lâche pas. Elle est sur le front de la créativité, se battant avec ses idées. C'est un personnage original, extravagant, capricieux. Par son père, elle appartenait à une vieille famille de l'aristocratie française, par sa mère elle venait d'une vieille famille de ce qu'on pourrait appeler l'aristocratie américaine, ces deux familles étant tout aussi conventionnelles, traditionalistes l'une que l'autre. Niki s'était vite révoltée contre ce conformisme étouffant. Depuis son très jeune âge, son occupation favorite c'était la provocation. Elle réussissait à chaque coup et soulevait des vagues, des tempêtes, à son grand bonheur. Cependant, et je le découvris bien plus tard, son fond aristocratique subsistait. Elle était extrêmement élégante et d'une grande distinction. Nous discutions longuement de bijoux anciens pour lesquels nous partagions la même passion, mais surtout nous échangions des informations sur nos généalogies respectives. C'est ainsi que nous découvrîmes que nous étions quelque peu apparentés car tous les deux nous descendions de Madame de Montespan, l'illustre maîtresse de Louis XIV. C'était une amie fidèle et incroyablement généreuse, non seulement envers nous mais jusqu'au plus modeste, au plus jeune artiste auquel elle donnait sans compter son talent, son enseignement.

Son mari, l'artiste Jean Tinguely, est un monolithe helvétique bourré d'aspects inattendus, d'extravagance, de drôlerie, un personnage éminemment surréaliste, d'une force prodigieuse, une personnalité détonante. Niki et lui se disputaient sans cesse, ce qui donnait lieu à des batailles homériques et cela depuis le début de leur liaison. Ils avaient commencé tous deux sans moyens. En fait, ils tiraient le diable par la queue et déjà Niki reprochait à Jean d'être trop près de ses sous. Un jour, elle avait réussi à vendre une de ses œuvres et gagné un peu d'argent. Avec cette somme, elle acheta une grosse boîte de caviar et la ramena triomphalement à la maison. Tinguely, au lieu de la féliciter, lui reprocha cette prodigalité insensée. Alors, que fit Niki ? Elle donna la boîte de caviar à manger au chat avant que Tinguely ait eu le temps de l'en empêcher. Ils formaient néanmoins un des grands couples de créateurs de l'Histoire, unis par l'art. Ils habitaient et travaillaient aux abords de la forêt de Fontainebleau. Ils nous y invitent. Nous arrivons en début de soirée devant une imposante commanderie des Templiers drapée de nuit, sombre et mystérieuse. Tout était silencieux, pas un souffle d'air. Nous entrons dans un jardin où nous soupçonnons au fond des formes étranges. À tâtons, nous trouvons finalement une petite porte entrouverte qui mène à un escalier en bois, lequel part en spirale vers des hauteurs inconnues à peine éclairées. Je monte le premier en me demandant où je suis. Tout à coup, j'entends un cri de Marina derrière moi et j'aperçois devant moi assis, immobiles, deux personnages terrifiants plus grands que nature dans de longues robes noires qui me dévisagent. J'ai un sursaut d'angoisse. Je m'approche. Je me rends compte que ce sont deux sculptures insensées, folles. À côté une nouvelle porte, nous nous trouvons soudain devant un spectacle grandiose, des énormes pièces voûtées où s'alignent des sculptures de Niki, joyeuses et terrifiantes, ainsi que des machines infernales de Jean Tinguely qui grincent, qui s'amusent. Sur ce, surgit Jean lui-même en bleu de travail, chaleureux et se comportant comme si nous nous connaissions depuis toujours. Derrière lui, une exquise odeur de rôti. Apparaît tenant le rôti Niki habillée dans de multiples couleurs au bras de Marc Bohan. Ce soir-là, c'est tout un nouveau monde artistique qui s'ouvre devant nous.

Niki avait déjà réalisé un film, *Daddy*, lorsqu'elle se mit en tête d'en faire un second en 1976, *Un rêve plus long que la nuit*, dont l'héroïne serait sa fille Laura. Elle demanda à Marina de dessiner les costumes et à moi de faire de la figuration dans le rôle du roi. Le tournage devint une œuvre en elle-même. Une partie se passe dans la *Tête*, une sculpture de plus de trente mètres de haut qui conjugue les talents de Tinguely et Niki de Saint Phalle et qui se dresse dans la forêt de Fontainebleau. En ce soir de juin, je m'en vais à la Commanderie tourner mon rôle dans le film. L'attente est interminable, mais le spectacle en vaut la peine. J'entre dans le grand salon, des feux d'artifice de soirées orientales de brocarts multicolores sur tous les murs, des coussins, des fleurs, quelques nanas, ces fameuses sculptures de Niki, des bougies, des tapis, des liqueurs, des gâteaux violemment colorés. Cinq dames, très déshabillées, déambulent. Régine Deforges fume le narguilé, un vague voile blanc d'organza, relief d'une robe de Marina, recouvre sa nudité. Tinguely peint avec application un gros papillon sur le postérieur nu d'une jeune personne accroupie. Le metteur en scène Peter caresse le derrière d'une rousse hautaine armée d'un fouet noir. Niki en strict costume d'homme, belle et composée, donne des ordres au milieu d'un hallucinant désordre. Marina et Laurent Condominas, le gendre de Niki, tournicotent pour prendre des photos, le nain Alfredo, la tête passée à la poudre de riz, me poursuit pour me raconter ses entrevues dans les Cours royales de toute l'Europe. Il ajoute, pince-sans-rire : « J'habite à Saint-Denis, monsieur, à l'ombre des rois. » Les assistants de Tinguely, des armoires à glace suisses et barbues, sortent du Walhalla comme leur maître Jean Wottan-Tinguely. Mick, un Africain pas mal « parti », se promène complètement nu dans la maison. Il entre dans la cuisine, la gouvernante espagnole, Dona Edith, piaille, sort comme une folle dans le jardin en hurlant « Ai ! Jésus ! », déverse sur lui une pluie d'insultes en espagnol puis rentre dans la maison surexcitée…

Je tourne mon rôle de roi dans une ambiance loufoque, inexplicable et pourtant créatrice. Souper à 1 heure du matin, quelques drames violents qui durent très peu, criailleries, chamailleries entre l'un ou l'autre. Ils font partie du décor. Nous rentrons épuisés.

Le soir suivant, nous allons Marina et moi dans la *Tête*. La gigantesque machine est violemment éclairée à travers les arbres de la forêt. Le martèlement des machines dans le silence de la nuit est tel que j'en ai le souffle coupé. Ce fantastique amas de ferraille et de rouages, dans son écrin de ténèbres, est caressé par les fumées d'un feu de bois allumé par Tinguely. Pyramide de rouille, monument gratuit, arc de triomphe de l'inutile… et de tout cela se dégage une beauté et une puissance terrifiantes. Entre les étages de la *Tête*, par les escaliers de fer suspendus au-dessus du vide circulent les participants du film. Niki domine son étrange ménagerie. Tinguely, mal rasé, les yeux rouges de fatigue, l'air d'un bandit corse. Les scènes que nous tournons sont visuellement fantastiques, inouïes, inconcevables, quelque chose de superbe, de violent, de kitsch, d'original. Il y a matière à un film stupéfiant. Vers 3 heures du matin, je me trouve au premier étage de la *Tête*, pendant que les techniciens et Niki préparent une scène à l'étage supérieur. Il y a avec moi tous les Suisses étalés et fatigués. Brusquement, un fifre se met à jouer, puis un autre, un tambour, toute la fanfare. Les autres tapent en rythme sur les piliers de fer, sur les cloches, sur les casseroles. Une musique guerrière, puissante, irrésistible.

Alors, l'énorme Lüginbuhl, le sculpteur suisse, se lève et danse tout seul une sorte de samba-cancan, se tortillant, balançant son gigantesque derrière, tapant des pieds... C'est la danse des païens dans les forêts germaniques, une chose barbare, sublime, terrifiante. D'en haut tombe la lumière crue d'un réflecteur sur les imperméables sombres et le crâne rasé du danseur. Je suis muet d'étonnement, d'enthousiasme, de terreur devant ce show venu du fond des âges, ce déchaînement de force brute et terrestre. L'artiste squelettique danse un paso doble endiablé avec Lüginbuhl et un des bravi de Tinguely enlace un cardinal.

Bien malgré elle, Niki est devenue une institution. Tous les jours ce sont par paquets de fax qu'arrivent les sollicitations des musées, des galeries, des éditeurs. La coquetterie reste qui lui donne beaucoup de grâce. Incontestablement, elle continue de magnétiser.

Niki refuse de se laisser dévitaliser par le succès comme tant d'autres artistes de renom, mais les conséquences du succès l'enserrent telles des lianes vivantes, dans un film de terreur. En fait Niki de Saint Phalle est morte étouffée par la gloire. Elle avait eu les poumons abîmés par l'usage qu'elle avait fait du polyester. L'hiver il lui fallait des climats secs et chauds. Elle s'était donc installée à La Jolla, un faubourg de San Diego en Californie. Elle y habitait une fort belle villa qu'elle avait transformée à son goût, assiégée par des autoroutes qu'elle ne voyait pas et dont elle n'entendait pas l'intense circulation. J'allais me promener dans cette agglomération de riches raidis dans leur conformisme et inhumains. J'en revenais avec cette impression, que je communiquai à Niki : « Les seuls êtres humains que j'ai rencontrés sont les pingouins et les phoques. » Elle avait aussi un appartement tout en haut d'une tour de verre qui dominait la mer. Dans ce cadre, nous poursuivions les conversations que nous avions eu pendant des décennies sur l'art, sur la politique, sur les personnages qu'elle avait connus et qu'elle décrivait avec un humour certain. C'est là qu'elle s'est éteinte. La vraie descendance de Niki, ce sont les œuvres qu'elle laisse, particulièrement ce Jardin des Tarots. Il se situe au sud de la Toscane dans un magnifique terrain que lui avaient donné Marella Agnelli et ses frères, les princes Caracciolo. Elle y avait conçu de gigantesques sculptures qui chacune représentait une carte du jeu des Tarots, endroit unique, inattendu, féerique, un monde en soi, imaginaire et pourtant si réel.

Le 22 mai 2002, nous apprenons que Niki de Saint Phalle est partie au paradis. Dieu sait que nous nous y attendions depuis des mois et pourtant nous sommes sous le choc et envahis par la tristesse. Elle a occupé une telle place dans notre existence, elle a fait tant de bruit dans ce monde que son départ suscite un étrange silence.

En ce début 1976, Marina reçoit un message qui la rappelle à Athènes, sa mère se meurt. Deux jours après, elle me téléphone, sa mère s'est éteinte. Dans le grand appartement de l'avenue de la Reine-Sophie, je trouve toute ma belle-famille réunie, avec quantités d'amis fidèles. Le côté Karella a pris le dessus, c'est-à-dire la simplicité, l'absence de chichi, la netteté et une sorte de rigueur curieusement grecque. Ni pleurs, ni lamentations, ni drame, les grandes démonstrations sont inutiles. Ellie Karella a été un personnage remarquable, mais aussi remarquablement autoritaire, qui a laissé une empreinte ineffaçable sur tous ceux qui l'ont approchée.

Elle était trop intelligente pour être confinée au rôle auquel la destinaient les conventions bourgeoises de la société athénienne, celui d'une épouse chargée d'élever ses enfants et de tenir sa maison. Ellie Karella avait l'étoffe d'une femme d'affaires, d'une femme d'action mais elle ne put jamais s'épanouir.

Entre Paris et la Grèce, la chance nous met cette année-là en présence d'un kaléidoscope de personnalités remarquables. Le célèbre galeriste Claude Bernard Heim nous amène pieds et poings liés Francis Bacon que nous voulons forcément rencontrer. Après d'interminables drinks, dîner à l'Orangerie et bavardage jusqu'à 2 heures du matin. Il a un visage en forme de poire, une mèche de cheveux gris au-dessus d'une figure de poupon ravagé, le regard glacial, polaire, transparent et le sourire charmant, volontairement ingénu et habillé d'une façon aussi classique qu'ennuyeuse. D'emblée, il est engageant et aimable, se lançant dans une conversation polie à peine relevée par la profondeur et l'intelligence de ses propos. Il n'est pas du tout m'as-tu-vu ni vedette, il n'a que faire de la vanité. D'autre part, rien ne le tirera de son désespoir désespéré. Je lui trouve l'accent de la bonne société et il me parle d'une de ses ancêtres qui fauta, je crois avec Byron. Il affecte d'être extrêmement doux et souriant mais la remarque coupante fuse, percutante, impitoyable. Monstre sacré, il aime les monstres surtout s'ils ne sont pas sacrés. Longue conversation avec lui sur son homonyme qui l'intéresse tout autant que moi[1]. Il boit à tuer n'importe

1. Francis Bacon (1561-1626), chancelier d'Angleterre, était un scientifique, un philosophe de tout premier ordre. Il s'intéressait également à l'ésotérisme et, bien qu'un personnage célèbre, il restait entouré de mystère.

qui. Devant moi, il a enfilé une bouteille de Cristal Roederer, trois whiskies et une bouteille de bordeaux. L'esprit au lieu de s'obscurcir s'allège, s'illumine, s'accélère et là dans le cadre mondain de l'Orangerie, Bacon parle de la mort, de la vieillesse, de la jeunesse, aucune des trois choses ne lui fait peur. Il aurait pu parler toute la nuit et c'eût été prodigieux. Mais nous partons, nous le déposons à sa porte près de la place des Vosges, il hésite une seconde à nous faire monter, mais non. En Bacon il n'y a ni extravagance, ni excentricité, ni show d'artiste à voir. Tout a l'air normal et pourtant rien n'est normal. On ne le prendrait pas pour un peintre, peut-être pour un lord bizarre qui collectionne les puces et a eu six femmes. Et puis non ! On ne peut que le prendre pour Bacon. Saoulerie, intelligence, désespoir, génie.

Un dîner me met en présence d'une femme dont tout le monde parle, Imelda Marcos, première dame des Philippines. Je suis à sa droite avec le pesant honneur de lui faire des frais. Elle apparaît en noir, scintillante, avec des cabochons d'émeraude monumentaux. Superbe pour son âge, souriante et fuyante à l'orientale avec un grandiose mépris pour les gens, tout aussi oriental. C'est une femme aiguë, incroyablement dure, énergique, une machine à calculer enchâssée de pierreries, intéressée uniquement par la politique et l'économie, la sienne propre avant tout, difficile d'accès, un côté fabuleusement frelaté, le goût de la *café society*. Cette femme qui se veut Mme Mao mais habillée par Dior, cet étalage de noms célèbres à tout bout de champ ne m'inspire pas confiance, « Voyons voir, aujourd'hui j'ai vu le pape, demain Brejnev et après-demain le président

Mao ». Autoritaire, certainement impitoyable. « Les Parlements sont inutiles ! » Précédée de sa légende, traînant haut sa beauté et son avidité, elle passe de capitale en capitale, flamboyante, critiquée, enviée. On dit que ce pouvoir, c'est elle qui l'a. Je l'ai bien scrutée et je mettrais ma main au feu que du pouvoir elle se contente du glamour plus que de la réalité. En tout cas, de petite maîtresse d'école dans une île perdue à entrer comme dans un moulin au Kremlin, à la Maison Blanche et à la Cité interdite, il y a de quoi avoir la tête tournée. Mme Marcos est le genre de personne à ne pas savoir où et quand s'arrêter.

Pendant le dîner une troupe philippine chante des airs langoureux. On réclame une chanson de la Marcos. Je crois que c'est pure flatterie. Elle se laisse un peu prier puis, sans bouger, sans se lever, sous les caméras de la télévision philippine qu'elle a amenée avec elle, elle se met à chanter d'une voix forte et douce à la fois, modulée, voluptueuse, une mélopée amoureuse. Une voix de très grande artiste. Ses yeux parlent tout autant pendant qu'elle chante et voilà la Messaline avide et scintillante transformée en grande amoureuse romantique. J'en reste médusé.

Un jour, Marina, ramène d'un voyage un gros poisson, c'est le cas de le dire. Dans le vol Paris-Athènes, elle se retrouve assise à côté d'un homme, grand, maigre, âgé et séduisant. Ils bavardent. Marina se dit qu'elle connaît son visage mais ne le remet pas. Ils discutent de beaucoup de sujets passionnants, l'homme semble fort séduit par Marina, et réciproquement. C'est à l'arrivée qu'elle comprend qu'il s'agit du commandant Cousteau. Ils échangent des adresses et celui-ci ne tarde pas à accourir dans la maison que nous avons louée sur la côte en face de Spetses à Porto Heli, à l'époque à peu près désert avant de devenir aujourd'hui la côte des milliardaires. Un après-midi, nous voyons un hélicoptère amener la grande vedette. Son physique me fait penser à celui d'un condottiere de la Renaissance. Extrêmement courtois, on sent sous le vernis beaucoup d'autorité, je le soupçonnerais même d'être légèrement tyrannique et de se montrer impitoyable lorsqu'il juge qu'il le faut. Il séduit tout le monde autour de lui et se met en grands frais. Nous l'emmenons dîner à Spetsopoula dans l'île de l'armateur Stavros Niarchos. L'attend un aréopage surexcité de le rencontrer. Il arrive comme un souverain. Une des dames invitées, devenue depuis une célébrité mondiale, s'exclame : « Commandant, dîner avec vous c'est comme dîner avec Moby Dick », ce qui jette un léger froid. De la terrasse de Spetsopoula, il nous montre au loin la grosse île massive et rocheuse de Dokos. Il nous raconte qu'il a plongé autour de l'île, qu'il y a découvert les restes de toutes les flottes possibles et imaginables de l'Antiquité et même des flottes minoennes de la Crète d'il y a plusieurs milliers d'années.

Nous le revoyons à Athènes, où il se montre sous un jour bien différent. Particulièrement lors d'un dîner tous les trois sur notre terrasse. Dans le calme de la nuit, il est parti sur ses vues apocalyptiques de l'avenir : destruction de l'homme par l'homme, milliards de morts puis, dans deux ou trois siècles, la Terre vidée et épurée, la sagesse et la jugeote reviendraient aux survivants. Nous allons nous coucher effondrés. Le lendemain, nous déjeunons à bord de la *Calypso* à quai à Pasalimani. Le vieux rafiot, tout coincé, tout rouillé, hérissé d'antennes et de treuils, encombré de machines bizarres et de ballots, a de la gueule au milieu des longs yachts repeints à neuf, lustrés, luxueux et morts. Après la visite des installations, déjeuner au carré avec ce qu'il y a de l'équipage : « Nous mangeons toujours tous ensemble. » Il peut bien se permettre cela, le roi Cousteau, car une infinie distance sépare son bout de la table de celui des commensaux. Il y a dans le cérémonial toute la simplicité d'un baron brigand du Moyen Âge. Cousteau toujours impeccable, en noir. Nous parlons histoire, politique, Antiquité, et de nos projets d'un documentaire sur la catastrophe de Santorin qui le passionne tout autant que moi.

Nous découvrons au fil de nos rencontres avec lui un homme mélancolique, pessimiste, qui pourrait me faire couler dans la dépression. Comment peut-il être ainsi avec tant d'activités, de succès, de projets ? Est-ce la tristesse du marin à quai ? L'étoile de Cousteau continue de briller, alors qu'une autre étoile, beaucoup plus jeune, s'éteint.

À Paris, nous assistons au récital de Maria Callas au théâtre des Champs-Élysées. C'est un retour ou un adieu. Elle apparaît seule dans une robe rouge sombre, sa beauté fantastique déguise sa voix diminuée. C'est un triomphe. Elle recueille plus d'applaudissements que jamais. Les amis qui nous ont invités nous emmènent souper chez Maxim's. À la table, près de l'entrée, nous tombons sur Onassis, tout seul. Nous le saluons, il comprend d'où nous venons et, avec fièvre, avec avidité, il nous pose cent questions sur le récital. Il veut absolument savoir comment elle a chanté, quelle a été l'attitude du public. Nous lui décrivons le triomphe. Dans ses questions, je sens qu'il attend quelque chose, mais quoi ? Justement le triomphe ou alors la confirmation que sa carrière est terminée. Peut-être les deux. Nous l'avons revue plusieurs fois. Elle nous a toujours témoigné beaucoup d'affection, beaucoup de confiance.

Un soir du début de 1977, il peut être minuit, lorsque le téléphone sonne dans notre appartement à Paris. Une voix me demande en grec « Mihaïl », « Michel ». Je ne reconnais pas la personne. C'est Maria Callas. La voix est devenue hésitante. Elle commence par me remercier effusivement. Je me demande bien pourquoi. Elle veut me dire toute sa reconnaissance de l'avoir défendue publiquement. Alors, je me rappelle que, quelques semaines plus tôt, nous avons dîné à l'ambassade grecque. Quelqu'un s'en est pris à Maria Callas et l'a accusée d'être uniquement intéressée en acceptant de vivre avec Onassis. Je me suis élevé contre cette assertion car je pense qu'on peut accuser de tout Maria Callas sauf d'être avide d'argent, l'argent elle s'en moque bien. Je ne dis pas à son accusatrice que souvent Maria nous a dit qu'après sa rupture avec Onassis celui-ci avait essayé, par tous les moyens, de reprendre avec elle. Plusieurs fois sollicitée, elle a refusé et coupé court. Je la décrivais à ce dîner comme je la connaissais. C'est tout. Cela suffit pour que, cette nuit-là, elle m'exprime ses sentiments d'une façon qui me bouleverse. Quelques semaines plus tard, elle meurt. On ne peut imaginer aujourd'hui l'impact qu'elle avait de son vivant. Elle avait remis l'opéra à l'honneur. Non pas seulement par sa voix, une des plus belles de l'Histoire, mais par son apparence. Elle était devenue une beauté, elle avait fait de chaque représentation un événement inoubliable. Alors qu'avant elle, l'opéra avait perdu tout son prestige, elle le lui avait rendu ô combien ! Elle avait d'innombrables adorateurs, elle a été idolâtrée comme jamais aucune vedette avant ou après. Elle le méritait.

15

New York

Dans les années 1980, je décide d'obtempérer enfin au vœu ancien de Marina et d'aller vivre quelques années à New York. D'autant plus qu'il y avait la possibilité d'un important contrat avec la télévision américaine sur des sujets historiques. Depuis longtemps je suis attiré par ce pays comme j'en ai peur. L'appréhension, la curiosité se le disputent en moi vis-à-vis de cet immense empire vers lequel je me sens comme aimanté. La quarantaine atteinte, c'est le bon moment. J'ai quitté la Grèce pour Paris afin d'étoffer mon indépendance, la même soif me fait quitter Paris pour les États-Unis.

Quelques mois nous suffisent pour obtenir la résidence américaine et trouver un appartement. Il se situe à Central Park West dans un bel immeuble des années 1930. Nous logeons... au treizième étage. Pour notre premier jour à New York, le 7 septembre 1980, Marina et moi sommes réveillés à 5 h 30 du matin à cause du décalage horaire. Nous découvrons les enfants à la salle à manger qui s'empiffrent dans le noir. Puis, tous les quatre couchés dans notre lit, nous regardons se lever le jour radieux. De nos terrasses, la vue sur toute la ville est si superbe et si connue que nous avons l'impression de vivre dans une carte postale. Toute la journée, nous déballons les caisses arrivées de Paris, des régiments de bibelots et des piles d'assiettes dans des himalayas de boîtes en carton. Les intimes viennent, les uns pour aider, les autres pour boire un verre et rigoler, tous pour nous entourer de chaleur. Cependant, au bout de quelques mois, nous changeons d'appartement. Nous nous installons dans les splendeurs classiques de Park Avenue. Le premier soir où nous dînons tous les quatre dans notre nouvelle résidence, nous nous avouons que nous sommes infiniment soulagés d'avoir quitté le Beresford, notre ancien immeuble. Tout simplement parce que l'appartement était hanté. Ces immeubles de Central Park West, tout au moins les plus célèbres et les plus beaux, ont été achevés au moment de la Dépression en 1929. La plupart des habitants qui venaient d'emménager avaient perdu toute leur fortune, d'où des drames, des divorces et pas mal de suicides. Et nous avons appris que le propriétaire de notre ancien appartement s'était pendu dans l'office.

Heureusement rien de tout cela dans l'immeuble de Park Avenue. À New York, je me sens tout de suite comme libéré. Pour beaucoup de raisons, mais en particulier parce que les Américains se moquent éperdument de mon titre. On les imagine volontiers pourris de snobisme, pourchassant le moindre aristocrate et gobant avec délices des fausses princesses et des ducs de derrière les fagots. C'était peut-être vrai autrefois, ça ne l'est plus. Peut-être par saturation – parce que des titrés, il en a défilé dans cette ville, et il en défile toujours –, aussi parce que la plupart n'ont pas la moindre idée de ce que cela signifie. Par contre, je découvre avec délices que les Américains sont farouchement attachés à leurs propres royautés. En tout premier lieu les *WASP*, c'est-à-dire les anciennes familles blanches et protestantes. Dans cette société qui tient le haut du pavé, on étale son arbre généalogique, on est impitoyable sur les rangs et préséances, on maintient ses privilèges, on utilise ses passe-droits avec une absence de complexe qui en Europe provoquerait immédiatement une révolution. Au moins, aux États-Unis on n'a jamais peur de s'étaler, de souligner, de proclamer sa supériorité sociale et mondaine. À côté de ces vénérables familles, qui sont presque aussi vieilles que la plus jeune dynastie européenne, les célébrités locales représentent un autre type de royauté.

À l'époque New York a un roi que nous connaissons déjà. À peine arrivés, nous déjeunons à la *Factory* d'Andy Warhol. L'endroit est un fascinant dépotoir. Les dernières œuvres du Maître – chaussures géantes, portraits de célébrités très riches – se mêlent à des épaves de divers passés, idoles du Kenya, portraits de Georges III, kitsch 1920. La cour reçoit : les jeunes gens, souvent beaux, tous admirablement bien élevés et intelligents, parfaitement hiérarchisés, chacun avec des fonctions gouvernementales-warholiennes définies. Le Maître sourit, salue, se garde soigneusement de dire quoi que ce soit d'intéressant, disparaît, réapparaît, téléphone, redisparaît ; il s'absente du déjeuner auquel il nous a conviés et que président ses ministres comme à la Cour de Louis XIV. Quelques mondains mécènes internationaux se mêlent à plusieurs dames américaines, sublimement sophistiquées, et à d'attrayantes jeunesses. Le menu est certainement amaigrissant, quelques tranches très, très fines de viande froide, une ou deux salades et un morceau de fromage. Mais c'est cela le chic local, donner à manger normalement, surtout à déjeuner, est le comble du commun. Le phénomène Andy Warhol m'a toujours intrigué. Tout d'abord le contraste entre la banalité voulue de l'abord, des propos, et l'étrangeté de l'aspect. Puis cette perspective unique, extraordinaire du « siècle », de ses emblèmes, de ses besoins, de ses totems. Enfin ce maître des affaires, cette façon non-pareille de transformer l'art en entreprise comme les savons ou les chaussures. Le génie pictural en plus, seul Rubens avait à ce point le sens de l'organisation, de l'argent et de la publicité. J'ai toujours jalousé Andy Warhol pour sa cour, tellement bien mise au point. Il est une des seules véritables *royalties* que je connaisse. Toujours simple, affable, lointain.

De l'extrême publicité, nous sommes passés à l'extrême discrétion. L'actrice grecque Irène Papas, une amie, venue jouer à New York, nous fait connaître Jackie Kennedy Onassis. Sans être une beauté classique, elle est infiniment séduisante, extrêmement élégante, soignée, sophistiquée. Elle se montre intéressée par d'innombrables sujets de littérature, d'histoire, d'art et très cultivée. Elle a de l'humour, beaucoup de repartie et, à ma stupéfaction, je découvre qu'elle a la langue bien pendue, en ce sens qu'elle ne cache pas ses sentiments. Les Kennedy ont tenté d'en faire un monument familial du veuvage, rôle qu'elle a refusé. Pourquoi a-t-elle épousé Onassis ? Malgré ce que tout le monde en a dit, je doute que c'eût été uniquement pour de l'argent. En fait, Jackie est restée pour moi une énigme, en ce sens que je n'ai jamais pu saisir quels étaient les objectifs de sa vie, le pouvoir, l'argent, le bonheur. Elle vit présentement avec un homme charmant qu'elle nous présente. Maurice Tempelsman est un Belge, magnat du marché du diamant. Il connaît intimement tous les chefs d'États africains et collectionne sur eux les anecdotes les plus divertissantes. Jackie est alors, à mon avis, la plus grande vedette américaine. Le pays entier est obnubilé par elle. Et pourtant elle ne se cache pas, elle ne sort pas entourée de gardes du corps, elle va dans les magasins, dans les restaurants. Évidemment, tout le monde la reconnaît mais se comporte envers elle avec la même discrétion qui émane d'elle. Elle vit librement, comme une citoyenne certes aisée mais que rien, dans le traitement reçu, ne distingue des autres. Et pourtant, elle est un personnage de légende. Le contraste entre sa simplicité, la modestie de son abord et sa fabuleuse aura est saisissant. Jackie est la véritable royauté des États-Unis.

À New York, nous suivons avec incrédulité puis avec horreur les terribles péripéties de l'effondrement de l'Empire iranien. Nous avions visité et admiré ce pays somptueux et millénaire. Nous avions été les hôtes de ses souverains devenus les tragiques vedettes des événements. Nous avions forgé des amitiés avec nombre d'Iraniens. Et voilà que débarquent en réfugiés les principaux témoins de cette tragédie. En mai 1981, nous déjeunons avec Elly Andionadis, la belle Grecque amie de l'Impératrice d'Iran. Au café, et, pendant deux heures, elle me déballe ses récits. Le Shah, les derniers temps en Iran, sa volonté liquéfiée, compressé par les ambassadeurs des États-Unis et d'Angleterre qui se relaient chaque jour pour lui dire de partir. La confusion et l'horreur de l'aéroport en grève et débordant de fuyards. L'Impératrice avouant son regret d'être partie et préférant être restée, quitte à y être tuée. La mort de Hoveyda, tué dans sa cellule. L'ayatollah-boucher furieux que le semblant de tribunal se prononce pour la prison à vie, fonçant dans la cellule du malheureux et le descendant au revolver. Elly a suivi la famille impériale dans chaque étape de son exil. L'extravagante hospitalité du roi du Maroc. Cuba faisant chanter le Mexique pour qu'il ne réadmette pas le Shah après son départ de Cuernavaca. Le pire souvenir restant les Bahamas, alors que la presse du monde entier se déchaîne contre lui. « Ai-je vraiment tout raté ? N'ai-je vraiment fait que du mal ? »

Enfin l'incroyable suspense du départ de Panama. Le général qui commande là-bas devenant de plus en plus bizarre, l'extradition devenant de plus en plus probable, la protection qui devient surveillance... Les 450 millions de dollars que l'Iran promet aux juristes internationaux et au général panaméen pour obtenir le Shah. Les mille difficultés soulevées par les Panaméens pour ne pas le laisser partir, l'urgence grandissante de le réopérer de son cancer, le départ sur les chapeaux de roues. L'Impératrice veille, plongeant dans la mer, la nuit, pour nager avec Elly et oublier un instant l'angoisse. L'interminable escale aux Açores, où l'avion impérial est retenu, pendant que les Américains continuent leurs marchandages avec les Iraniens, le Shah contre les otages. Hamilton Jordan rencontrant, dans le plus grand secret, Ghotbzadeh l'Iranien, l'accord échouant simplement sur une question de délai. Les Américains veulent la réponse iranienne dans l'heure, c'est le nouvel an iranien, impossible de mettre la main sur qui que ce soit. Et maintenant, l'existence atrocement monotone dans le fantomatique palais de Koubbeh en Égypte, immense, désert, resté tel qu'au temps du roi Farouk. « Les draps, les serviettes portent encore son monogramme et la couronne. » Le Shah, quant à lui, ne tarde pas à mourir, veillé par sa femme. Il est enterré au Caire dans la mosquée d'Al-Rifa'i où naguère avait été enterré son propre père Reza Shah, lui aussi mort en exil.

Peu après, c'est l'Impératrice Farah elle-même que nous avons à dîner dans notre appartement new-yorkais. Je l'ai connue au sommet de sa gloire inimaginable. Elle reste alors gracieuse, affable, reconnaissante et ayant un mot aimable pour chacun, grande dame au point d'être discrète. Mes filles sont surexcitées, les invités grisés bavardent plus fort que d'habitude et tournent la tête vers la porte. Elle arrive, grande, belle, élégante, suprêmement souriante. Elle parle à tous avec naturel et franchise, elle a autour d'elle un aréopage (justement) séduit. « Lorsque nous étions au Mexique, les enfants nous ont dit qu'enfin ils pouvaient être avec nous. Et c'est vrai. Là-bas, en Iran, nous avions tant à faire que nous les voyions à peine. Mon mari et moi, nous pensions qu'il fallait surtout travailler pour assurer l'avenir du pays et des enfants. » Poursuivie, traitée comme une vulgaire criminelle, elle montrait un courage exceptionnel et une grâce venue d'ailleurs dans cette souffrance. « Pensez que les enfants n'osaient pas dire leur nom à l'école. » Elle n'était pas préparée pour ces difficultés et cette cascade de problèmes. Elle doit tout décider. Et pourtant, ce qu'elle devra affronter est encore pire. D'abord, la mort de sa fille Leila puis de son fils Ali-Reza. Jamais je ne l'ai entendue proférer une seule plainte, une seule parole d'amertume.

Entre-temps, elle nous a témoigné une amitié des plus fidèles. Entre autres, elle avait assisté à un vernissage de Marina à la galerie Keith Green de New York downtown. Les assistants l'avaient bien entendu reconnue mais avaient respecté sa discrétion, sauf… Lucy. C'était une productrice américaine de télévision, agitée, autoritaire, débordante d'énergie et bruyante. À la vue de l'Impératrice, elle était restée comme médusée, puis avait fendu la foule en hurlant à son mari : « Serge, Serge, viens, mais viens vite, c'est Soraya. » L'impératrice l'avait entendue, s'était approchée d'elle et lui avait dit : « Pardonnez-moi, madame, mais je suis la suivante. »

Je retrouve bientôt la Cour ottomane. Bien sûr, elle n'existe plus depuis soixante-dix ans, mais elle est reconstituée en Andalousie pour les besoins d'un feuilleton de la chaîne ABC. Feuilleton très vaguement basé sur la vie d'Aimée Dubuc de ma *Nuit du sérail* dont mon ami Frank Doelger, le producteur, m'a nommé comme conseiller historique. Dès mon arrivée à Séville, Frank et moi nous attaquons au script. Malheureux manuscrit qui a déjà subi je ne sais combien de remaniements et les critiques de je ne sais combien de « sages » de la chaîne américaine. À quoi s'ajoutent les diktats de la commission de censure d'ABC dont la bizarrerie, la stupidité et l'absurdité confondent, comme par exemple interdire de donner au sultan du feuilleton le nom d'un souverain turc du XXe siècle pour ne pas blesser l'Empire ottoman… défunt depuis soixante-dix ans. En fait, une tendance veut de l'historique, l'autre de la fiction et toutes du commercial.

D'où un méli-mélo insensé d'extravagances historiques juxtaposées à des détails authentiques à présent tout à fait incongrus. C'est devenu un excellent western dans une cour orientale. Hormis sur quelques points, ma voix ne se fait pas entendre et je me demande ce que je fais dans cette galère. J'aime travailler même plus qu'il ne faut, si on me le demande et si on m'explique ce qu'on attend de moi. Aussi ai-je horreur de cette totale imprécision dans mes attributions, de ces attentes rongeantes sans horaire ni programme.

Je suis ravi de dîner seul en dégustant enfin la seconde partie du script. L'intrigue y devient carrément délirante. C'est à l'Empire ottoman ce que Liberace est à Mozart. Et si Reagan avait envahi la Turquie, il n'aurait pas mieux pulvérisé le mystère, la subtilité et le raffinement de l'Orient. Si ces braves gens veulent de l'aventure et du grand spectacle, qu'ils ne viennent donc pas piller nos héritages... Quand je vois ce qu'ils ont fait de la tradition orientale et de la culture ottomane, même dégénérée comme elle l'était à l'orée de notre siècle !

Comme on craignait que les soixante valises des costumes du Sérail soient bloquées en douane, on a payé le billet d'avion à vingt quidams chargés de prendre chacun trois valises en prétendant qu'il s'agit de leurs effets personnels. Les douaniers castillans, s'ils s'aventurent à ouvrir quelques valises, risquent d'être plutôt médusés par la mode anglo-saxonne de cette année. Une après-midi je suis tiré de ma sieste par le chauffeur qui m'emmène au Parador de la Arruzafa où l'on essaie les maquillages des stars. Comme il y a un peu trop d'électricité dans l'air, je ne suis pas autorisé à les voir. Une femme apparaît au bout du couloir qu'à son habillement banal je prends pour une maquilleuse. Puis en un éclair je reconnais les yeux inoubliables, l'ossature impeccable, intacte, c'est Ava Gardner. Alors on me la confie pour l'emmener se baigner dans la piscine de notre villa. Elle est suitée d'une femme de chambre-confidente, slave. On m'avait décrit la star constamment entre deux vins. Pourtant, aucune bouffissure, aucun titubement, aucun bégaiement. Au contraire, une grâce mesurée et exquise, la simplicité condescendante d'une souveraine et une délicatesse quasi orientale dans les gestes des mains et des bras. Je la manie avec autant de précaution qu'un antiquaire sa plus belle porcelaine. Je n'ai aucun souvenir des propos que nous avons échangés sauf qu'ils étaient rares et banals. C'est la présence de cette légende vivante et son apparence qui me restent en mémoire.

Le lendemain, « allons enfants de la télévision, le jour de gloire est arrivé »... Le tournage commence. À 9 heures du matin, le taxi nous dépose sur les lieux. Nous tombons en plein champ dans un vaste campement de roulottes, de camions, de voitures et de tentes où tout le monde s'affaire, paresseusement gardé par les gardes civils espagnols. Le décor est romantique à souhait avec le Guadalquivir coulant lentement entre des haies touffues d'arbres à feuillage argenté et en arrière-fond, planté sur son rocher hautain, le fantastique château d'Almodovar. Une armée de techniciens anglais et de maquilleurs s'active sur une plage minuscule entourée d'extras plantés entre les arbres, en costumes ravissants, somptueux et scintillants, supposés être de la Cour ottomane. Une heure de préparatifs, cinq minutes de répétition, un hurlement « *Quiet* », « *Silencio* », deux minutes de tournage et on recommence, c'est-à-dire une monotonie mortelle, mais pour un débutant j'apprends vite à me faufiler dans cette société impitoyablement hiérarchisée où règne un système de castes. Je me tiens à côté des « autorités », les producteurs, je m'approche le plus possible de la scène du tournage et je m'assois impérativement sur l'une des quelques chaises grâce à quoi on me prend pour une personne d'importance.

L'après-midi offre quelques divertissements. Le chorégraphe texan, un escogriffe lunetteux, donne ses ordres en espagnol avec un extravagant accent mexicano-américain à un troupeau de filles de harem ricanantes. Il les fait se trémousser dans un mélange de danse du ventre et de fox-trot. Et la vision d'un autobus rempli d'eunuques au crâne rasé vaut le coup d'œil. Mais la grande scène est l'arrivée sur le plateau des stars. D'abord apparaît Sarah Miles sublimement habillée dans du jaune canari pâle à dentelles avec, sur la tête, une immense charlotte à aigrettes assortie. L'essence même de l'aristocratie, telle qu'on se l'imagine mais bien loin de la réalité ! Elle s'installe noblement sur les coussins du pique-nique ottoman, une main posée sur son ombrelle, l'autre jouant d'un éventail ancien et dardant les regards vides et dédaigneux sur les spectateurs. Puis elle attend, le metteur en scène attend, les deux cents techniciens, les employés et les extras attendent. On attend sans moufter qu'Ava Gardner daigne se montrer. Elle fait son entrée précédée de paparazzi marchant à reculons, suivie d'assistants, sa traîne portée par une esclave bénévole. L'assistance retient son souffle et demeure muette d'admiration. Ruisselante de brocarts bleus, or et blancs, la tête casquée de joyaux, les cheveux tombant dans le dos, l'impératrice s'avance lentement, reconnaît ici et là ses subordonnés, adresse un sourire éclatant à l'un, fait briller son regard pour l'autre. Elle s'assied avec une grâce inimitable à côté de Sarah Miles et se montre assez bonne pour lui adresser quelques amabilités… après l'avoir fait attendre. Les jeunes acteurs qui tiennent les rôles principaux deviennent en un instant des enfants à l'école formant un cercle autour d'elle. Pendant les répétitions, la Divine ne cesse de mâchouiller ostensiblement son chewing-gum et de fumer ses Marlboro. Lorsqu'on est enfin prêt, c'est pour découvrir que la lumière du jour baisse et qu'il est trop tard pour tourner.

Dans la tente-cantine, je trouve affalé dans un coin Omar Sharif qui, lassé d'être resté claquemuré dans sa roulotte, cherche de la compagnie. Il fait du charme autant qu'un bateleur de foire, hâbleur, conteur intarissable, et puis il aime la fête, la boisson, les femmes, ce qui le rend sympathique. Ces dames perdent instantanément la tête et n'ont d'yeux que pour lui. L'après-midi se passe à attendre que s'achève le tournage d'une scène dans une pièce du château. La grande cour respire le calme. La lumière du soleil descendant dore progressivement les murs et les hirondelles remplissent le silence. Assis sur un escalier de pierre, je réalise que la diffusion de ce feuilleton basé sur un de mes livres ne fait rien pour ma carrière. Par contre son tournage m'offre le privilège d'observer les mœurs ésotériques de la télévision américaine.

Je constate que depuis notre arrivée à New York, je n'ai pratiquement pas mentionné cette ville et l'existence que nous y menons. Tout d'abord, j'aimais notre appartement situé dans un immeuble plutôt modeste de taille et ancien au coin de Park Avenue et de la 72e Rue.

La plupart des concierges, gardiens et personnel des ascenseurs étaient des Irlandais avec qui j'avais fait ami-ami immédiatement. Le jeune homme qui nous servait de chauffeur était un comte autrichien à qui succède un ménage de jeunes dames colombiennes, la secrétaire une artiste américaine, la cuisinière une beauté quelque peu portée sur l'alcool qui, ensuite, devait mitonner des petits plats pour Prince, et la jeune fille au pair une princesse de haut rang, ma lointaine cousine. Non seulement nous nous sentions bien dans cette demeure mais notre vie de famille n'a jamais été aussi resserrée. Paris ou Athènes sont des villes où on a tout le temps envie d'être dehors. New York, dans sa splendeur, est une ville quelque peu inhumaine et l'on éprouve le besoin d'être chez soi, en famille. Nos enfants, après une école en Grèce et celle de Paris, étaient à présent dans une école américaine qu'elles aimaient. Presque tous les soirs, tous les week-ends, nous étions ensemble. À cette période des années 80 certains quartiers de New York restaient plutôt bohèmes. Marina avait trouvé à louer un atelier à Soho. C'était une ancienne usine de chiffons et dans la rue, des balcons voisins, pendaient des échantillons d'étoffes de toutes les couleurs. À l'époque, il n'existait qu'un bar très ancien, très sombre où tout le quartier venait prendre une bière, un antre pour les quelques artistes qui avaient des ateliers dans le voisinage et qui se connaissaient tous. La nuit, tout était désert, c'était une ville fantôme avec ses beaux bâtiments de métal. Il n'y avait que quelques galeries clairsemées, celle d'Ileana Sonnabend, celle de Leo Castelli et tout ce qui était intéressant se passait là-bas. Les studios étaient ouverts, on n'avait qu'à dire au premier ami venu « J'ai très envie de voir ce que vous faites », il vous prenait par la main, montrait son œuvre, expliquait ses techniques. C'était un échange de valeurs et de communication artistique exceptionnelle. Nous avons rencontré tant d'artistes qui nous ont beaucoup ouvert les yeux, tel Robert Mapplethorpe avec son charme enfantin, son sourire angélique et ses photos. Leo Castelli avec ses exquises manières avait le flair et le courage de montrer des choses nouvelles, de faire découvrir. Si Leo Castelli exposait un artiste, celui-ci savait qu'une grande carrière l'attendait. C'est là que nous devions rencontrer un artiste comme Basquiat. Il venait se dorer au soleil sur le trottoir en dessous du studio de Marina en attendant ses hamburgers qui venaient de l'autre côté de Brooklyn amenés par son assistant. Celui-ci était en même temps l'assistant de Marina. Il lui racontait tous les potins sur l'atelier de Basquiat. Avec Alex Katz, nous sommes devenus intimes. Avec Francesco Clemente et sa famille, nous sommes toujours restés amis. On avait accès non seulement aux ateliers de ces artistes mais à leur famille, à leur entourage, avec une camaraderie, une ouverture tout à fait uniques. Une énergie émanait de ces lieux qui valait son pesant d'or.

Marina était enchantée de son vaste studio qui était, comme elle dit elle-même, « complètement bringuebalant » avec la chaudière qui faisait des glouglous insensés, avec l'escalier d'incendie qui était devenu un lieu de rencontre de la plus haute importance artistique. Tout le monde s'asseyait sur les marches de métal et discutait de tout en regardant en bas la rue où passaient quelques promeneurs.

À cette époque à New York, il y avait de la créativité, de l'imagination, de l'excentricité. New York offrait une extraordinaire variété d'êtres humains, de situations, de produits. C'était la Babylone du monde moderne et aussi une ville futuriste. Elle avait fort peu à voir avec le reste de l'Amérique par ses mœurs différentes, par son mélange ethnique, par son non-conformisme, par son libéralisme. Elle était comme une île qui aurait pu être posée n'importe où dans le monde. Nous avions des relations passionnantes car, en plus des New-Yorkais, le monde entier défilait en cette ville, des vieux amis, des nouveaux amis, bref le flot n'arrêtait pas.

New York est une ville multifaces, elle sait aussi être violente. À l'occasion d'une exposition de Marina, nous vivons une expérience « intéressante ». C'est le 1er mai 1992, Marina m'annonce que les rumeurs les plus inquiétantes courent la ville. Il y a quelques jours à Los Angeles, des policiers accusés d'avoir tabassé un conducteur noir et filmés à leur insu pendant cette opération, ont été acquittés. Aussitôt, Los Angeles s'embrase, mise à feu et à sang par des foules déchaînées. Et voilà que le même sort menace New York. Les boutiques ferment. Bureaux et banques renvoient hâtivement leurs employés. Les habitants fuient la ville et des encombrements monstrueux augmentent à ses portes. Il paraît que les magasins sont pillés comme à Los Angeles, les vitrines brisées. C'est la mort dans l'âme que nous descendons West Broadway à la galerie Z où le vernissage de Marina a lieu. On expose ses toiles inspirées par son séjour en Inde, colorées par un mysticisme nouveau et convaincant. Aussi, paradoxalement, c'est la première fois qu'elle se laisse à ce point influencer par l'Amérique. Mais qui viendra admirer ses œuvres alors que la ville est en état de siège ? Les trois premiers quarts d'heure se passent dans la galerie vide, sinon une poignée de raseurs qui ne nous lâchent pas. Soudain, tout le monde apparaît en même temps. Les plus grands artistes, nos copains d'hier et d'aujourd'hui, des critiques, le monde de l'art dans sa gloire et dans son exclusivité. Immédiatement, nous sentons que tous apprécient. Marina dans sa modestie en est aussitôt convaincue.

Après le vernissage, Marina avec nos amis Alexandra et James Brown partent pour un autre vernissage. Je me trouve dans la cuisine des Brown avec leurs deux enfants lorsque Marina fait irruption. Leur taxi a été pris dans une émeute sur la Sixième Avenue. Des milliers de jeunes gens surexcités et hurlant se sont précipités sur les voitures immobilisées aux feux rouges. Ils ont escaladé, piétiné leur toit, brisé les vitres à coups de barres de fer. Marina et les Brown ont redouté le pire et n'ont été épargnés que parce que leur chauffeur était noir. « *He is a brother, leave them* », ont glapi les enragés. Impossible d'atteindre uptown. James et moi sortons dans la rue. Un hélicoptère de la police tourne au loin au-dessus des points d'émeute. Nous voyons passer des cortèges de voitures de police aux sirènes déchaînées. On doit se battre non loin de là.

New York, le phare de l'univers, la Babylone des temps modernes, l'aimant qui attirait tous et tout, était aussi la ville de la misère et du désespoir. Voulant faire quelque chose pour ceux qui en avaient besoin, j'avais cherché à droite et à gauche. On m'avait signalé le cas d'une petite Hispanique dont les parents n'avaient pas les moyens de payer les études. Je m'étais chargé de ce modeste problème. Au bout de plusieurs semaines, j'avais décidé d'aller rencontrer l'enfant. Elle était inscrite à l'école Montessori de Brooklyn. Me reçut là-bas la directrice Phyllis Brice, une Afro-Américaine de choc. La soixantaine, elle était toute énergie, détermination, caractère, personnalité, intelligence, avec un cœur d'or et une compassion illimitée. Elle m'avait mené dans la cour de récréation. Une petite fille s'était détachée du groupe d'enfants et s'était jetée dans mes bras. C'était Eliza. Je restai un long moment avec elle, je lui parlai, je l'observai. Il était évident qu'elle avait un immense besoin d'amour et qu'elle était prête à en donner encore plus. C'était un jeune être de lumière, de don de soi. Il était aussi évident que ce n'était pas une enfant heureuse et qu'elle était profondément troublée. Pour l'instant, il n'y avait rien à faire de plus, me dit Phyllis Brice, on verrait à l'avenir.

Peu après, le père d'Eliza qui en avait la garde mourut. Aussitôt, on m'alerta. La mère de l'enfant la réclamait. Or, Phyllis Brice qui la connaissait voulait empêcher à tout prix qu'Eliza fût réunie à sa mère. Celle-ci était complètement droguée ainsi que l'homme avec lequel elle vivait. Lui livrer Eliza aurait été un désastre. La mère insistait cependant. Phyllis Brice m'expliqua que ce n'était pas par amour maternel mais simplement pour toucher les allocations familiales. Nous eûmes en ligne les meilleurs avocats. Phyllis Brice proposa même d'adopter Eliza. Elle allait se retirer en Floride avec son mari et c'eût été la solution idéale mais pas pour les tribunaux américains. Nous avons alors suggéré une tante de la petite qui l'aurait prise auprès d'elle et aux besoins de laquelle nous aurions subvenu mais la tante commit une légère erreur et fut récusée par la mère. Cette dernière prouva qu'elle sortait de cure de désintoxication et qu'elle était capable de reprendre l'enfant. Nous avons dû céder et renvoyer cette petite à ce que nous savions devoir être son malheur. Du jour où Eliza fut reprise par sa mère, elle disparut et nul ne sut ce qui lui était advenu. À l'époque, ma rage et ma frustration avaient été intenses et puis, curieusement, je ne pensais plus à la malheureuse enfant.

Plusieurs années passèrent. Un soir de novembre 1995, je me trouve à Paris alors que Marina séjourne à New York. Elle m'appelle au téléphone. Je lui trouve une voix bizarre. Je lui demande ce qu'elle a. Après quelque hésitation, elle murmure un nom, « Eliza ». Un des voisins de sa mère chez qui habitait la petite avait alerté la police. Je ne me rappelle plus quel atroce détail avait attiré son attention. En tout cas, la police intervint, pénétra de force dans l'appartement et trouva un petit cadavre. C'était celui d'Eliza. Pendant des mois, elle avait subi des tortures telles que la police refusa d'en livrer le détail à la presse.

Après que Marina m'eut annoncé la nouvelle, j'allai marcher dans les rues que la nuit avait rendues désertes et je pleurai à chaudes larmes. Aujourd'hui encore, après tant d'années, je ne peux évoquer Eliza sans être atteint d'une profonde émotion. Quand je reviens à la maison, le téléphone sonne. Ce sont les principaux journaux américains qui appellent, nonobstant l'heure. Les médias se sont emparés de l'affaire. La juxtaposition de cette malheureuse petite Hispanique et d'un prince étranger titille leur curiosité. Malgré leur insistance, ils se montrent fort décents. Bientôt, la victime, Eliza Izquierdo, devint un nom culte. Malgré le secret exigé par la police, il filtra des détails du rapport sur la fin d'Eliza qui horrifièrent à ce point l'opinion publique américaine et les services que cet assassinat devint une affaire nationale. La malheureuse petite fit la couverture du *Time Magazine*. Son portrait s'étala sur dix mètres sur un mur aveugle d'immeuble dans Soho, que tout le monde pouvait voir à des kilomètres. Au nom d'Eliza Izquierdo, la loi fut changée qui donna un plus grand contrôle et un pouvoir plus étendu aux services sociaux. Le temps passe, mais la tragédie ne s'efface pas de mon esprit. Surtout, je me demande sans cesse ce que je peux faire pour honorer la mémoire d'Eliza. La réponse me sera donnée vingt ans plus tard.

En avril 1994, nous sommes conviés à un étrange dîner. Jackie Onassis nous invite à 19 h 30. Marina au téléphone fait la moue. Jackie le devine et elle rit : « Tant pis. Comme vous êtes grecs, vous n'aurez qu'à penser que c'est l'heure du déjeuner ». Entre-temps, nous avions collaboré, elle et moi, pour un article sur les illustrateurs russes du XIXe siècle. J'avais pu alors apprécier son extraordinaire culture, son professionnalisme, elle ne laissait rien au hasard et travaillait avec acharnement. Elle ne perdait jamais sa douceur mais savait diablement ce qu'elle voulait. Donc, ce soir-là, à cette heure incongrue, nous nous pointons chez elle. Nous avons emmené Olga pour qu'elle rencontre l'Histoire. Une fois de plus, je m'ébaudis du raffinement si naturel et si subtil du cadre, des fleurs, des tableaux, des livres, des étoffes. Dans la salle à manger où, selon une originalité que j'apprécie tant, s'étalent des rayons de livres, un feu brûle. Une fourrure recouvre un grand canapé, dans un coin un piano attend un musicien et, sur trois côtés, c'est la vue sur tout New York illuminée. Raffinement aussi du menu incroyablement abondant. Et puis, il y a cette touche de désinvolture représentée par le « *butler* », barbu, un anneau à l'oreille. Elle porte un chemisier et un pantalon de mousseline rouge, tout aussi rouges sont ses chaussures. Sa vue me donne un choc. Elle nous paraît éteinte comme si elle avait perdu cet éclat, cette étincelle qui brillait dans ses yeux, dans sa voix, dans ses propos. Maurice Tempelsman, son compagnon, cache, sous sa faconde et son esprit, une sollicitude, une inquiétude presque palpables. Il nous fait rire, il la fait rire avec ses imitations de Mobutu, de Bongo surtout. À ma question de savoir si elle a senti le fantôme de Lincoln à la Maison Blanche, elle me répond qu'aucun fantôme n'y survivrait car c'est en fait une usine tournant vingt-quatre heures sur vingt-quatre à plein rendement. En fait, Jackie est atteinte de cancer. Quelques mois plus tard, elle en meurt, laissant le souvenir parfumé de cette femme élégante, discrète, insaisissable, que tout le monde connaissait et qu'en fait personne ne connaissait.

Au début de l'an 2000, nous venons à Washington parce que Juan Carlos, le roi catholique, a la gentillesse de nous mettre sur la liste de sa visite d'État. Cette perspective m'angoisse, mais je veux faire ce cadeau pour les soixante ans de Marina. Ce matin-là, dès 8 h 45, nous sommes harnachés et prêts à monter dans notre voiture, une limo longuissime aux vitres fumées. À notre arrivée, nous sommes plongés dans le protocole de la Maison Blanche où la politesse est extrême. Des grappes de jeunes gens et de jeunes filles aux sourires charmants indiquent la marche à suivre. C'est ainsi que nous sommes propulsés sur la pelouse de la façade arrière dans « *the golden encloser* ». Nous regardons autour de nous et tombons en arrêt devant une de nos idoles, l'actrice Whoopi Goldberg, habillée au décrochez-moi-ça. Quelques officiels mais surtout beaucoup de petites gens qui travaillent à la Maison Blanche. Des membres du Secret Service ont l'air de caricatures, énormes, sanglés dans des imperméables hideux bosselés de pétoires, des écouteurs dans les oreilles et balayant leur regard féroce à droite et à gauche. Ça fait moitié pompe officielle, moitié Far West. Par contre, la taille de la Maison Blanche nous surprend. Gouverne-t-on donc le monde à partir de ce modeste palais en rien impressionnant ? Des trompettes sonnent vers 10 heures. Apparaissent à la porte les Clinton. Pendant qu'ils attendent quelques minutes, Hillary se tourne vers son mari avec un sourire extasié de madone devant une apparition et lui glisse quelques mots à l'oreille, scène dûment photographiée et filmée. Puis l'énorme limousine apparaît et en sortent Juanito et Sophie, le roi et la reine d'Espagne. Les hymnes nationaux retentissent et voilà que j'entends la *Marcha Reale* espagnole que dans mon enfance, du temps de Franco, ma grand-mère là-bas, à Larache, mettait sans cesse sur un vieux gramophone. Il y a une revue militaire fort courte, puis discours du haut d'un petit podium à quelques mètres de nous. C'est un privilège de voir réunis côte à côte et d'écouter deux leaders tellement charismatiques. Le discours de Clinton est brillant mais neutre. Celui de Juan Carlos beaucoup plus politisé. Il évoque d'emblée les droits des « latinos ». Il a inventé cette politique fort subtile de liens privilégiés entre l'Espagne et ses anciennes colonies d'Amérique latine. J'ignore que cet « intérêt » s'étend à l'immense et grandissante minorité d'origine latino-américaine qui envahit progressivement et définitivement les États-Unis. Hillary en manteau et robe roses n'est pas à son mieux. En voyant Bill, je glisse à Marina qu'il a l'air d'un « *moutro* », en grec un type culotté. Elle me répond qu'il est plutôt un « *daïs* », un macho populaire.

Quant à Madeleine Albright, elle garde un air conquérant. Durant le déjeuner au Département d'État, son discours est parsemé de drôleries. Elle s'étend sur sa vieille amitié avec le roi et la reine et termine par sa passion pour Felipe, le prince des Asturies, qu'elle a bien connu du temps où il était venu à son invitation étudier à l'université de Georgetown. Après avoir chanté ses louanges, elle achève par « et maintenant appelez-moi Mrs. Robinson[1] ». Marina explique l'allusion à la reine Sophie, la mère de l'intéressé. Lorsque celle-ci découvre le sens de la boutade et que je lui ajoute en grec qu'elle a là acquis une charmante belle-fille, elle se met à hululer de rire !

Aux États-Unis, on peut arriver dans une assemblée sans connaître quiconque, au bout de dix minutes on parle au moins à vingt personnes. L'intérieur de la Maison Blanche ressemble à un château anglais appartenant à une riche famille de la toute petite aristocratie. Rien qui rappelle le pouvoir colossal qui émane de ces murs. C'est bien tenu, aucun chef-d'œuvre, c'est bien décoré, très cosy, sans la raideur des palais, tout à fait la demeure d'un particulier. Je fais trembler Sophie et Juan Carlos en leur affirmant que l'un des deux dormirait dans la chambre formidablement hantée de Lincoln[2]. « C'est Sophie qui y dort », affirme Juan Carlos. « C'est

1. Du nom de l'héroïne du film *Le Lauréat*, la femme mûre qui s'éprend du jeune étudiant… et devient sa maîtresse.

2. Selon le protocole en vigueur, un roi et une reine en visite officielle avaient chacun leur appartement.

Juanito qui y dort », rétorque son épouse. Quant aux Clinton, je suis intrigué et désorienté par eux. Marina est folle de Clinton au point que je la surnomme « Monica Karella[1] ». En effet, il est assez beau et séduisant, il scintille de charme, il peut instantanément conquérir qui il veut, il s'exprime admirablement. Je n'ai que des louanges pour la cour américaine, organisation impeccable, rapidité, service souriant, efficace, beaucoup de gentillesse comme toujours en Amérique.

Au sortir de table, on revient dans la salle de bal transformée en salle de spectacle où Placido Domingo et une soprano portoricaine chantent accompagnés au piano de vieilles zarzuelas. L'on passe ensuite dans le grand hall des présentations et là on bavarde sans façon. Beaucoup d'invités partent déjà, les Clinton sont entourés de leurs copains. Sophie raconte qu'à l'arrivée au dîner elle s'est étalée par terre devant Clinton en se prenant le talon dans sa robe : « Cela m'arrive constamment. » Elle est suprêmement élégante dans une robe grise brodée d'argent et portant la célébrissime perle Peregrina. Juan Carlos fait rire le Président en lui disant que j'écris mais qu'il faut se méfier de moi, car je risque de pondre des perfidies. Alors, Clinton parle à Marina du jardin de sculptures qu'a constitué Hillary et aussi de la sculpture grecque sur laquelle il est profondément versé. Nous pouvons nous approcher de mon idole, Whoopi Goldberg. Elle me conquiert en disant combien elle a aimé Patmos où elle a séjourné six mois. Elle offre ses lunettes bleues à Marina qui louchait dessus. Avant le dîner elle avait

1. Allusion à Monica Lewinsky, la supposée maîtresse folle amoureuse de Clinton dont les révélations avaient fait scandale.

enlevé ses chaussures neuves qui la serraient trop, cachant ses pieds nus dans les plis de sa longue robe de velours.

Heureusement, aux États-Unis, les galas officiels ou privés finissent tôt. C'est la tête farcie d'images et de souvenirs, de quoi remplir des pages de mon journal, que nous sommes revenus à notre hôtel. Nous avions effleuré l'Histoire.

Dans un vol vers Paris, survient un incident flatteur et minuscule qui me touche singulièrement. L'hôtesse de l'air vient me trouver et me demande :

« Monsieur de Grèce, puis-je vous poser une question indiscrète ?

– Bien sûr, madame.

– Êtes-vous de la famille de... ? »

Je suis certain qu'elle va me dire de la famille royale grecque.

« Êtes-vous de la famille de l'écrivain ? »

Si désormais l'écrivain est connu et possède une famille, alors j'ai atteint l'antichambre de la gloire ! Mais surtout, à la réflexion, ce compliment me permet de réaliser que j'ai atteint mon but. Désormais ma réputation d'écrivain est établie, les gens me regardent comme tel. C'est ce que je cherche depuis que je me suis mis à écrire. L'Amérique m'y a considérablement aidé mais le temps est venu de nous en éloigner. Nous décidons Marina et moi de revenir nous installer en Europe. D'autant plus facilement que le nid est vide. Nos enfants nous ont quittés pour entrer à l'université, Brown pour Alexandra, Princeton pour Olga.

À New York, ville trépidante et fiévreuse, nous avons vécu avec nos enfants plus que nulle part ailleurs.

Notre appartement a été un foyer familial, une cellule d'amour, de chaleur humaine. Avec sa générosité, l'Amérique a été une source inépuisable d'enseignements et de découvertes de toutes sortes. Plus j'apprenais à la connaître cependant, plus elle m'échappait et devenait énigmatique. Je savais que je n'y serais jamais intégré. Comme me le répétaient mes filles : « Toi, tu pourrais vivre cent ans ici, tu ne serais jamais américanisé. Maman, c'est différent. » Car Marina regrette de quitter l'Amérique et le regrette encore. Elle y puise pour son inspiration, pour son travail, un stimulant extraordinaire. Ce pays est un volcan d'idées constamment en éruption mais il est temps de retrouver nos racines. Loin de l'Europe, j'en ressens le besoin plus que je ne l'avais imaginé. Alors, avec une reconnaissance infinie pour l'Amérique et les Américains, nous tournons la page.

16

La Russie

Voilà que l'Histoire provoque un tremblement de terre comme je n'aurais osé en imaginer. En ce mois d'octobre 1989, les événements de l'Europe de l'Est sont si abondants, si rapides, on en est tellement abasourdi que l'inimaginable en devient presque de la routine. La Pologne se paie un gouvernement non communiste, la Hongrie n'est plus une république démocratique, elle a rétabli son emblème traditionnel, introduit le multipartisme et ouvert ses frontières. On y parle même, sans trop rigoler, d'y porter le descendant des empereurs, Otto de Habsbourg, à la présidence. En Allemagne de l'Est depuis des semaines, ce sont des manifestations monstres qui réclament la liberté, et l'inamovible Honecker a dû être remplacé. La Tchécoslovaquie entre dans la danse avec des foules innombrables qui hurlent dans Prague : « Démocratie, liberté. » Enfin, en Union soviétique, c'est presque surréaliste, on assiste à des manifestations devant l'immeuble du KGB et des talk-shows à la télévision moscovite avec des distingués membres de cette organisation. Gorbatchev ferait avaler aux consommateurs russes l'abandon des pays satellites par une logique imbattable : « Désormais ce seront les autres – c'est-à-dire l'Occident – qui paieront. »

Un an plus tard, je n'en reviens toujours pas. En ce 2 octobre 1990, je quitte cette Allemagne préparant fiévreusement sa réunification qui aura solennellement lieu ce soir à minuit. J'avais juré que jamais le projet de réunification allemande n'aurait raison de l'opposition russe, et c'est l'empire soviétique qui s'est effondré, le dernier événement majeur du XXe siècle. Ainsi s'achève cette tyrannie qui aura été une des plus grandes catastrophes de l'Histoire, économique, culturelle, sociale. Les destructions d'un Attila, d'un Gengis Khan resteront des broutilles à côté des dommages causés par les Soviets. Jamais je ne me serais attendu à ce que cet empire s'écroule si rapidement. Bien sûr je le souhaitais, bien sûr je savais qu'il s'effondrerait comme tous les empires mais je doutais fortement de le voir de mon vivant. Il provoque en tout premier lieu chez moi un soulagement intense. Ainsi le cauchemar, la menace perpétuelle, le danger s'évanouissent, disparaissent. Cet empire néfaste qui a fait le malheur de millions de gens a enfin eu son compte.

Beaucoup de spéculateurs ont prédit que si l'empire soviétique s'effondrait, ce ne serait pas de l'intérieur, c'est-à-dire de la Russie, mais de l'extérieur, c'est-à-dire à partir des pays satellites. C'est exactement ce qui se passe. Pendant la Seconde Guerre mondiale, à la conférence de Yalta, Churchill avait évoqué le Vatican devant Staline et la nécessité de ménager dans l'après-guerre cette puissance. Staline avait eu un gros rire : « De combien de divisions armées cette puissance dispose-t-elle ? » Or, c'est ce même Vatican qui est montré du doigt comme l'artisan de la chute de l'empire soviétique. On murmure même que le Polonais Jean-Paul II a été élu pape dans ce seul but. Effectivement, le début de la fin se joue en Pologne avec les syndicats et Lech Wałęsa, probablement complices alliés du pape polonais. Malgré la présence des Soviets, l'Église est restée toute-puissante… et richissime. Cette puissance, elle l'a prouvée. Lorsque l'empire soviétique se disloque, je comprends que les pays baltes reprennent leur indépendance, je comprends que les républiques d'Asie centrale en fassent autant mais je ne comprends pas pourquoi la Biélorussie et l'Ukraine accèdent. La Biélorussie n'a jamais été un État sauf pour l'administration stalinienne qui voulait un vote de plus à l'ONU, elle a toujours fait partie de l'Empire russe. Quant à l'Ukraine, non seulement elle a toujours fait partie de l'Empire russe mais elle en a été le berceau. Alors que les Tartares occupaient Moscou et le Nord, Kiev et sa région entreprirent l'indépendance de la Russie et en furent le premier haut lieu.

Mon soulagement n'a d'égal que mon imprévoyance. C'est comme si un poids énorme nous était enlevé des épaules à tous. Depuis que je suis en âge de penser, la peur de l'Union soviétique ne nous a pas quittés. Tant pis pour ce qui allait suivre, tout serait mieux plutôt que la domination soviétique.

Cinq mariages unissent ma famille grecque avec la famille impériale russe. Mon grand-père Georges Ier avait épousé la grande-duchesse Olga ; sa sœur Dagmar princesse de Danemark avait épousé le tsar Alexandre III ; et trois de ses enfants, son fils Nicolas, et ses deux filles Alexandra et Marie, allaient épouser grande-duchesse et grands-ducs.

J'étais allé en Russie dans les dernières années de l'Empire soviétique. Au début, j'avais tenté de cacher mon identité, imaginant qu'elle pourrait devenir un drapeau noir dans ce pays très rouge. Très vite, je m'aperçus qu'au contraire elle était un sésame. Déjà le prénom de ma fille cadette qui m'accompagnait attirait la sympathie. « Olga ! Olga ! » répétaient ces Russes avec leur accent inimitable. Et quand je leur disais que ma fille descendait de sa sainte patronne qui avait été une tsarine, ils en manifestaient une profonde émotion. Chaque fois que je mentionnais ma grand-mère la grande-duchesse et ma parenté avec la famille impériale, ces communistes me regardaient comme une précieuse relique. Je m'aperçus vite que tous les laissez-passer et permis des autorités ne servaient à rien pour visiter palais et couvents. Il suffisait d'énoncer mes titres et mes parentés pour que toutes les portes s'ouvrent.

Le rideau de fer tenait encore, mais se lézardait de partout. J'avais l'intention de visiter toutes les « maisons » de famille et d'en faire un livre illustré par les photographies d'un jeune et talentueux Italien, Francesco Venturi. Le régime communiste était en train de s'effondrer, mais ses mœurs n'avaient pas eu le temps de changer. Nous sommes en novembre 1990, à Leningrad, le petit-déjeuner est toute une affaire digne du bon vieux temps. Une femme de chambre nous annonce qu'il y a une cafétéria ouverte à notre étage. La machine à thé est cassée, la cafétéria ferme. Mais il y a le grand restaurant au rez-de-chaussée. Nous dévalons les escaliers jusqu'à ce hangar à boustifaille. Il est 10 heures. Il ferme. Heureusement, connaissant la musique, j'ai pris mes précautions. J'ai apporté mon réchaud, la bouteille d'alcool à brûler et mon café grec. Nous nous enfournons bientôt dans le minibus, Francesco et moi, Andrei Valeri, le technicien de Moss Films, un lunetteux doux qui nous fait des petits cadeaux, Sacha l'historien, petite noblesse, père vendu au régime et devenu président de l'Académie des Beaux-Arts, lui-même ruiné par l'alcool, les mariages et le nitchevo national, mais la culture et la sensibilité en personne.

Nous traversons le Jardin d'Été. Des vieilles lisent le journal sur un tapis de feuilles mortes entre les statues échevelées et empanachées du plus pur baroque italien. Nous longeons le palais d'Été, puis visitons de l'autre côté de l'eau la cabane en bois d'où Pierre Ier avait surveillé la construction de sa capitale. Enfin, c'est le « palais de marbre ». On y est fort nerveux car la municipalité et l'opinion publique exigent d'en déménager le musée Lénine incongrûment installé dans les splendeurs XVIIIe. On nous y reçoit plutôt mal : « On vous a sentis », me glisse Andrei. C'était en effet la résidence de mon arrière-grand-père le grand-duc Constantin Nicolaïevitch. Apparaît la conservatrice en chef, une dame pointue, un peu trop rousse pour l'être honnêtement, qui s'enquiert hautainement de nos désirs. Lorsque Andrei lui explique ma généalogie, elle prend ma main, la regarde longuement : « Cela fait vingt-deux ans que je n'ai pas vu un prince. » Je me demande bien qui pouvait être mon prédécesseur. Dans son zèle, elle commence alors le laïus le plus long, le plus impitoyable sur la construction du palais. Les autres trépignent.

Hélas, il ne reste rien du décor originel qu'une salle de marbres et de bronzes, ainsi que le jardin d'hiver où pendent les plus hideux mémentos de Lénine. Combinaison tout à fait surréaliste, encore augmentée par l'apparition d'Africa. Africa, c'est un jeune homme aux yeux bleus étirés, oreilles décollées, crinière blonde, qui est pop star à New York et peintre à Leningrad. Il représente le diable pour la pauvre conservatrice qui refuse de nous suivre dans son exposition. Nous nous extasions devant son « installation » provocante dans le meilleur ton de l'avant-garde, là même où un siècle plus tôt s'ébattaient ma grand-mère Olga et ses frères, les petits grands-ducs. Sacha l'historien qui est devenu notre guide veut nous montrer encore le palais de feu le grand-duc Alexis. C'est à l'autre bout de la ville. Les encombrements sont devenus effarants. La foule, sous la bruine, est innombrable, et les queues s'allongent devant les boulangeries et les bureaux de tabac. Nous aboutissons dans un quartier à peu près abandonné, avec des canaux noirâtres, des petites usines en ruine. Le palais de ce fameux noceur me plaît. Vaguement Tudor byzantin, tombant en loques, entouré de grands arbres dépouillés, assiégé par des flaques de boue, sa laideur prend un charme mélancolique.

Depuis l'adolescence j'entends parler de la famille impériale par des parents qui l'avaient fréquentée. J'ai été bercé par ses scandales comme par ses secrets. On parlait souvent à Tatoï dans ma famille grecque de l'énigme d'Anastasia, la dernière fille de Nicolas II qui aurait survécu au massacre d'Iekaterinbourg et serait réapparue mystérieusement. Toute la famille jurait que miss Anderson n'était pas la vraie grande-duchesse Anastasia, mais tout le monde était persuadé qu'elle avait connu la vraie grande-duchesse. On affirmait même qu'elle aurait été la fille de chambre au service de la tsarine. Du même âge que la vraie Anastasia, la tsarine lui aurait permis de jouer avec sa fille, lui aurait donné des robes, des jouets d'Anastasia, à tel point que la fille de la femme de chambre aurait fait un transfert et se serait prise pour Anastasia. Tante Vera, la cousine germaine de mon père, n'allait pas par quatre chemins. Elle était presque certaine que la fausse Anastasia était une bâtarde de la famille impériale. Mon cousin Alexandre Romanov, le seul je crois de la famille impériale qui de notre temps a accepté de rencontrer miss Anderson, affirme que vraie ou fausse elle ne jouait pas, elle était persuadée d'être Anastasia. Avait-elle été jusqu'à Iekaterinbourg, c'est fort possible car, si l'on peut être persuadé que toute la famille impériale a péri dans la Révolution, les détails de la fin restent englués de mystère. Ont-ils été massacrés ensemble, au même moment dans le même lieu ? Qui les avait accompagnés jusque là, qui a été tué avec eux ? Chaque fois qu'on avance dans ce mystère, on découvre de nouveaux éléments qui le rendent plus épais.

Et puis il y avait une autre énigme, celle de l'étrange mort de l'empereur Alexandre Ier. Ce vainqueur de Napoléon s'était retiré en 1825 très loin de ses capitales dans une petite ville de Crimée. Entouré d'une suite minuscule, il était tombé malade et c'est jeune encore qu'il avait perdu la vie. On avait ramené sa dépouille et on l'avait enterrée avec toutes les solennités requises dans la nécropole impériale, la forteresse Pierre-et-Paul de Saint-Pétersbourg, mais très vite la rumeur avait circulé qu'en fait il avait mis en scène sa fausse mort pour pouvoir se retirer du monde et devenir ermite afin d'expier sa participation, volontaire ou pas, à l'assassinat de son père, l'empereur Paul Ier. Selon la légende, il aurait erré des années entières, il aurait même été fouetté pour vagabondage et aurait terminé dans une cabane en Sibérie sous le nom de Feodor Kouzmitch. Il aurait survécu là dans la solitude et la prière pendant des décennies. On disait que son frère et successeur, l'empereur Nicolas Ier, empruntant le train impérial s'était rendu jusqu'en Sibérie pour voir l'ermite. Ils étaient restés plusieurs heures seuls dans la cabane de Kuzmitch, puis l'empereur Nicolas était sorti de là en larmes, avait repris le train impérial pour sa capitale, sans jamais rien dire de la teneur de l'entretien. Tante Vera, elle, affirmait que Feodor Kuzmitch était bien l'empereur Alexandre Ier. Non seulement elle en était persuadée mais avec elle tous les membres de la famille impériale d'avant la révolution. Des années plus tard, j'interrogeai mon cousin Nicolas de Russie, le chef de la dynastie, chevaleresque et imposant, un homme magnifique, un grand seigneur, un vrai prince, d'une culture prodigieuse, qui savait tout sur la dynastie des Romanov. Lui aussi était persuadé que Feodor Kuzmitch était Alexandre Ier. Et c'est ce que j'ai raconté dans un documentaire auquel on m'a fait participer et qui concluait que l'ermite et le tsar ne faisaient qu'un.

À Saint-Pétersbourg, j'allai dans la forteresse Pierre-et-Paul sur la tombe supposée d'Alexandre Ier. Lénine, au fait du mystère, avait voulu en avoir le cœur net. Il avait fait ouvrir le cercueil. Celui-ci ne contenait que des pierres...

Nous nous rendons au « studio des documentaires », installé dans d'anciennes et somptueuses écuries, à côté de l'immeuble néobyzantin qui appartenait à Chaliapine, le plus célèbre ténor russe du début du XXe siècle. Nous examinons longuement, professionnellement les

1. Moi-même à Bithur en Inde lors de mes recherches sur la mutinerie des Cipayes. (© Archives personnelles)

2. Nos deux filles Alexandra et Olga. (© Archives personnelles)

3. Marina au Machu Picchu. (© Archives personnelles)

1

2

1. Moi-même au château de Cetice à la recherche du fantôme de la comtesse Élisabeth Báthory. (© Patrick Landmann)

2. Marina lors de sa rétrospective au musée Benaki à Athènes. (© Archives personnelles)

3

3. Un dîner chez nous, Park Avenue à New York, avec Andy Warhol et Bob Colacello. (© Archives personnelles)

4

4. Mariage de l'Infante Elena à Séville. À ma gauche la comtesse de Paris, son frère le prince Pierre d'Orléans-Bragance, la fille de celui-ci la duchesse de Segorbe et sa femme la princesse Esperanza. (© Archives personnelles)

5

5. Marina et moi reçus à la Maison Blanche par Bill Clinton. (© Archives personnelles)

1. Niki de Saint Phalle. (© Archives personnelles)

2. Moi-même dans ma chapelle oratoire à Patmos. (© Archives personnelles)

Marina peignant Victor Darc, lointain
neveu de Jeanne du même nom.
(© Archives personnelles)

1. Notre fille Alexandra sur notre terrasse à Patmos. (© Archives personnelles)

2. Mariage de notre fille Olga. Au premier plan Ahmad Sardar, puis moi-même menant la mariée. (© Archives personnelles)

3. Dans notre paroisse de Patmos entouré de mes cinq petits-enfants, Isabella, Tigran, Amedeo, Darius, Umberto. (© Archives personnelles)

4. Darius et Tigran faisant la course sur une plage des Bahamas. (© Archives personnelles)

Maheshwar, Inde. Marina et moi entourés
de nos deux filles, nos deux gendres, nos cinq
petits-enfants, nos amis Brown et leurs trois
enfants et, au fond, le maître des lieux,
le prince Richard Holkar en chemise orange.
(© Archives personnelles)

photos, les lettres, les journaux intimes de la famille impériale, tous les documents inouïs, inédits que vient de rendre publics le KGB. Plusieurs photos parmi les plus émouvantes portent le cachet de cette institution. À peine l'empire soviétique tombé, la Russie a aussitôt ressorti ses fantômes du passé bien légèrement enterrés. Quand je suis retourné là-bas, toutes les églises étaient ouvertes et celles que je visitais étaient pleines, jamais je n'ai senti ailleurs une telle ferveur. Les fidèles s'agenouillaient front contre terre, les chœurs magnifiques de l'Église russe faisaient entendre leur musique céleste, les nuages d'encens montaient vers les voûtes très hautes et les popes endiamantés, couverts de brocarts, prononçaient d'une voix forte les hymnes. L'Église que les communistes avaient essayé de déraciner était mieux enracinée que jamais.

Nous dînons au palais Polovtsev, devenu la maison des architectes. L'eau minérale sent abominablement. Pour me consoler, mes amis me disent que c'était la préférée de Pierre le Grand, bien que je doute que ce célèbre soûlard ait jamais touché à ce liquide. Autour de nous, des tablées bruyantes et riantes. Les Russes sont bavards mais leurs intellectuels battent tous les records. Je n'ose imaginer ce que serait notre existence sans nos cornacs qui connaissent la langue et toutes les combines.

En Russie, la lumière du jour mourant devient diffuse et furieusement mélancolique. Cette banlieue de Leningrad, déjà quatre ans plus tôt, m'avait désespéré. Sur des kilomètres, ces HLM gigantesques, monstrueux, démesurés, entourés de terrains vagues, assiégés par la boue, sans une fleur, sans une publicité, sans un magasin, sans un sourire, enfer de grisaille et de laideur.

Aucun lieu qui soit plus déprimant que celui-là. Après dîner, Andrei nous emmène marcher autour du théâtre tellement classique d'Alexandrinski, puis le long de la Fontanka jusqu'au palais Cheremetiev. La nuit, plus de trafic, plus de queues navrantes devant les magasins, plus de décrépitude ni de misère. Pas un chat, pas une voiture. Alors, à la faible lueur des réverbères, la féerie reprend ses droits.

À Tsarskoïe Selo, nous errons dans un bout de parc abandonné pour tâcher d'apercevoir le palais Alexandre. C'est là que le dernier tsar Nicolas II avait élu domicile avec sa famille. C'est là qu'il avait vécu tant d'années, cloîtré dans ce lieu paradisiaque coupé de la Russie et de la réalité. C'est de là qu'il avait été envoyé dans l'Oural vers sa fin tragique. Mais la palissade vermoulue empêche d'en approcher. Pas question de revisiter le Grand Palais, je n'ai pas envie de m'épuiser dans des kilomètres de dorures. Francesco mon ami, le photographe et l'éditeur de ce livre avec moi trouvons la galerie de Cameron, orgueil de la Grande Catherine, parfaitement hideuse. Nous marchons longuement dans le parc, de « fabrique » en « folie », le « village chinois », le « bain turc », le « pavillon du soir », la « salle de concert », le « pont palladien », l'« ermitage ». Plus de la moitié sont en restauration car tout ici se rafistole à l'échelle russe, c'est-à-dire démente. Sous le ciel bas, signe distinctif de ces latitudes, la bise souffle. Sur les canaux immobiles et glauques, les feuilles mortes le disputent aux canards, et sans cesse les vues entre les troncs noirâtres se perdent au loin en prairies et bosquets. Malgré le jambon acheté en devises fortes et que j'ajoute d'autorité au menu de notre pique-nique, mon estomac commence à donner des signes de faiblesse. À Pavlovsk, je montre à Francesco le plus bel intérieur de Russie, la chapelle où mon père fut baptisé, et la galerie où mon arrière-grand-mère Alexandra Iosifovna eut une expérience terrifiante. Alors que ses dames d'honneur la roulaient dans son fauteuil de paralytique, entourée de ses aides de camp et de valets, elle avait vu, du fond de la galerie, s'avancer vers elle une femme très grande, tout de blanc vêtue, qui s'était précipitée sur elle et avait commencé à l'étrangler. Sa suite avait réagi et, voulant s'emparer de la femme, n'avait rien saisi que le vide. Alexandra Iosifovna avait compris : « C'est la Dame Blanche. Elle apparaît aux membres de ma famille pour annoncer une catastrophe. » Le fantôme ne s'était pas trompé car le lendemain mon arrière-grand-mère apprenait la mort de son fils cadet.

Leningrad, avec ses enfilades de palais et ses lumières scintillantes, n'est qu'une carcasse vide, car dedans il n'y a aucune nourriture, aucun médicament, aucun logement, les magasins sont vides. Rien, absolument rien ainsi que j'ai pu le constater en inspectant les étalages déserts derrière les vitrines jamais nettoyées des lugubres magasins. La saleté, inimaginable, accompagne cette pénurie. La ville entière s'enfonce lentement sous une couche épaisse de poussière, de rouille. La plupart des Russes gagnent 70 roubles par mois, l'équivalent de 4 dollars...

Sur la route de Peterhof, nous nous arrêtons à Strelna, autre propriété de mon arrière-grand-père Constantin Nicolaïevitch. Derrière les grands arbres dépouillés, se dresse une élégante façade jaune et blanche XVIIIᵉ. Nous courons sur les sentiers boueux particulièrement glissants, manquant de nous étaler à chaque pas. Nous contournons le château et c'est alors le ravissement. Au bout d'une progression de canaux et de pelouses retournées à l'état de prairies, s'élève au-dessus de ses escaliers, de ses terrasses, le château, mais non point restauré comme la façade sur la route, au contraire, il est déglingué de partout. Pilastres, balustres, marches, grottes s'en vont en morceaux, donnant une incomparable poésie à ces lieux. J'avais appris que la mafia turque était en pourparlers pour acheter Strelna et le transformer en casino. À vrai dire, cela m'avait navré. La demeure de mon arrière-grand-père ne méritait vraiment pas ce triste sort. Au dernier moment, Vladimir Poutine, fils de Saint-Pétersbourg, est intervenu pour sauver Strelna. Il l'a fait restaurer à grands frais et ouvert aux hôtes étrangers de l'État russe.

Ensuite, je force mon groupe à se livrer à mon sport favori, l'exploration de lieux inaccessibles. Je cherche la villa du duc de Leuchtenberg. Nous manquons nous embourber dans un magma noirâtre. Seuls Sacha et moi avons le courage de quitter la chaleur du minibus pour nous avancer entre les arbres, nous gelant les pieds dans un tapis de feuilles mortes et mouillées. Mais l'exploration en vaut la peine car au bout de l'épreuve nous découvrons la villa. Devenue institut biologique, elle pue les produits chimiques, elle part en lambeaux. Le concierge, un vétéran de la guerre, nous déclare qu'il n'y a rien d'intéressant à l'intérieur, que tout a été anéanti par les Allemands. Par contre, l'extérieur me grise. Là, dans ce très grand Nord, se dresse cette villa néogrecque 1880 avec péristyles colonnés, façades de temple, grande terrasse à vases antiques. Incongruité pleine de charme. L'autre jour, sur la route, j'avais repéré, derrière un rideau de végétation, un immense bâtiment rouge, baroque, presque en ruine. Nous empruntons un petit chemin, nous contournons une pièce d'eau immense et pourrissante. Le portail est surmonté des armes impériales. Je ne m'étais donc point trompé. Nous enfonçons facilement les planches branlantes et nous nous retrouvons dans un palais abandonné. Nous parcourons les salles, les cours envahies de mauvaises herbes, hautes et glaciales au toucher. Nous dénichons une salle au plafond soutenu par d'élégantes colonnes de métal. Francesco subodore que nous sommes dans les écuries d'un palais. Effectivement un palais se trouve non loin de là, ravissant, surmonté lui aussi des armes impériales. Nous entrons délibérément. C'est une maison de retraite pour les pensionnés des transports en commun, mais la concierge nous apprend qu'auparavant c'était la demeure d'un grand-duc. La salle de bal, bleue et blanche, a été refaite et ce n'est pas tout, il y a tout près d'ici une autre maison de retraite, autre palais impérial. Nous le dénichons. Les serres, les écuries, les communs, tout est démesuré. Quant au palais, de taille bien entendu colossale, c'est une villa italienne comme seul un Allemand aurait pu la concevoir. Hélas, là aussi, le décor intérieur a été anéanti et nous errons sous des squelettes de pergolas à la nuit tombante, tendant l'oreille pour percevoir le léger grondement de la Baltique toute proche, et le vent siffler entre les très grands arbres, seuls témoins encore vivants de l'époque impériale.

À mon retour en France, je publie le livre sur les palais russes qui rencontre un certain succès. Les Russes nous redemandent. Le KGB agonisant vient de verser aux archives de l'État tous les albums privés de photos de Nicolas II et sa famille. Les archives veulent les publier pour se faire quelque argent, mais réclament pour superviser l'opération quelqu'un d'apparenté à Nicolas II. Je me retrouve à nouveau en Russie, toujours à cause de la famille impériale, toujours accompagné d'Andrei et de Francesco Venturi. Notre minibus est arrêté devant le bâtiment des Archives nationales. Une heure un quart pour négocier avec la sécurité notre entrée sans les passeports dont nous aurions dû être munis. Les émissaires font le va-et-vient entre notre véhicule surchauffé et le bâtiment, jusqu'à ce qu'arrive un sbire pour nous prendre en main. Dans la cour boueuse, nous défilons devant d'immenses caisses « *State Archives of the Republic of Nicaragua* », probablement des reliques du sandinisme. Deux cerbères en jupons gardent le trésor : la directrice des Archives, Tatiana Feodorovna, une opulente à la prunelle ardente, et la sous-directrice, Loubova (Amour) Ivanovna, par Andrei surnommée Madame Bas-Bleu, vomissant les bolcheviks, une inconditionnelle des Romanov.

Andrei les a décidées d'entrouvrir leur caverne d'Ali Baba. En fait de caverne, c'est une soupente si basse de plafond que notre tête heurte les luminaires. Un prodigieux entassement de cartons, de dossiers, de coins poussiéreux, noirâtres, de vitres crasseuses. Nous sommes assis à une longue table entre des cartons où dorment les dossiers de l'Okhrana. Sans un sourire, sans une parole, « Madame Bas-Bleu » m'amène en guise de mignardise les lettres de Diderot à Catherine II, les journaux exquisément ornementés de la femme de Nicolas Ier, et enfin, écrit sur des cahiers d'écolier d'une écriture de fonctionnaire borné, le journal intime de Nicolas II tenu jusqu'à quelques heures avant son assassinat. Puis, pour Francesco, la correspondance de Victor-Emmanuel III d'Italie et de Nicolas II. Elle me montre les lettres de ma grand-mère où il est fait allusion à un possible mariage entre mon père et la grande-duchesse Olga, aînée du dernier tsar.

Enfin nous attaquons le travail « sérieux », c'est-à-dire les albums de photos de la famille impériale, que vient de lâcher le KGB assis dessus depuis la révolution. Nous revenons à 16 heures plutôt titubants pour déjeuner dans ma suite de caviar arrosé de Coca-Cola chaud. Mon café grec a été réchauffé par la gardienne de l'étage. Malheureusement, il sent le poisson comme l'eau minérale dans laquelle elle l'a fait bouillir. Puis nous continuons dans les albums. Francesco et moi, nous choisissons à toute vitesse des photos, avec l'« assistance » de Tatiana Feodorovna, la script-girl qui a déniché les documentaires sur Nicolas II et les albums. Elle est prétentieuse, dogmatique, bornée, bavarde, folle de Francesco et parfaitement insensible à mon charme.

Nous avons décidé, Francesco et moi, de nous concentrer sur les albums privés de Nicolas II. Les autres photos n'attireraient pas un aussi large public. Quant aux archives, bien qu'inépuisables, inédites, passionnantes, elles sont réservées aux spécialistes. Même programme chaque jour, hôtel Ukrenia, Archives nationales. Archives nationales, hôtel Ukrenia. Grâce à mes bons soins, « Madame Bas-Bleu » se détend. Elle en est même arrivée à esquisser un sourire. Sur le chemin, nous faisons le détour par Arbat pour arpenter la rue des marchands des quatre saisons, truffée de filous, de détrousseurs de bourses et de mendiants tsiganes. Un ami russe nous emmène dîner dans un restaurant géorgien qui ne vaut vraiment pas le déplacement sauf qu'en face, à peine éclairé, se dresse entre les troncs dépouillés le fameux monastère de Novodevichi. Un conte de fées de remparts, de coupoles dorées, de clochers colorés transparaît faiblement dans la luminosité de la nuit. Nous parlons comme toujours de l'âme russe, du caractère russe. En fait, avec le Russe, ça commence toujours bien, c'est-à-dire dans une espèce d'Orient familier. On retrouve les caprices, la loufoquerie, les bakchichs, mais derrière cela un certain ordre. Puis, soudain, ça dévie et ça aboutit à ce que son humeur gouverne en maître absolu le Russe, c'est-à-dire qu'il devient ingouvernable. Russe incernable, Russe imprévisible. Tantôt il est incroyablement méfiant, tantôt il bascule dans la plus extrême confiance. J'aurais pu voler toutes les archives, personne n'y aurait rien vu car on nous a laissés seuls tripoter les albums impériaux, et lorsque je vais faire du charme au directeur général et à son assistante, la voluptueuse Tatiana Feodorovna, tous les deux m'assurent que désormais j'ai à ma disposition… les trois cents millions de dossiers qu'ils couvrent. Une fois de plus, grâce à ma grand-mère Olga le sésame s'est ouvert.

En travaillant aux Archives nationales, j'ai affaire à des dames timides qui gagnent trente dollars par mois mais qui savent absolument tout sur tout, en plus d'être la courtoisie et la gentillesse mêmes. Par le truchement d'un interprète, nous discutons de nombreux points sur l'histoire des Romanov. L'une d'elles, en passant, mentionne « les quatre frères de votre grand-mère la reine Olga. » « Pardonnez-moi de vous contredire, mais ma grand-mère n'a eu que trois frères : Constantin, Dimitri et Vsevolod. » « C'est moi qui regrette de vous contredire, mais elle en a eu quatre. » « Peut-être un enfant mort en bas âge » « Pas du tout, un homme qui a vécu jusqu'à soixante ans passés. » Elle n'en sait pas plus, et j'écarte cette possibilité. Je connais tous les membres de ma famille proche, il est donc impossible que j'ignore l'existence d'un grand-oncle qui serait mort sexagénaire. La dame a dû se tromper pour une fois.

Dix ans plus tôt, un ami m'avait demandé si je voulais rencontrer une cousine Romanov qui habitait Moscou. « Elle vient de s'y installer ? » « Pas du tout, elle y a toujours vécu. » « Alors c'est une fausse. Imaginez-vous un membre de la famille impériale habitant à Moscou sous Staline. » Les Russes, même du temps du communisme, raffolaient tellement de leur ancienne dynastie qu'il était fort possible que les faux grands-ducs et grandes-duchesses se soient multipliés pour un public tenu dans l'ignorance. J'avais éludé sa proposition.

Cependant, l'idée d'un grand-oncle inconnu me trottait dans la tête. Et lorsque je rencontrai l'autorité en la matière, Nicolas de Russie, je l'interrogeai. Il prit son temps avant de me répondre avec gravité : « Effectivement, ta grand-mère a eu quatre frères. » « Comment est-ce possible que j'ai ignoré celui-là ? » « C'était l'aîné, Nicolas. Mais un effroyable scandale l'a jeté hors de la famille. »

Je demande aussitôt à Nicolas de m'en conter plus. Il me mène dans un bureau où sur son ordinateur il garde tout ce qui a été publié sur chaque membre de la famille impériale depuis le début du XIXe siècle. Il tape le nom Nicolaï Constantinovitch et, effectivement, des extraits de mémoires, des articles de journaux, des lettres photocopiées apparaissent. Ce très beau prince, intelligent et doué, était aussi un mauvais garçon. Pour entretenir sa maîtresse américaine, il aurait volé des diamants incrustés sur des icônes de sa mère. Pour ce crime il avait été exilé dans la région la plus lointaine et la plus désolée de Russie, à Tachkent.

Puisque l'impossible devient possible, je demande dans la foulée à mon cousin Nicolas si nous n'avons pas une cousine qui aurait vécu toute sa vie à Moscou. « J'en avais entendu parler. » « Mais qui est-elle ? » « Justement, elle serait la petite-fille de Nicolaï Constantinovitch. » Nicolas l'a rencontrée une seule fois, lors de la translation des restes de Nicolas II et de sa famille dans la forteresse de Pierre-et-Paul à Saint-Pétersbourg. « C'est toi qui l'avais invitée, Nicolas ? » « Non, c'était Eltsine en personne. » En fait, Nicolas n'était pas très sûr de l'identité de cette parente tombée du ciel, et l'a traitée en conséquence. Rentré chez moi, je décide incontinent d'écrire la biographie de ce grand-oncle jusqu'alors inconnu. Je me précipite dans mes vieux albums de photos. J'y retrouve nombre d'effigies de ma grand-mère, la reine Olga, et de ses frères et sœur. Mais chaque fois, puisque j'ignorais jusqu'à son existence, j'avais mal identifié Nicolas, le prenant pour un de ses frères. La curiosité est trop forte et je cours à Moscou rencontrer l'énigmatique cousine qui serait sa petite-fille.

En cette fin 1999, on enfile toute la perspective Koutouzov presque jusqu'au bout, là où les champs et les vergers alternent avec des rangs désespérants de HLM hideux. On tournicote au milieu de ceux qui sont terminés et ceux qui sont en construction, car il y a beau y avoir une crise ici, ça construit partout à une allure affolante, et on arrive devant le HLM le plus décati. Des babouchkas édentées mais l'œil galopeur nous attendent, et au milieu d'elles, je la distingue instantanément, la cousine Talya. Son pantalon noir est innommable, ses chaussures tout autant, mais le corsage de soie bleue dénote la coquetterie, les yeux bleus ont une beauté, une vivacité, un éclat incomparables. La coiffure est impeccable. Au début, elle est nerveuse, excitée, presque hostile, elle hurle des ordres, des reproches à son entourage. L'accompagnent une jeune journaliste qui parle anglais et le chien Malec. Nous nous enfournons dans l'ascenseur, nous montons au septième, puis nous entrons dans un deux pièces. C'est le désordre russe, des piles de magazines tous consacrés à cousine Talya, des cassettes de toutes les télévisions du monde la représentant, un entassement de bibelots sans valeur, de tableaux, dont un admirable portrait d'elle des années trente, de très rares photos de sa famille, un arbre d'appartement dix fois trop grand pour la minuscule pièce de séjour. On s'installe autour de la table après des discussions protocolaires interminables. Talya fait servir le thé. Le thé, c'est l'alcool de cerises fait maison à tuer les vivants, une bouteille de sauternes et une bouteille de bordeaux, des pâtés confectionnés par Talya elle-même, paraît-il admirable cuisinière, des gâteaux, un banquet à 17 heures, et un banquet diablement arrosé. Avec l'alcool et le temps, Talya se radoucit. Elle écoute ce que je lui dis, et soudain elle part dans des anecdotes, toutes plus drôles les unes que les autres. Elle se met à rire, ses yeux brillent. Je crois que j'ai gagné la partie, surtout lorsque je lui dis que loin d'accabler son grand-père Nicolaï Constantinovitch, je suis venu le réhabiliter. Cette femme de quatre-vingt-deux ans a une énergie, une beauté, une vitalité, que les souffrances, les os brisés, les béquilles, l'âge, la pauvreté, les épreuves n'ont même pas effleurées. C'est aussi un peu une ogresse, et beaucoup un colonel en chef d'un régiment de la garde. Elle me rappelle sa cousine Vera Constantinovna avec cette autorité, cette domination naturelle sur tout, sur tous, même sur la vie et ses difficultés. Elle en sait peu sur son grand-père Nicolaï Constantinovitch qui a à peine eu le temps de la tenir sur les fonts baptismaux, mais sa vie est un roman picaresque qu'elle raconte avec brio. Pendant qu'elle parle, le téléphone ne cesse de sonner. Elle répond d'une voix abrupte digne d'une royauté allemande. Sa porte jamais fermée à clé s'ouvre tous les quarts d'heure sur des enfants, maigres et beaux, qui viennent promener Malec, le chien. C'est la progéniture d'une ivrogne, sa voisine, dont Talya est devenue en quelque sorte la grand-mère. Nous sortons de là laminés par la puissance de sa personnalité et éblouis. Mon dernier compliment est de lui dire que je la trouve très séduisante et je suis sincère.

Princesse, elle l'est, une véritable, que le côté bourgeois allemand des royautés du XIXe siècle n'a en rien gâté. Princesse, elle l'est dans son gourbi aussi bien qu'elle le serait dans un palais impérial. Elle est d'autant plus bouleversante qu'elle ne se plaint de rien, que l'argent ne l'intéresse pas, que les épreuves innombrables n'ont pas altéré le rire avec lequel elle aborde la vie. C'est un personnage extraordinaire, une femme invraisemblablement courageuse digne de nos ancêtres.

Je me suis tout de même un peu avancé en jurant à Talya que je voulais réhabiliter son grand-père. Et si celui-ci avait vraiment été coupable ? Pourtant, je n'arrivais pas à y croire. Tout simplement parce que Nicolaï Constantinovitch avait été loin d'être un crétin. Pourquoi aller prendre le bijou le plus ostentatoire et le plus visible, les icônes accrochées au-dessus du lit de sa mère, alors qu'il disposait de l'apanage impérial et que n'importe qui aurait été trop content de lui prêter de l'argent ? Tout cela sent le coup monté. Mais en dehors de Nicolaï, c'est à sa petite-fille que je pense, et au livre que j'aimerais écrire sur elle.

Son existence tient du roman. Après des péripéties invraisemblables, elle est devenue artiste de cirque. Elle était la grande vedette d'un spectacle de motocyclettes. Sur son engin, elle montait et descendait un mur droit. Elle se produisait partout, elle était partout acclamée, les dangers auxquels elle s'exposait étant relevés par son extraordinaire beauté. Les photos la montraient comme une sorte de Marlene Dietrich russe. Son triomphe et le faux nom qu'elle utilisait l'avaient mise à l'abri du KGB. Pendant la guerre, elle s'était faite camionneur pour porter au front la nourriture quotidienne des soldats. Elle avait organisé des équipes de pompiers volontaires pour éteindre les ravages des bombes incendiaires lancées par les Allemands. Elle avait reçu sous les bombardements tout ce que l'intelligentsia anticommuniste comptait de célébrités. Bref, elle avait mené une vie trépidante et n'avait reculé devant rien. Je me promets de revenir en septembre pour enregistrer ses mémoires. À la fin de l'été, on me prévient que Talya a disparu. Cela lui arrive, elle part parfois toute seule en vacances sans rien dire à personne, gardant intact son esprit d'indépendance. Une semaine après, on la retrouve dans un hôpital, morte d'une attaque de cœur. Elle était ainsi partie, toute seule, comme elle avait toujours vécu. Cela me détermine encore plus à écrire la biographie de son grand-père le grand-duc Nicolaï Constantinovitch pour le réhabiliter.

17

Aventures diverses

Alors que j'habitais New York, les royautés que j'avais quittées en Europe s'étaient rappelées à mon bon souvenir. Le 7 février 1981, la lecture du *New York Times* m'avait fait bondir hors de mon lit. La veille au soir à Madrid la reine Frederika était morte d'un arrêt du cœur après une opération de rien du tout. Apprenant la nouvelle, je dois confesser que j'avais reçu un choc. Cette femme avait tant marqué une période de ma vie que sa disparition me frappait.

Je m'envole pour la Grèce et je m'enferme dans notre maison de Maroussi qu'entretemps nous avons louée à la représentation diplomatique danoise.

Le lendemain vers 10 heures et demie du matin, mon ancien butler Michali, qui a sans façon emprunté la voiture de son nouvel employeur, l'ambassadeur du Danemark, et moi arrivons au premier barrage de police sur la route de Tatoï où a lieu l'enterrement. Il y a encore trois ou quatre autres arrêts, ces messieurs étant d'ailleurs d'une excessive politesse. Des milliers de policiers, de soldats, de chevaux de frise, des tanks légers, un garde derrière chaque buisson, toute la région est bloquée pour éviter les déferlements de royalistes. Derrière les grilles de l'aéroport militaire de Tatoï, il y a déjà deux cents manifestants. Dans les bureaux rustiques de l'aéroport hâtivement transformés en salle d'attente, je trouve des ambassadeurs, les anciens fonctionnaires de la Cour, le ministre des Affaires étrangères, Mitsotakis, et les indispensables popes. Je bavarde aimablement avec tous. Arrive l'avion d'Albert de Belgique, puis celui de Juliana de Hollande, l'ambassadeur d'Angleterre descend d'une énorme Rolls-Royce et attend hautainement les hommages. À 12 h 50 l'avion de l'Olympic Airways amenant la famille royale grecque atterrit. La porte de la carlingue s'ouvre. Apparaît le roi Constantin, ravagé, verdâtre, les yeux gonflés, des poches immenses sous les yeux. Il descend, s'agenouille et baise le sol. Le reste de la famille le suit. Salutations et petite attente sur place. Le roi remercie les officiers d'aviation. Certains ne peuvent s'empêcher de saluer militairement, d'autres prennent soin de s'en garder. Le cortège de voitures se forme. Dans la mienne m'accompagnent tante Catherine de Grèce, la sœur cadette du roi Paul, et Nursey, la gouvernante du roi Constantin et de ses sœurs Sophie et Irène.

À peine franchies les grilles de l'aéroport, le cauchemar commence. Les journaux diront qu'il y avait mille à deux mille manifestants royalistes. Ils sont venus à pied par les montagnes. La police les laisse se précipiter sur les voitures, arrêter le cortège, hurler des slogans, taper joyeusement sur les carrosseries. Les voitures parviennent à repartir très lentement. Les manifestants ne les lâchent pas pour autant. Ils sont devant, à côté, derrière. Les trois voitures, transportant le cercueil, le roi et sa famille, Sophie et la sienne, sont devenues invisibles sous le grouillement humain. Nous mettons une heure trois quarts à faire deux kilomètres et demi. Sous un soleil de plomb, on étouffe dans la voiture mais nous n'osons ouvrir les fenêtres de peur d'être arrachés par les mains tendues. Entourés que nous sommes par la foule hurlante, je ne vois rien. Plusieurs voitures du cortège prennent feu – j'entends hurler « Vite ! Un extincteur ! », je crois que c'est la voiture de Sophie – et sont abandonnées sur le bord de la route. Il y a autour de nous, dans les champs, sous les arbres, des milliers et des milliers de policiers qui ne bougent pas, ne font pas un geste pour nous dégager – sont-ce les instructions du gouvernement ou leur sympathie pour les manifestants ? – et nous regardent défiler avec ébahissement. Passe un motard. J'entends sur sa radio que les autres cortèges sont aussi complètement bloqués par la foule. Une Mercedes tente de nous dépasser, menaçant d'écraser vingt loyaux Grecs. C'est le ministre de la Présidence, Stephanopoulos, délégué par le gouvernement à l'enterrement. J'entends l'atroce souhait des manifestants en le voyant passer : « Et au bon vôtre, monsieur le ministre. » Une autre Mercedes nous dépasse à ma fureur. C'est l'archevêque d'Athènes, Mgr Serafim. Les manifestants se penchent pour voir de qui il s'agit, le reconnaissent et reculent avec dégoût. « Fous le camp ! Ouste ! Dehors les popes ! » Près de la ferme royale, le roi Constantin est forcé de descendre de voiture – le cortège est paralysé par la foule. Il attrape un porte-voix et supplie qu'on dégage le chemin.

En bas de la chapelle nous tâchons de nous extirper de nos voitures. C'est le pire moment. Les manifestants qui nous suivent depuis l'aéroport à la vue du roi perdent toute mesure. Ce sont des hurlements de bêtes, les slogans monarchistes, d'ignobles injures contre Karamanlis, les ministres, « les traîtres, les judas, les vendus ». C'est l'hystérie hideuse et carnassière. Les manifestants nous poussent, nous bousculent, nous écrasent. Coups de poing, coups de pied, coup de coude. Mes deux vieilles dames sont terrorisées. Poussé, propulsé, j'arrive sans savoir comment sur le parvis de la chapelle. J'aperçois, dans la foule délirante, angoissés et terrifiés, Philip d'Édimbourg, vert pâle, Henri de Danemark, crispé, Juan Carlos d'Espagne, exaspéré. Le roi Constantin, du haut des marches, nous attrape un par un, nous tire de toutes ses forces et nous pousse dans la chapelle. Je reconnais l'infante Margarita et son mari, les frères et les neveux de la reine Frederika, ma nièce la princesse Windisch-Graetz (Dorothée de Hesse), si jeune et si belle que je la prends pour sa cadette Clarica. Venus par la porte ouverte, les hurlements de la foule couvrent les grandioses chants byzantins. Il fait, dans la chapelle minuscule encombrée de gens et de cierges, une chaleur de four. Heureusement l'archevêque d'Athènes officie vite. Sur le cercueil est posée la grande couronne en or du roi Othon que je croyais oubliée dans la chambre forte du Palais. Des manifestants ont réussi à rester dans la chapelle, des jeunes mêlés sans façon ni complexe aux royautés suivent avec affection la cérémonie.

À la sortie, la bousculade recommence encore pire. Hurlements hystériques, voix déformées par l'adoration ou la haine, bouches grandes ouvertes sur des cris monstrueux, coups de coude, tangage du cortège. On me dit que le cercueil a été dérobé et se promène d'épaules en épaules. Soutenant Nursey, plus morte que vive, avec Juan Carlos, nous arrivons devant la tombe. Impossible de bouger, impossible de voir ce qui se passe. J'aperçois sous un pin quelques épaves de la Cour, plus loin dominant la foule de sa haute taille mon cousin Wurtemberg, puis sa femme, ma cousine chérie Diane de France, sa sœur Anne, Carlos de Calabre, Amédée d'Aoste. Pas un instant durant l'enterrement proprement dit la foule n'arrête de hurler, de chanter, de pousser, de bousculer. Il y a de quoi ahurir et donner le vertige aux plus endurcis. Le cercueil descend en terre et le potin infernal continue.

C'est une débandade de royautés, maintenant excédées. Nous nous précipitons vers les voitures, à travers la forêt. Arrivés à l'aéroport tant bien que mal, nous attendons longtemps. Enfin le serpent de limousines noires débouche en bout de piste. Le roi Constantin est allé avec les siens visiter sa maison. Lui-même et Sophie d'Espagne me disent que tout est resté en place au point d'en être fantomatique, les robes d'enfant d'Alexia dans l'armoire, le parfum d'Anne-Marie sur la table, les cadres à photos sur le bureau du roi Paul. Les adieux sont écourtés – pas un mot de trop, pas une larme ni un geste mais les gorges sont nouées, l'exil pour qui que ce soit est la plus pénible des restrictions. Le roi grimpe l'échelle, nous salue, la porte se referme, l'avion décolle.

Il y a dans la vie des périodes fastes et des périodes néfastes, dont on peut croire qu'elles ne sont pas fortuites mais dont on ne comprend pas toujours les raisons. Ainsi débute une période néfaste. En cet été 1993 nous passons nos vacances dans une maison louée en l'île de Patmos. Le 10 août les médias grecs annoncent le brusque retour du roi Constantin et de sa famille au pays. Ils ont débarqué à l'aéroport de Salonique en deux avions privés et se sont aussitôt embarqués sur un yacht de louage. Ils mettent fin ainsi à vingt-six ans d'exil... sans loi d'exil puisqu'il n'y en a jamais eu d'écrite et de votée au Parlement. Il a fort bien fait de revenir au pays et surtout de choisir cette période vacancière où son retour paraît tout à fait naturel. Il veut montrer à ses enfants les frontières que ceux-ci ne connaissent point, il est reçu dans certaines églises et monastères avec les honneurs. Très vite, sa présence prend un caractère politique. Tous les partis à l'unisson se déchaînent contre son activité. Il le comprend aussitôt et désormais il évite de visiter les lieux qui peuvent susciter une controverse, se contentant de plages à la mode où d'îlots déserts. C'est cependant trop tard, la tempête ne se calme pas, qui le force à écourter son séjour.

Bientôt, les élections portent au pouvoir Andréas Papandréou. Fils du vieux Georges Papandréou que le roi Constantin avait démissionné en 1965, il avait été lui-même impliqué dans le complot paramilitaire dit de *l'Aspida*. C'est dire qu'il ne porte pas mon cousin dans son cœur. Aussitôt, il fait voter au Parlement une loi qui confisque toute la fortune terrienne du roi Constantin et des siens. Cette même loi arrache à tous les membres de la famille royale leur nom, leur nationalité, leurs papiers d'identité. Nous n'avons jamais été grecs, paraît-il. Donc il est bien normal que nous perdions cette nationalité faussement attribuée et les avantages qui en découlent. « Ça me donne envie de vomir », me dit au téléphone un ami. Pour me calmer, je me rue sur un bloody mary, mais la rage me fait à ce point trembler que, voulant décapiter un citron, je me coupe le doigt presque à l'os. Comme je m'étonne tout de même d'une bassesse et d'une ânerie à ce point poussées, Marina m'explique la subjectivité de Papandréou qui, exaspéré par le retour intempestif de Constantin, a senti remonter de vieilles rancœurs.

Marina, mes enfants et moi, nous perdons nos passeports, notre nationalité, nous n'avons plus ni nom ni identité. Solidaire de ma famille pendant plusieurs années je m'abstiens, ainsi que mes enfants, de mettre les pieds en Grèce plutôt que d'en être véritablement empêché. Années pendant lesquelles mon exaspération accrue par un sentiment d'injustice le dispute à la tristesse. Dans le désarroi où je me trouve et les problèmes où les miens et moi nageons, je reçois une aide précieuse d'un personnage que jusqu'alors je connaissais à peine. Grâce au prince Rainier de Monaco, nous pouvons voyager sans problème. C'est un personnage d'une dimension assez exceptionnelle. Chaleureux, généreux, colérique, un caractère bien trempé, une personnalité parfois explosive, intelligent, il n'hésite pas à utiliser l'argot et même un vocabulaire qui me rappelle les écarts de langage des royautés d'autrefois. Il m'invite parfois en tête à tête à déjeuner et je dois dire que je me suis infiniment amusé avec lui. Il a l'œil à tout, il sait tout et personne n'a jamais réussi à le tromper. Il est aussi fort courtois, répondant lui-même par lettre à la main. Je n'oublierai jamais l'aide qu'il nous a apportée.

En marge de mes livres, je me lance dans le journalisme. J'écris des articles pour *House & Garden*, pour *Architectural Digest*. Je me risque même dans des interviews que je fais pour le *Figaro Madame*, pour *Parade*, ce supplément dominical publié dans quatre-vingt-dix journaux américains et tiré à 35 millions d'exemplaires. J'ai déjà interviewé l'impératrice Farah puis grâce à elle Mme Sadate.

Je veux alors interviewer une légende de la politique, Margaret Thatcher. Le chef de son secrétariat, Charles Powell, et sa femme Carla, des amis fidèles, s'entremettent. À 17 heures, la Bentley de location m'emmène dans les encombrements londoniens et sous une pluie battante toute britannique au 10 Downing Street. À l'entrée de la ruelle fameuse, un policier aimable nous arrête. Je donne mon nom. « Bien sûr ! Vous êtes attendu. Passez. » Ni vérification, ni papiers d'identité. La toute petite maison semble enfoncée par les bâtiments qui la dominent. La modeste porte s'ouvre sur un autre policier souriant. Une entrée plutôt exiguë. Un « chasseur » me guide par un long couloir peu éclairé jusqu'à un petit salon d'attente, genre grand avocat bon genre. Il règne un calme extraordinaire et un silence inattendu. Ni sonnerie, ni téléphone, ni portes qui claquent, ni sous-fifres galopant dans les escaliers. Suis-je dans le centre nerveux d'une grande nation ou dans le palais de la Belle au bois dormant ? Notre ami Charles Powell, un des deux collaborateurs les plus proches de Thatcher, vient m'annoncer que les alliés de Kadhafi ont exécuté quatre otages anglais au Liban et m'emmène au premier étage par le degré principal, digne d'un escalier de service de bonne maison.

Là-haut, j'ai la surprise de pénétrer dans une enfilade de salons très vastes et somptueux. Meubles dorés XVIIIe anglais de première qualité, miroirs tarabiscotés, gros lustres scintillant de cristaux. Sur les murs tendus de damas, bleu pâle, jaune, blanc, s'étalent les portraits de prédécesseurs et de grands défunts – Nelson, Wellington, plus Reynolds, Lawrence, Raeburn, Romney, mêlés à des Turner et à un beau Van Dyck. Le tout autoritairement emprunté aux musées par la Dame des lieux. Rien qui rappelle une maison de ville. Rien non plus qui évoque un hôtel comme les palais gouvernementaux par moi visités tel l'Élysée dont les hôtes ne font que passer. Je me crois dans le château d'un duc richissime. Downing Street donne l'impression d'une maison vécue et aimée. Carla Powell me confiera que Thatcher passe son temps à accrocher et décrocher les tableaux. Je me sens paralysé par le trac, je redoute de rencontrer cette dame impérieuse, exigeante. Le temps qui m'est donné ne me laisse pas l'opportunité de tenter de la charmer et la crise libanaise ne la prédispose pas à une interview-portrait... Vingt fois déjà j'ai craint que le rendez-vous ne soit décommandé à cause de la situation. Elle entre, plutôt petite mais bien proportionnée, habillée dans ce genre de faux Chanel britannique qui est devenu son style, mais surtout délicieusement soignée. Elle s'excuse de son retard de deux minutes, prend place dans le fauteuil préparé pour la photo, prend docilement les poses dictées par le photographe, puis me mène dans son bureau, une pièce de moyenne taille, sans la moindre prétention, avec quelques jolis tableaux sur un papier mural blanc qu'elle a payé de ses deniers. Ni piles de dossiers, ni multiplication d'appareils téléphoniques, ni objets ou cadres personnels. Cette pièce de travail respire paradoxalement l'impersonnalité.

L'attaché de presse met le magnétophone en marche. Il m'a auparavant donné les réponses écrites aux questions que j'ai soumises. Ce que je veux, c'est la touche personnelle et je le dis à Mme Thatcher. Alors elle se met à parler… Elle arrive des Communes où elle a subi une des plus violentes et vicieuses attaques de sa carrière. Elle paraît sortir d'un bain de lait où elle aurait trempoté pendant des heures. Elle attend Hussein de Jordanie, pas un instant elle ne regarde sa montre ou ne paraît pressée. Elle se débat dans une crise gravissime. Elle semble n'avoir rien d'autre à faire que parler de sa jeunesse et de son emploi du temps. D'emblée elle a à cœur de me mettre à l'aise et elle y réussit. Une extraordinaire facilité, une aisance souveraine dans la parole, elle dégage par-dessus tout un calme communicatif qui s'étend à ses collaborateurs, à sa demeure. Un charme non pas jeté à la tête de l'interlocuteur mais insinuant, prenant. Beaucoup de féminité : elle est sensible aux hommes de toute évidence. Cette inébranlable volonté, cette invraisemblable énergie se couvrent naturellement d'une enveloppe et d'une approche éminemment féminines.

Deux mots cependant n'existent pas dans son vocabulaire, le doute et la relaxation. Elle fonce, avec au cœur sa conviction que rien ni personne au monde ne peut lézarder et dont je n'ose pas lui demander où elle la puise. Elle a une telle vocation pour la politique, me dit-elle, elle raffole à ce point de son métier qu'elle n'éprouve jamais le besoin de s'en distraire. Sa simplicité, sa frugalité sont si frappantes qu'on pourrait y chercher l'affectation. Elles ne sont pourtant que nature mais sa position en fait un grand style. Je ne serais cependant pas étonné d'apprendre qu'elle est secrètement fascinée par tout ce qui touche aux royautés, à l'aristocratie. En fait, je pense qu'elle est avant tout une « *housewife* » dont la « *house* » serait l'Angleterre. Elle me congédie avec la même extrême courtoisie innée. Le roi de Jordanie étant déjà dans la baraque, l'attaché de presse me fait jouer à cache-cache avec sa procession, ce qui donne le loisir d'admirer salles à manger, salons et tableaux.

De là, je cours tout raconter à Carla Powell, en sa maisonnette de South Kensington. Elle m'abreuve de champagne et avec son exubérance italienne me décrit la patronne de son mari. Margaret Thatcher a su créer une dévotion à tout crin parmi ses collaborateurs, payés des salaires de misère. Elle fait montre envers eux et leur famille d'une considération touchante. Pompes et personnel nombreux étant réservés aux appartements officiels de Downing Street, elle vit au second étage dénué du moindre luxe et sans le chercher. Elle n'a qu'une femme de ménage trois heures par jour et fait elle-même la cuisine. Le soir, elle prépare son frichti pour elle et ses collaborateurs pendant que ceux-ci peaufinent ses discours sur la table de la cuisine. Aussi n'invite-t-elle personne chez elle, là-haut, car elle ne juge pas avoir l'appareil digne pour recevoir. Chacun sait qu'elle ne touche pas l'intégralité de son salaire – pourtant modeste – parce qu'elle n'en a pas besoin pour couvrir ses frais personnels. Margaret Thatcher m'a comblé car, dans ce monde de politiciens qui ont perdu leur qualité, elle est une des seules à susciter mon enthousiasme.

Après ce succès, j'éprouvai un revers cuisant. Vendredi 21 avril 1989, à 15 h 30, j'arrive à l'entrée des studios Pontini situés sur l'antique via Pontina, à une vingtaine de kilomètres de Rome. Une subite éclaircie chasse les nuages de cette journée d'avril où il n'a cessé de pleuvoir dru. Une foule se presse à la grille. Je comprends qu'il s'agit de figurants que les gardes filtrent au compte-gouttes. Passé le barrage, je découvre des terrains immenses et vagues où se dressent divers bâtiments qui semblent abandonnés, entre lesquels circule rapidement un monde hétéroclite. À la Direction je dois errer longuement dans les couloirs avant de dénicher une secrétaire charmante, et un attaché de presse fort empressé. Ils m'emmènent jusqu'au plateau situé en plein champ où Fellini commence à tourner *La Voce della luna*.

Pourquoi ai-je voulu interviewer Fellini ? Parce que depuis toujours il est mon préféré. Parce que je lui voue une admiration sans bornes. La diversité des sujets qu'il aborde, des genres qu'il explore, étend chaque fois le registre infini de ses réalisations. Et pourtant, ses œuvres si diverses sont toutes liées par le génie sans égal de l'image qui fait de chacun de ses films un album chatoyant, somptueux, électrisant. Dans ce baroque échevelé, la caricature n'atteint jamais la méchanceté et l'ironie évite toujours le grinçant. Même dans les plus grandes outrances, il se niche une profonde tendresse car partout il y a la connaissance, la compréhension de l'humain, certainement édifiées sur une sincère philosophie alimentée par les lectures les plus poussées. Dans sa fantaisie débridée, sublime et émouvante, Fellini montre ce qu'on n'ose rêver de voir. Dans ses suites de scènes apparemment décousues, il y a toujours un fil conducteur et une signification que le spectateur poursuit d'éblouissement en éblouissement. Les trouve-t-il ou pas, il sort de la salle de cinéma avec au fond de sa mémoire et de son cœur, gravées, des images inoubliables.

On cancane souvent sur les ennuis financiers des productions de Fellini, sur les fabuleuses dépenses qu'entraîne chacun de ses films. C'est tout simplement parce que, en tout comme en chaque détail, il exige la perfection. Il est l'un des derniers, sinon le dernier, de cette prodigieuse génération désormais moribonde des géants du cinéma comme des autres arts ou de la politique, une personnalité d'une dimension exceptionnelle, un talent d'une envergure écrasante. Depuis longtemps, je souhaite, j'espère le rencontrer. Des connaissances me le décrivent abordable, affable et disert. Seulement il m'intimide, et dans une fortuite rencontre « amicale », je n'aurais su quoi lui dire. Aussi, je choisis la voie de l'interview, la pire en ce cas.

Nous arrivons sur le plateau sillonné de figurants et de techniciens. A été reconstituée la place d'un modeste village de la province d'Émilie où doit avoir lieu, selon une ancienne tradition, l'élection annuelle du roi et de la reine du Gnocchi. On me conduit vers un coin du décor, où est solitairement assis Fellini, anorak vert et chapeau en tweed enfoncé jusqu'aux lunettes. Il se lève pour m'accueillir. Imposant sans être excessivement grand, il y a une certaine lenteur voulue, quelque chose de mesuré dans ses gestes, dans ses pas. Les yeux bruns se posent sur moi que déjà ils sont portés à droite, à gauche, surveillant ici ou là. Sa courtoisie me surprend par sa délicatesse. Il me présente aux membres de son état-major qui vont et viennent et répond aux questions de ses aides de camp.

« Comment dois-je vous appeler ? Majesté ? me dit-il en se tournant brusquement vers moi.

– Michel suffira. »

L'anxiété me saisit, je ne vois pas quand ni comment commencer l'interview. Dieu sait qu'elle a été ardue à obtenir. Pendant six mois, elle a été fixée, décommandée, promise, remise. Ces épreuves initiatiques m'ont fait croire que je courais après la plus grande star du siècle, et peut-être l'est-il. Dans les interviews de lui que j'ai lues, j'ai remarqué que les journalistes parlaient beaucoup plus que lui, ce qui me paraissait un fort mauvais signe, et son attaché de presse de me le confirmer : « Le secret de votre réussite, ce serait que, pour une fois, ce soit lui qui parle dans une interview. » Très bien mais comment ? Fellini continue de me présenter tel ou tel de ses collaborateurs et s'excuse d'avoir à régler telle ou telle question. Sous sa courtoisie, je découvre une désinvolture à laquelle ne m'ont pas habitué les grands de ce monde qui, une fois l'entretien accordé, se montrent la considération même. Fellini me met abominablement mal à l'aise, ce qu'aucun de mes interviewés n'a jamais fait.

Comme d'habitude, Fellini a inventé jusqu'au moindre détail le décor et a veillé à son exécution, multipliant les esquisses à l'intention de son scénographe, l'illustre Ferretti. Un château médiéval, un hôtel 1900, un immeuble en béton, bon marché et défigurant, un café mussolinien, une église hideuse et ultramoderne devant les ruines gothiques de l'ancienne entourent la tente-estrade où seront élus les souverains de la fête. Chaque élément porte trace des fantasmes de Fellini, époque fasciste, Église catholique, modernisme, comme d'autres rappellent ses obsessions, les innombrables antennes de télévision qui hérissent chaque toit et la multiplication des véhicules qui encombrent la pauvre place. Parmi les spectateurs venus des villages avoisinants, scintillent les candidates, « princesses farine » qui ont fait des efforts d'habillement touchants autant que criards. Tel un reliquat des vieux films de Fellini, une punk presque naine et cinquantenaire. Arrivant, fendant la foule, les héros de la fête, le roi et la reine, deux gnocchis d'où émerge seulement une tête portant couronne dorée. Fellini, bien entendu, a son idée, il sait ce qu'il va demander à ses techniciens et faire faire à ses acteurs, à tous ses figurants, mais il est le seul, car eux l'ignorent. Selon son habitude, il ne l'a communiqué à quiconque, et indiscutablement cette incertitude pimente l'atmosphère. Il est revenu dans ma direction et se tient debout, sur le trottoir de plâtre. C'est le moment où jamais. Il me faut l'attraper avant qu'il reparte.

« Comment concevez-vous vos films ? Les voyez-vous d'avance se dérouler en entier ou improvisez-vous ?

– Mais comment, tout est pensé, prévu, rien n'est laissé au hasard. Il y a des mois de préparation. »

Sa réponse semble une protestation mais je crois tout simplement à une façon de s'exprimer.

« Vous avez vraiment prévu jusqu'au moindre détail de vos films, vous n'improvisez rien sur le moment ?

– Il y a un moment où le film se met à nous diriger. C'est comme la vie. »

Il s'est adouci pour faire cette remarque.

« Le mariage par exemple.

– Pourquoi un film se met à vous diriger ? »

Il n'écoute pas ma question.

« En somme, je fais de la spontanéité contrôlée.

– Y a-t-il aussi plusieurs idées dans une sorte de frigidaire qui attendent le moment de se réaliser ? »

Son agacement est presque palpable. Il fait un geste comme pour chasser une mouche. Les mots se bousculent.

« Mais comment ! Bien sûr que je garde plusieurs idées... Quand je les réalise ? Ça dépend. »

Bien qu'il me paraisse de plus en plus énervé, il me faut continuer.

« Que faites-vous lorsque vous ne réalisez pas un film ?

– Je pense au prochain film, je le conçois, je l'imagine, je travaille dessus. En fait je n'arrête jamais, je n'ai pas de hobbies.

– Justement, je voulais vous... »

Il ne me laisse pas le temps de placer ma question.

« Je n'ai pas de hobbies, je n'aime pas les voyages... Chaque film est un voyage.

– Pour les autres, certes, mais pour vous ?

– Pour moi surtout, un voyage dans le passé, dans le futur, dans des pays, dans des milieux, dans des couleurs, je n'ai pas besoin de bouger, la vie, l'imprévu vient à moi, par exemple, aujourd'hui, je reçois le prince Michel de Grèce. »

Les films de Fellini, ce sont d'abord et avant tout des visages. Les mots, le dialogue ont une importance mineure. Par contre, la tonalité des voix est importante, d'où cette précaution. « Coupez. » Une deuxième fois, une troisième fois. La scène est finie. Après une préparation infinie, exécution rapidissime : méthode Fellini Le film ne prendra que vingt semaines à être achevé. J'imagine qu'il va descendre de l'autobus et venir sur le trottoir où je l'attends toujours. Mais non. Tout de suite, il prépare la scène suivante, la même que la précédente, mais tournée de l'autre côté de l'autobus.

Je me sens de plus en plus mal à l'aise, ne sachant ni ce que je fais ici, ni comment en sortir. Pourquoi Fellini m'a-t-il fait venir à Rome, a-t-il accepté l'interview alors qu'il était décidé à ne pas m'accorder une minute ? Malgré son horreur des interviews, je le soupçonne d'avoir encore plus horreur de refuser, au point d'être incapable de dire non à une demande. Dans son autobus, Fellini est toujours en train de préparer sa scène. Même avec un génie à la manœuvre, le tournage d'un film à la longue se révèle ennuyeux sauf pour ceux qui y participent directement. La scène se tourne, la scène est tournée, désormais je sais que Fellini ne viendra pas me trouver. Je préviens l'attaché de presse que je dois partir. Il prend une mine tragique : « Le maestro est désolé, il vous supplie de l'excuser mais le travail est impératif, il ne peut attendre, il n'a pas eu le temps comme il l'espérait. Venez lui dire adieu, il vous le demande instamment. » Je refuse, je ne veux pas déranger le maestro. « Mais il veut absolument vous saluer, il insiste. » Je m'entête, l'attaché de presse me supplie d'attendre quelques instants. Il part en fendant la foule, parvient jusqu'au maestro. Celui-ci se précipite vers moi. Je pars, il a gagné, il peut alors se montrer la courtoisie et la gentillesse mêmes. Il s'excuse à profusion : « Je me sens véritablement mal, profondément gêné... mais le travail, la lumière, il a plu toute la journée, il risque encore de pleuvoir... tous ces figurants qui attendent, il faut profiter du moindre instant sinon la journée est perdue. » Suit le reproche : « Et puis vos questions », d'un air de dire que ce n'était pas le moment. « Le travail, c'est facile de se concentrer dessus, mais on ne peut pas sortir de cette concentration, il ne faut pas en sortir. » Il assène un autre argument pour se justifier : « Une interview ne suffit pas pour faire un portrait psychologique, il faudra que nous nous revoyions. »

18

Disparus illustres

À Paris, nous apprenons que Jean Tinguely vient de mourir. Cette formidable personnalité, cet artiste exceptionnel, cet homme profondément indépendant, ce géant prodigieux, colérique, coureur, à l'aspect impressionnant avec ses yeux sombres sous d'abondants sourcils et ses énormes moustaches mais plein d'humour et dévoilant souvent une gentillesse insoupçonnée laisse un vide. Nous allons à Fribourg pour son enterrement. La ville déborde de policiers et de policières en ravissant tricorne car les funérailles sont nationales et les bambins des écoles ont reçu congé. Jamais il n'y a eu tant de monde dans les rues, généralement assoupies, de la petite ville. Le rendez-vous est en la villa Art nouveau des Hahnloser, collectionneurs et intimes du défunt. J'ai à peine le temps de déchiffrer sur les murs Renoir, Bonnard, Matisse, Klee. Je tombe dans les bras de Marina, de Niki de Saint Phalle suprêmement élégante – veste noire à étoiles d'or, escarpins noirs, chapeau à plumes de coq et voilette. J'arrive à l'université. Le maître de cérémonie nous demande :

« Êtes-vous de la famille ou des autorités ?

– Les deux », réponds-je, ce qui suscite ses soupçons.

Le cortège se forme, attend longtemps sous un soleil de plomb, puis s'ébranle. En tête, les veuves, les ex des veuves, les enfants des veuves et des ex. Il y a des fanfares en uniforme XIXe, des milices à cheval ou à pied en uniforme XVIIIe, des tambours, des fifres, des masses compactes de badauds aux balcons et derrière les barrières de fer, des salves de canon. On défile lentement entre les hôtels seigneuriaux de la ville vieille. Soudain, au milieu de ces pompes officielles, apparaît une immense machine de Jean, une « voiture » qui émet des grincements terrifiants ou des tintements de clochettes, qui pète, qui rote, qui lance des fusées de feu d'artifice et roule en dégageant des nuages de fumée empestant. Le monstre plein de l'humour de Jean figure le cheval du chef qui suit traditionnellement sa dépouille. Cette évocation, ce clin d'œil m'émeuvent plus que tout. Elle va, la machine de Jean, toussant, grondant, crachant de partout au milieu des marches funèbres de Beethoven et des officiels rythmant leur pas. Sur le parvis de la cathédrale attend l'évêque. Devant les grilles baroquisantes du chœur trône une autre merveille de Jean, un genre de soleil surmonté d'un crâne de mouton. Beaucoup de fleurs, surtout des tournesols énormes, jusque sur le cercueil porté par les assistants de Jean en bleu de travail, détail qui, par sa signification, fait venir bien des larmes aux yeux. Le service est superbe, assez rapide, agrémenté de chorales, d'autres fanfares, d'orgue, de prières en français, allemand et latin. Je m'apprête à tirer la prise de mon attention lorsque l'évêque commence son blabla, mais dès les premiers mots je tends l'oreille. Jamais homélie plus fine, plus humaine, plus spirituelle, plus profonde. Des phrases entières dignes d'anthologie.

Après cette plongée dans le monde de l'art, je suis reversé dans mon milieu. En été 1992, paraît le livre explosif de la plus grande star mondiale de cette fin de siècle, Diana, la princesse de Galles. C'est la plus meurtrière accusation contre le prince de Galles, la famille royale et la Cour, le tout apparemment authentique. Diana y apparaît comme une sainte torturée par sa belle-famille et par un mari qui n'a cessé de la tromper avant, pendant et après le mariage. Le scandale réside dans le fait que c'est elle-même qui a inspiré l'ouvrage et a fourni la matière première en enregistrant son histoire sur des cassettes transmises à un journaliste. Cet énorme pavé provoque une invraisemblable agitation dans la mare royale, et bien entendu tout ce petit monde couronné est unanime pour condamner la coupable et défendre sainte Elizabeth II et saint Charles.

Six ans auparavant, j'avais rencontré Diana à Londres pour un bal que donnait le roi Constantin de Grèce en l'hôtel Claridge. Je peux y observer à loisir la princesse la plus célèbre, passée, présente et à venir, la princesse de Galles. Assise à ma gauche, elle me semble encore plus belle qu'en photo, éblouissante de beauté, elle est un combiné de gamine gâtée et de popstar. Féminine, nature, vive, rapide, amusante, sachant ce qu'elle veut, elle est un instant timide, rougissant fréquemment, puis révèle un solide toupet. Les clins d'œil lancés aux intimes, les sourires complices, comme les billets jetés de table en table donnent l'impression d'un clan de copains en dehors duquel tout est corvée et ennui.

Nerveuse, incapable de se concentrer, elle laisse tomber au bout de deux minutes les sujets de conversation, même ceux qui l'intéressent – astrologie, diète, yoga, stress – et je m'éreinte à en inventer sans cesse de nouveaux... sans qu'elle fasse le plus petit effort pour en trouver. Car elle attend d'être constamment divertie. Avec cela, petite fille presque attendrissante quand je lui demande :

« Que faites-vous quand vous êtes épuisée ?

– Je pleure... »

Puis tout de suite le côté pratique :

« Ça me détend. »

Il faut dire qu'avant d'être propulsée sous les projecteurs, elle n'a eu le temps de rien voir, même pas New York : « Je n'étais qu'une poulette quand je me suis mariée. » Mais très consciente et ravie d'être une des plus grandes stars mondiales. Me voyant tripoter mon *komboloï*[1], elle m'interpelle : « Êtes-vous nerveux d'être à côté de moi ? »

Diana, le tendron touchant, la petite jeune dont on aurait aimé guider les pas et dont la présence rafraîchit le camp royal, en est devenue l'épouvantail. J'en ai la preuve en déjeunant avec ma parenté que j'ai sournoisement invitée dans le seul but d'entendre ce qu'ils ont à dire sur le prince et la princesse de Galles. Matin et soir, on ne parle que du désastre de leur mariage. Mais pourquoi l'a-t-il donc épousée ? demandai-je. « Il nous l'a dit. Du moment qu'il avait jeté les yeux sur elle, il s'était senti comme du dentifrice dans un tube, qu'on presse,

---

1. Objet traditionnel grec ressemblant à un chapelet, sans connotation religieuse, il est le plus souvent utilisé par les hommes pour s'occuper les mains.

qu'on presse, qu'on presse jusqu'à ce qu'il ne reste plus rien jusqu'à la dernière goutte, et c'est ainsi que sans savoir comment, il s'était retrouvé un beau jour devant l'autel. »

Après cette introduction, c'est le déluge. Tous affirment que Diana est un monstre, elle lui rend la vie horrible, elle lui serine matin et soir depuis des années qu'il ne sera jamais roi. Ce n'est pas vrai qu'il avait une maîtresse lors de son mariage, il l'a prise seulement cinq ans plus tard. Les dires de Diana dans le livre d'Andrew Morton ne seraient qu'un tissu d'inventions. Charles se sent pris au piège. Elle le fait suivre et écouter ses conversations. Il a beau dire depuis des années qu'elle est monstrueuse mais personne ne veut l'entendre. Lors d'une réunion de famille, en présence de la prétendue abominable Diana, à la reine qui lui demande pourquoi il ne s'est pas exprimé, il répond :

« À quoi bon, puisque quoi que je dise apparaîtra demain dans les journaux, elle répète tout à la presse.

– Mais enfin, quel est le but de Diana ? » insistai-je.

Tout de suite, j'ai eu l'intuition que la princesse Diana ne s'en tiendrait pas là et que nous assistions au début d'un véritable feuilleton dont les rebondissements allaient occuper et surprendre tout le monde.

Diana n'est pas la seule cause de tout ce remue-ménage. Les médias relayés bientôt par l'opinion publique s'en prennent à la Couronne avec une violence jamais vue. Et ce que je n'aurais jamais cru possible arrive, le respect s'écaille, les garde-fous sont renversés et l'idole Elizabeth II se fendille. À vrai dire, depuis quelque temps, le ton de la presse, son manque de respect, me frappe. Cependant, à l'occasion du quarantième anniversaire du règne, je suis médusé par la virulence des attaques. À cause des scandales et du manque de tenue de la jeune génération royale, mais surtout à cause de l'argent. « La monarchie coûte cher », « la monarchie dépense trop », « la monarchie possède trop ».

Le chômeur qui voit un salaire de plus de deux millions de livres pour la reine en vient à la critiquer. Peut-être n'est-ce là qu'une crise passagère mais, par les temps qui courent, il n'est pas impossible que l'invraisemblable se produise et que la monarchie soit balayée. La cause principale, c'est que la monarchie n'aura pas compris que nous entrons dans une ère nouvelle. Elle risque d'être broyée par cette tempête qui balaiera tous les systèmes ne répondant plus à la demande et toutes les valeurs auxquelles plus personne ne croit. Ce que jusqu'alors j'avais cru le plus solide au monde se révèle brusquement d'une déconcertante fragilité.

Quant à Diana, j'aurais l'occasion de la revoir. Cela se passe à Venise le 9 juin 1995. Larry Lovett, notre hôte, reçoit à déjeuner la princesse de Galles. Elle arrive dans un tailleur vert pomme, encore plus jolie que la dernière fois que je l'ai vue il y a quatre ans. Admirablement faite, des jambes sublimes, les plus longs cils du monde, et ses yeux irrésistibles, au regard apeuré. Marina comme moi la trouvons timide, extraordinairement vulnérable. À la fois elle déteste ses obligations et raffole de publicité. Je ne peux m'empêcher de confirmer ma première impression, à savoir qu'il y a en elle un enfant sournois, prêt à faire des niches cruelles et dangereuses pour la victime comme pour elle-même. C'est d'ailleurs probablement ce côté enfantin et vulnérable qui, allié à tant de beauté et tant d'éclat, en fait l'idole des foules.

Au fond, je ne sais trop qu'en penser, peut-être parce qu'il y a peu à penser.

Que se serait-il passé si elle avait continué de vivre ? Une série d'amants, des invitations de plus en plus rares à des galas de moins en moins chic, on risquait le sordide. La mort en pleine gloire de la femme la plus glamour de la Terre, le fait que justement cette semaine-là elle soit amoureuse en font une grande figure tragique de l'Histoire. Elle est notre contemporaine donc nous n'avons pas le recul, mais dans cinquante ans, au cinéma, dans les séries et les livres, sa légende équivaudra Marie Stuart ou Marie-Antoinette. Voulait-elle renverser la monarchie ? Probablement pas, mais elle a tout fait pour. Elle voulait surtout exister et donc jeter l'ombre sur eux. Elle le faisait si bien qu'elle les a complètement déstabilisés. Personnage malheureux, névrosé, qui sans doute n'avait jamais grandi, beauté incomparable, tous les éléments d'une sauce aphrodisiaque, grisante, et en bout de compte la plus totale solitude.

L'important, ce n'est pas ce que la princesse de Galles a vraiment été, ce que nous savons qu'elle a été, l'important désormais, c'est l'image qu'elle a donnée et qu'elle laisse, cette image d'un être charitable, généreux, aimant, seul et malheureux. En partie vraie, en partie fausse, cette image sera plus forte que toutes les réalités. Par ailleurs, cette femme qui lorsque je l'ai connue ne m'avait pas frappé par son intelligence ni par sa personnalité, cette femme a admirablement compris son temps et le rôle véritable de la monarchie qui indirectement lui était échu. Elle a compris que tout repose sur deux cordes qu'elle a tirées, la compassion qu'elle a montrée, et les médias qu'elle manipulait. Enfin, elle a gagné une victoire écrasante sur la famille royale. Elle a forcé la reine à descendre sur le trottoir pour voir passer son cercueil, elle a forcé la souveraine à s'incliner devant elle, elle a forcé le duc d'Édimbourg à marcher deux kilomètres derrière son cercueil.

Un ami définit l'essence de la princesse Diana : « C'est une déesse celtique, grande, blonde, une païenne, qui sent le soufre, danse dans la forêt la nuit et pratique des cultes bizarres. » Du coup, son enterrement a été païen. Rien de noir, le minimum de rites chrétiens et ces applaudissements, ces fleurs jetées, ces musiques pop, ces bouquets cellophanés qui s'entassent comme un bûcher des temps préchrétiens. En fait, cette cérémonie, tant dans son ordonnance que par ses foules, n'a été qu'un déploiement barbare magnifique.

La princesse Diana laisse un étrange sillage. Toutes les royautés la détestent à l'unisson pour le mal qu'ils l'accusent d'avoir fait à la famille royale d'Angleterre, et l'opinion publique s'est mise – un temps – à détester la famille royale anglaise à cause d'elle. La princesse Diana a débarrassé la reine et les siens de leurs diamants et de leur dorure, elle les a fait tomber de leur piédestal et les a révélés tels qu'ils sont, des êtres humains avec leurs qualités mais aussi leurs défauts. Il n'y avait rien de démoniaque en elle et pourtant, à elle seule, elle a ébranlé un système millénaire qui semblait solidifié dans du béton. À croire qu'elle était habitée par une puissante force, qui était comme descendue en elle et qu'elle ne contrôlait pas entièrement.

Le temps a passé. Les fils de Diana ont grandi et se sont mariés. Je dois avouer que je les admire pour avoir réussi à rester normaux dans cet ouragan d'épreuves. Il est évident qu'ils ont bien compris l'héritage de leur mère. Il y a en effet en eux un élément qui les dissocie du reste de la famille royale, quelque chose d'assez indéfinissable mais qui les rend très humains, abordables, à l'écoute des gens, ou tout au moins ils donnent cette impression indispensable pour la monarchie actuelle. Je les admire tout autant de cultiver au grand jour le souvenir de leur mère car, dans cette entreprise, ils sont seuls face à toute la famille de leur père. De son côté, la reine, leur grand-mère, a réussi une remontée spectaculaire de la monarchie. Alors qu'à la mort de Diana, la monarchie, la famille royale, la reine étaient à terre, lentement, sans y paraître, au cours des années, Elizabeth II a rendu son lustre, sa popularité à la monarchie, c'est-à-dire elle-même. Comment a-t-elle achevé ce miracle, impossible de le dire car elle l'a fait si subtilement qu'il est difficile d'en cerner les étapes et les éléments. Mais le fait est là : aujourd'hui, cette reine est infiniment populaire. Par ailleurs, elle a fait que le prince Charles soit aujourd'hui accepté sans discussion, contestation ni suggestion comme seul héritier du trône. Lui aussi a remonté tant bien que mal la pente. Et mieux encore,Camilla, qui était le monstre, la vieille maîtresse, qui arrache Charles à sa jeune femme et fait le malheur de cette dernière, a elle aussi remonté la pente. Comme quoi des professionnels de la monarchie aussi endurcis qu'Elizabeth II finissent toujours par avoir le dernier mot.

Le jour même de la mort de la princesse Diana était partie au paradis mère Teresa. En y repensant, j'étais sûr qu'elle avait choisi ce moment pour sortir le plus discrètement, comme elle avait toujours vécu. En effet, les médias du monde entier se ruèrent sur l'accident mortel de la princesse de Galles et personne à ce moment-là ne s'intéressa beaucoup au départ de mère Teresa.

Un voyage en Inde nous avait permis de rencontrer ce personnage, un des plus grands de l'Histoire moderne. Malgré l'insistance de nos amis indiens, je ne tenais pas à rencontrer mère Teresa. Elle n'était pas un monument à visiter entre le mémorial Victoria et le tigre blanc du zoo. L'émotion de Marina emporta pourtant ma décision. Dans la voiture qui m'emmène vers elle, je suis saisi de timidité, sentiment bien rare chez moi.

Comment se comporter avec elle ? Quoi lui dire ? Quoi lui demander ? Quoi lui offrir ? La voiture roule dans une large avenue passante. Nous dépassons une église laide et jaune au clocher pointu, et nous nous arrêtons devant une étroite impasse. À la différence des rues de Calcutta, elle est parfaitement propre. De très jeunes mendiants m'appellent « *uncle* » ou « *brother* ». Un petit immeuble terriblement banal porte sur une plaque de cuivre un simple « Mère Teresa ». La porte est ouverte. Le portail franchi, nous pénétrons dans une cour où nous accueillent quelques nonnes souriantes. Elles nous propulsent dans un petit bureau. Au mur, une grande photo du pape et une hideuse tapisserie souvenir représentant la Cène. Nous prenons place dans des fauteuils autour d'une haute table. Mère Teresa apparaît. Minuscule, quasiment courbée en deux, elle est la vivacité même. Elle prend nos mains entre ses deux mains et dédie à chacun de nous un sourire de jeune fille. La chaleur humaine qu'elle dégage m'enveloppe aussitôt. Elle prend place au bout de la table et s'enquiert de chacun de nous. Puis elle se lance dans la description des problèmes auxquels elle est confrontée et des solutions qu'elle tâche d'y apporter.

Son visage est couvert de rides, ses yeux d'une couleur indéfinissable, bleu, vert, jaune, brun, or, de rouge cernés. Le regard incroyablement vif court de l'un à l'autre et, sans y toucher, nous perce. Sans chercher à juger, et avec tout l'amour du monde, elle a compris chacun de nous en un instant. Ses mains, petites et tout aussi ridées que son visage, bougent sans cesse. Elle raconte les mères de Bombay atteintes du sida, dont tous les enfants portent à la naissance le même mal : « Nous n'accueillons pas plus de six femmes dans chaque unité, dont l'une compte déjà deux mortes. »

Ses nonnes parcourent la ville dans une camionnette pour ramasser les mourants et les amener dans un centre où ils sont assistés. « Un musulman nous a affirmé qu'il voulait mourir comme les autres. Qu'est-ce que c'est, mourir comme les autres ? Il nous a désigné dans un lit voisin du sien un chrétien qui recevait l'aide spirituelle d'un prêtre. Eh bien ! Nous avons fait venir le prêtre auprès de lui, et il est mort heureux. »

Sa dernière trouvaille : les détenus qui n'ont pas été convaincus de leurs crimes doivent être considérés comme innocents. Elle a déjà extrait de prison cinquante-deux prostituées : « Demain, je vais faire sortir vingt-sept hommes. Jusqu'ici nous n'avions en réserve que des vêtements de femme. Où trouver maintenant des vêtements d'homme ? Donnez-moi des vêtements d'homme », avec un sourire amusé : « Et désormais, lorsqu'on arrête des gens à la culpabilité incertaine, la police automatiquement décide : “Envoyez-les à mère Teresa.” » L'âge, elle a quatre-vingt-six ans, les arrêts de cœur, l'épuisement ne semblent pas l'atteindre tant elle reste prise par les problèmes qui l'obsèdent. Les solutions qu'elle invente, elle ne les expose pas pour se rengorger mais presque pour les tester. Avec son formidable aplomb, elle conserve une increvable jeunesse qui lui fait toujours chercher s'il n'y a pas mieux. Elle guette la réaction du visiteur. Son imagination sans cesse en alerte en fait quasiment une artiste, en ce sens que l'aide qu'elle apporte, ou veut apporter, la force à inventer, à créer, tout en gardant les pieds sur terre. Cette célébrité mondiale reste parfaitement naturelle. Elle n'a pas besoin de faire la vedette, elle n'en a d'ailleurs pas le temps. Elle se contente d'avoir un pouvoir démesuré. Ce petit bout de femme soulèverait des montagnes. Pour elle, rien n'est impossible car tout a une solution. Son humour affleure et on voit qu'elle aime rire : « L'autre jour, j'ai rêvé que je paraissais devant saint Pierre : il n'y a pas de bidonvilles ici, retourne donc sur Terre. » Une jeune nonne entre dans la pièce, s'approche d'elle et lui murmure quelque chose à l'oreille. Elle sourit, ravie : « Un chèque vient d'arriver, ils sont toujours les bienvenus. »

Mais en fait, à l'argent, elle préfère l'engagement de ceux qu'elle réussit à convaincre. Rien ne saurait entamer son optimisme.

Lorsque je lui soutiens que, s'il y a de l'espoir dans la rue de Calcutta, il y en a peu dans la rue de New York : « Oh non, proteste-t-elle vigoureusement, il y a en Amérique tant de gens disposés à aider, à assister. » Cette bavarde sublime sait aussi écouter, car tout l'intéresse. On la traite en idole, alors qu'elle rêve de dialoguer, de rire, et aussi d'absorber car il lui reste tout à apprendre. L'égalité pour elle n'est pas un vain mot, et tout à l'heure, par la porte ouverte de son bureau, je la verrais recevoir un groupe d'humbles pèlerins avec le même soin, la même disponibilité, la même chaleur qu'elle déploie pour nous. La vie, l'amour, la foi, la jeunesse, telles sont les quatre caractéristiques de mère Teresa. Dans quelle hiérarchie se présentent-elles ? Voilà bien l'énigme de cette femme stupéfiante.

Je sors épuisé de cette entrevue. Cette bombe d'énergie positive et de lumière emporte l'adhésion, galvanise, bouleverse mais laisse le visiteur pantelant. Nous revenons au poste de commande de mère Teresa pour l'adoration du soir. La chapelle n'est qu'une salle rectangulaire au plafond bas. Sur un autel de fortune, de grosses bougies rouges entourent l'ostensoir. Les nonnes sont déjà alignées qui prient silencieusement. Arrivent les visiteurs, les pèlerins, les étrangers. Parmi eux, mère Teresa, courbée en deux, fait une entrée discrète. Elle baise le sol puis s'accroupit contre le mur près de la porte. Elle tire un long chapelet qu'elle se met à égrener mais ses yeux fureteurs vont parfois à droite et à gauche. Les nonnes entonnent des prières qu'elles entrecoupent de chants. Je quitte la chapelle discrètement et descends dans la cour gagnée par la nuit, et dont une nonne lave le sol à grands seaux d'eau. Je m'assieds sur le banc de ciment où, pendant la journée, attendent les pèlerins. Bientôt l'heure du coucher va sonner. Mère Teresa se retire dans sa chambre minuscule située au-dessus des cuisines. L'air conditionné est inconnu dans l'immeuble où il n'y a, paraît-il, qu'un seul ventilateur. Par les fenêtres et les portes ouvertes sur la cour, j'observe les allées et venues. Chacun vaque à ses occupations avec calme et douceur.

Cette visite me permet de préciser où en est ma foi. Voltaire visitant l'Angleterre avait été horrifié de découvrir que les Anglais avaient une seule façon de faire la sauce et trente religions différentes. Il avait demandé à un lord à laquelle celui-ci appartenait. Le seigneur l'avait regardé du haut de sa grandeur et lui avait répondu : « J'ai une petite religion à moa ! » Moi aussi je me fabrique une petite religion à moa. Elle s'accompagne d'une critique des trois monothéismes, judaïsme, christianisme, islam qui ont engendré l'intolérance de type : « J'ai un Dieu, le seul le vrai, celui des autres est faux, c'est un faux Dieu qui doit être détruit... ainsi que ceux qui croient en lui. » On massacre tant d'êtres humains au nom du seul Dieu. C'est une tache indélébile sur les trois religions monothéistes qui, par ailleurs, étale un détestable antiféminisme.

Le polythéisme est bien plus simple qui, au fond, n'accepte vraiment qu'un seul dieu, mais qui, par une multiplicité de divinités secondaires, permet à chacun d'exprimer sa foi sincère et authentique à sa façon selon sa tradition locale et encourage à la tolérance, à la générosité, à la charité. Cependant, lorsque je vois le Saint Suaire exposé comme on le fait tous les cinq ans à Turin, j'éclate en sanglots, non pas poussé par l'émotion ou la foi mais simplement parce que ce tissu dégage une énergie telle qu'elle me renverse et me bouleverse de fond en comble. Lorsque j'ai vu mère Teresa entrer dans la salle de la prière du soir, toute seule, sans bruit, et s'installer au fond, derrière tous les autres, je comprends ce que peut être la foi chrétienne. Lorsque j'entends Marina, qui ne me force jamais à l'accompagner à l'église où elle se rend fréquemment, parler toujours en bien de tous, ne jamais trouver de mal à aucun, et me conseiller d'en faire autant, je mesure toute la positivité de la vraie foi. Quand j'écoute la *Missa Brevis* de Mozart dans l'église Saint-

Pierre de Salzbourg, pendant une vraie messe, avec une assistance recueillie et dans les bas-côtés toute une famille agenouillée sur les dalles, le père, la mère et les quatre enfants, tels les donateurs d'un tableau de la fin du Moyen Âge, lorsque m'atteignent droit au cœur les accents du *Laudate Domine*, je réalise les sommets de lumière qu'a pu atteindre le christianisme.

Je ne me rappelle plus exactement comment mon oncle le comte de Paris était revenu dans notre circuit, mais réconciliation il y avait eu. En fait, Marina l'avait aperçu chez le coiffeur. C'est lui qui s'était précipité vers elle et l'avait chaleureusement embrassée, demandant de mes nouvelles, comme si rien ne s'était passé. « Dis à Michel que j'ai très envie de le voir, qu'il m'appelle. » Cette brouille qu'il avait initiée me peinait, et je crois me souvenir que sur les conseils de Marina je lui avais écrit une lettre lénifiante. Peut-être lui-même n'attendait-il que cela, en tout cas nous nous revoyons. Bientôt je découvre un profond changement dans son existence. Lorsqu'il vient prendre un café à la maison, je lui trouve quarante ans de plus, ravagé et blafard. On murmure qu'il se cloître à Chantilly dans l'hospice de vieillards qu'il dirige avec une secrétaire devenue toute-puissante.

Quelques mois plus tard, oncle Henri a une première, puis une seconde et même une troisième attaque de cœur. Sa famille, femme et enfants, sont soigneusement tenus à l'écart. Personne n'est tenu au courant, personne de la famille n'est admis. Personne, sauf le neveu soudain remis en grâce. Oncle Henri demande du Michel, et Michel va par une après-midi lugubre, dans un Paris lugubre, au lugubre hôpital Brousset.

Madame Friesz m'attend. C'est la nouvelle favorite. Je suis curieux de découvrir cette petite dame boulote, apparemment insignifiante, fort intelligente, fort avisée. Elle me fait ses confidences. Alors je comprends la raison de son emprise sur oncle Henri. Elle s'occupe de lui avec sollicitude, elle le soigne, elle le protège, elle l'entoure. Elle a tressé autour de lui un cocon dans lequel il se trouve fort confortable, abrité des sollicitations ou des exigences. Aussi, peu lui chaut l'écart non pas social mais culturel, l'éducation, comme cela n'avait pas gêné son ancêtre car oncle Henri et Madame Friesz, c'est Louis XIV et Madame de Maintenon. Du coup, oncle Henri se coupe encore plus, si cela est concevable, de sa famille, ses enfants, et surtout sa femme.

Bientôt je retrouve celle-ci dans un mariage de famille à la campagne. La comtesse de Paris n'a jamais été ma préférée, et pourtant ce jour-là elle me touche. Nous nous asseyons sur la rampe du vieux pont en pierres qui enjambe les douves du château, et elle me fait ses confidences. Elle est sincère, car la malheureuse n'a jamais su qu'être sincère. « Occupe-toi bien d'oncle Henri, téléphone-lui, va le voir, ne l'abandonne pas. Il est seul, il n'est pas bien, il est sans cesse malade. Je ne sais même pas s'il est heureux... C'est dur tu sais, car je l'aime toujours, oncle Henri. J'aimerais tant le voir, être avec lui... C'est demain son anniversaire, téléphone-lui... »

Oncle Henri a définitivement quitté Paris pour s'installer dans un pavillon à Chantilly. J'y vais déjeuner. Il m'attend dans le hall de son « pavillon grand seigneur. » Il me serre dans ses bras avec émotion. « Cela fait si longtemps. » Constater que lui et sa compagne ont vieilli m'attriste. Un luminaire fait de cœurs en satin, une lampe en bloc de plastique contenant des papillons embaumés et le reste du décor est à l'avenant. Le petit sauternes du déjeuner est « sensationnel » et Madame Friesz, au grand agacement de son royal protecteur, insiste pour servir. Évitant tout sujet épineux, je m'en tiens à la politique, à l'histoire, pour l'accrocher et le distraire. Lorsque je pars, il est 16 heures passées. Un zeste d'amertume mais je suis content de l'avoir fait.

Bientôt oncle Henri déménage à nouveau. Il s'installe aux Hespérides de Levallois, ce qui me permet de faire cette mauvaise plaisanterie pour illustrer son parcours : « de Valois à Levallois ». Je le sens terriblement seul et je décide d'aller le visiter. Dans son nouvel appartement, ce petit réduit, absolument rien ne rappelle les origines d'oncle Henri, l'histoire de France, la famille d'Orléans. Par contre, chaque mur de chaque pièce est orné de ses portraits photographiques, à commencer par son bureau où s'étale le plus grand portrait de lui. Guilleret, pimpant, il m'emmène déjeuner au sous-sol de l'hôtel Méridien.

Je raffole de vieilles photos, j'ai un faible pour mes ancêtres Orléans. Je décide d'unir les deux en faisant un album consacré à cette dynastie à partir de daguerréotypes, c'est-à-dire à la fin du règne de Louis-Philippe. Les deux plus grands ensembles de photos de famille appartenaient respectivement à oncle Henri et à tante Bébelle. Je suis donc décidé à travailler avec eux séparément. Ces rencontres et l'exploration de leurs trésors photographiques nous permettent de vivre des expériences charmantes, mais aussi de m'interroger sur bien des points les concernant et souvent d'arriver à des conclusions fort éloignées de mes idées préconçues.

Preuve une fois de plus que la vérité historique est souvent différente de ce que l'on suppose.

En ce matin de printemps, je pars tôt, me perds dans les embouteillages à la sortie de Paris et arrive à 11 heures à Eu au pavillon Montpensier sis au fond du parc du château et résidence de tante Bébelle. Je me mets à l'ouvrage. J'épluche le contenu de deux mallettes pleines d'albums. Après le déjeuner, je vais chez le notaire de tante Bébelle, maître Allard, où m'attendent douze énormes cantines en fer. Il me faudrait au moins une semaine pour en arriver à bout, d'autant que tante Bébelle en a perdu toutes les clefs. Qu'à cela ne tienne ! Je crochète toutes les serrures et j'attaque le contenu des cantines, madame dans un fauteuil pseudo-Renaissance, moi sur une chaise de cuisine devant une table branlante où j'étale des albums géants et où j'entasse d'énormes piles de photos. Je termine à 19 heures passées et ce n'est qu'à grand-peine que j'obtiens de tante Bébelle une demi-heure de battement entre ce travail et le dîner. « Te reposer, mais pourquoi ? » me dit-elle guillerette.

Tante Bébelle m'amuse avec des récits familiaux qui remontent sur un siècle et dont elle se souvient jusqu'au moindre détail. Un ministre ayant commis une grossière erreur, Louis-Philippe le convoqua aux Tuileries. Le ministre penaud s'excusa platement et longuement pour finir par dire :

« Sire je suis confondu.

– Ne vous en faites pas, mon bon ami, c'est la chaleur. »

Je continue avec les secrets familiaux en déjeunant avec oncle Henri au Méridien. Alors que je déplore l'ennuyeuse vertu de son grand-père, le premier comte de Paris, il me révèle qu'il avait eu une ravageuse passion pour la superbe lady Randolph Churchill, la mère de Winston... passion poussée fort loin au point d'inquiéter la famille. Après le déjeuner, nous révisons, oncle Henri et moi, le texte de mes légendes pour l'album Orléans que je lui communique. Il prend plaisir à m'aider, à corriger, à suggérer ceci ou cela. Cet ouvrage nous a rapprochés, oncle Henri et moi. J'ai l'étrange impression que, derrière les photos de nos ancêtres, il me tend la main, sentant qu'il arrive au bout de son rouleau.

À l'occasion de la sortie du livre, oncle Henri nous invite, Marina et moi, au domaine de Beauvois, tout à côté de Luynes, un relais-château où il a réservé. Madame Friesz refuse de descendre, se disant fatiguée, ce qui n'a pas l'air d'affecter son auguste compagnon. Il nous raconte sa guerre. La loi d'exil qui chassait de France le prétendant au trône et son fils l'avait empêché de s'engager dans l'armée française. Aussi oncle Henri avait-il choisi la Légion étrangère, d'ailleurs fondée par notre ancêtre Louis-Philippe, et qui n'était pas regardante sur l'origine des recrues. Donc oncle Henri s'engage sous le nom d'Henri Orliac, patronyme qu'avait utilisé la famille au début du siècle lorsqu'elle avait émigré au Maroc. Mais il n'a pas le temps de se battre avant que l'armistice soit signé. Au moment de la débâcle, Churchill le fait chercher. Cette affirmation d'oncle Henri me stupéfie. Churchill aurait donc voulu trouver un Français qui pourrait symboliser la résistance à l'envahisseur allemand. Première nouvelle ! Nulle part je n'ai relevé la moindre trace de cet épisode important. Il n'avait pas mis la main sur oncle Henri, alors, selon ce dernier, il s'était rabattu sur de Gaulle qui avait l'avantage d'être déjà sur place. Lors de la démobilisation, oncle Henri se retrouve avec deux de ses copains de la Légion étrangère, des cousins de Staline, des filous « qu'il valait mieux connaître dans l'armée plutôt qu'hors de l'armée ». Ils se demandent tous les trois quoi faire. Une solution est offerte à oncle Henri par un autre de ses copains qui devait se livrer avant guerre à des activités bien intéressantes car il invite oncle Henri à se joindre à lui pour faire des affaires. « Avec ta gueule, on les aura tous », ce qui promet un programme d'action plutôt corsé. Là-dessus, il apprend la mort à Larache de son père, le duc de Guise, événement qui en fait instantanément le chef de la Maison de France et le prétendant au trône. Il lui faut donc rejoindre Larache mais auparavant il lui faut un passeport pour se rendre au Maroc. Le voilà à faire antichambre à la Préfecture avec une jeune fille point trop gâtée par la nature qui, elle aussi, attend. La porte du préfet s'est ouverte et qui en est sorti, sinon Fernandel, le plus illustre acteur de l'époque, venu chercher un document de voyage pour sa fille, la jeune demoiselle assise à côté d'oncle Henri. L'acteur s'était précipité sur ce dernier. « Merci, merci d'être venu. » Il avait pris le prétendant au trône de France pour un de ses admirateurs. Finalement, oncle Henri obtient son passeport et file au Maroc pour assister à l'enterrement de son père...

Le lendemain, nous allons au château d'Amboise. Bientôt les invités arrivent, les journalistes mais surtout l'état-major des éditions, c'est à dire nos copains. On déjeune par quatre grandes tables dans une salle décorée de tapisseries, anciennes mais médiocres, et servis par des paysans tourangeaux en pseudo-costume

XVIIIe siècle. Le buffet est excellent, le cadre tout de même splendide, les copains épanouis, les journalistes ravis. Oncle Henri fait un petit discours à la fin du déjeuner pour me remercier de ma contribution à l'album. Je réponds par un hymne à la gloire des Orléans qui paraît l'émouvoir. Je m'aperçois que, malgré la liberté que j'ai fièrement gagnée et que je défends âprement, les liens du sang ne s'effacent jamais. Quelque part au fond de moi-même je reste attaché à ma famille, ancêtres ou parenté vivante. Ce lien ne joue aucun rôle dans mes choix ni dans mon mode de vie mais il est toujours présent et se fait sentir au bon moment.

Durant ces années, je continue de fréquenter mon oncle Henri. Il a de nouveau déménagé, comme si l'appartement déjà impersonnel des Hespérides n'était pas assez modeste. Mais surtout, sa santé donne des inquiétudes grandissantes. Au début 1999, je découvre sa nouvelle résidence, à dix kilomètre de Dreux où sont enterrés ses ancêtres et où il possède dans le domaine royal une vaste et ravissante villa nommée « l'Évêché ». Pourtant, ce n'est pas cette demeure qu'il a choisie. J'arrive à la porte de Dreux à Cherisy dans un minuscule pavillon, un terrain étroit en dénivelé. On entre par la cuisine, une sorte de petit living, un jardin d'hiver où m'attend oncle Henri. Ce qui me stupéfiera toujours dans cette fin de vie, c'est le déclassement de cette union si bizarre. À son âge, tout l'indiffère, il ne veut que son confort, sa tranquillité et personne ne compte que celle qui les lui amène.

Je le trouve plutôt rose et frais. Il pose son livre lorsque j'entre, met les mains sur le coussin qu'il tenait sur ses genoux, et aussitôt la conversation démarre sur l'Action française. Il est étourdissant sur Léon Daudet,

Bernanos, Bainville, Maurras. Il cite les personnages, les dates, les rencontres sans une erreur. Je parle de tante Bébelle et sans m'en rendre compte je fais une gaffe majeure en disant qu'à Eu, si près de Paris, elle n'attire plus personne, que pas un membre de sa famille ne vient l'y voir. Or Dreux est beaucoup plus près de Paris et personne ne vient, mais n'est-ce pas ce qu'il a voulu ? Madame Friesz s'en plaint mais lui est ravi. Deux heures d'entrevue passionnante. À la sortie, Madame Friesz m'apprend que le cancer a gagné les poumons et le pancréas. Pour la première fois je les vois, lui et elle, résignés.

Quelques mois plus tard, c'est la fin.

Madame Friesz m'annonce qu'il est très mal. Je décide de lui rendre visite le jour même. Je vais à Cherisy, Madame Friesz m'accueille par des chuchotis. Je m'assieds sur le lit à côté d'oncle Henri. Depuis plusieurs jours, il ne se lève plus, il respire mal, couché sur le dos. Ses yeux jusqu'alors scintillants sont recouverts d'une taie bleue. Il me reconnaît parfaitement, il est très faible. Je tâche de le distraire. Sa mémoire, son esprit s'en vont, et le pire est qu'il s'en rend compte et qu'il en souffre. Une phrase curieuse : « Nous avons eu autrefois des dissensions... » « Qui n'en a pas eu ? » Un sourire doux et las. Il me prend la main et la serre dans les siennes. Au bout de quelques minutes, je vois l'effort de plus en plus pénible qu'il fait pour parler. Je le laisse. Je me retire sur la pointe des pieds. Madame Friesz me reconduit. Je sens qu'il y a eu entre cet homme et cette femme un très profond, un très véritable, un très sincère sentiment.

Trois jours après, le 19 juin, j'apprends la nouvelle. Oncle Henri vient de mourir pendant le mariage civil de son petit-fils Eudes, le duc d'Angoulême, qui se déroulait à quelques kilomètres de Cherisy, à la mairie de Dreux. Il a voulu tenir jusqu'alors afin de ne pas retarder la cérémonie. Monique Friesz me raconte que plusieurs fois dans son délire il m'a appelé, avant d'entrer dans le coma. Quand j'apprends sa mort, je suis trop agité pour épiloguer sur ce personnage qui a tenu un rôle essentiel dans mon existence. Mais en dehors d'un certain désarroi, je suis troublé à l'idée que cette mort s'est accompagnée d'un manque de sérénité et de querelles familiales sordides.

Le jour de l'enterrement, précédés de motards et de gyrophares, nous partons en cortège à Dreux. On se retrouve à « l'Évêché » où pour la première fois je remarque qu'il y a sur les murs pas mal de mobilier de famille du meilleur aloi, copies de Winterhalter représentant nos ancêtres, pimpants et ravissants.

Le prince héritier d'Espagne, Felipe, arrive avec sa tante Pilar et un cortège de petits cousins Bourbon-Siciles qui débarquent d'un minibus couleur bordeaux, le prince Rainier de Monaco suivi d'Albert, mais il y a aussi « les autres », ceux de mes cousins Orléans qui jusqu'au bout ont lutté contre leur père. Malgré le brouhaha, la tension est forte. Il y a surtout, sourdant derrière les sourires, des disputes, des différends, des fossés qui au cours des ans se sont creusés. Cela tient encore le coup tant qu'il y a les étrangers, mais petit à petit tous partent par groupes vers la chapelle, et ne restent plus que les enfants Orléans, Marina et moi. Même les jeunes, les petits-enfants, sont partis. Nous nous tenons devant « l'Évêché » lorsque soudain Isabelle, peut-être enferrée dans sa souffrance, s'écrie : « Après tout, je m'en fous de Paï Conde » (le

« Père-Comte » ainsi que les paysans portugais appelaient oncle Henri). À ce moment même, une des vitres de la porte de l'Évêché sans aucune raison vole en éclats et nous entendons le verre retomber sur les marches du perron. « Il t'a entendue et il n'est pas content », commente une de ses sœurs. Nous allons en cortège dans le parc désert jusqu'à la chapelle. Les funérailles sont sobres et nobles. Il y a tous les enfants, tous les petits-enfants et même les arrière-petits-enfants d'oncle Henri, c'est-à-dire plus de cent cinquante membres de sa descendance. Il y a ni trop ni pas assez de royautés, par contre aucune personnalité d'importance du monde politique français, pas un représentant du président ou de qui que ce soit, à peine d'ambassadeurs, bref, la bouderie.

Nous descendons dans la crypte. Le long cortège d'hommes et de femmes tout en noir défile entre deux rangées de gisants de marbre blanc de nos ancêtres. Nous arrivons dans la salle où l'oncle Henri avait dessiné son tombeau. Nous nous serrons contre les parois en demi-cercle. Il règne dans la semi-obscurité une forte tension. Les assistants, c'est-à-dire tous les parents du défunt, éprouvent des sentiments très forts, très divers, très contradictoires dont je perçois l'intensité. J'ai pitié de tante Bébelle, la comtesse de Paris. Toute tassée, tâchant de rester très droite, forte et à la fois déchirée, elle reste sincèrement humaine.

Ces funérailles me laissent un malaise. J'ai la conviction que rien n'est réglé, que le défunt n'avait aucune sérénité en quittant ce monde, qu'il laisse un sillage de division, d'amertume, d'insatisfaction. Ses enfants sont profondément blessés. Oncle Henri s'est beaucoup dévoué pour moi, il m'aimait comme je l'aimais mais s'était plus tard conduit avec dureté vis-à-vis de moi. Une forte personnalité certes, secrète, introvertie. Cet homme incroyablement séduisant charmait tous et toutes au point de donner sa disponibilité, de déployer ses moyens même envers une gamine comme ma fille Alexandra qui, comme toutes ses nièces, restait béate devant lui mais il n'était en rien chaleureux. Il n'était pas dénué d'un certain panache.

Il avait aussi d'étranges aspects. Il aimait les fantômes comme moi, mais il faisait ce que je n'aurais jamais voulu faire. Il avait proféré des incantations dans les souterrains hantés de quelque château autrichien. Il avait été l'objet de manifestations violentes, incompréhensibles, qui avaient laissé des marques impressionnantes. Personnage éminemment complexe qui reste pour moi, qui l'ai si bien connu, l'être le plus énigmatique que j'ai fréquenté.

19

Les empires évoluent et moi aussi

Finalement, après plusieurs années, j'ai pu revenir en Grèce. Depuis le vote de la loi inique nous supprimant nos papiers d'identité et notre nationalité, j'en avais été empêché. J'avais eu le temps de ruminer mon amertume. J'étais à la fois si indigné, si déchiré que j'avais envisagé de ne plus jamais y remettre les pieds. Mais il y avait Marina qui, elle, ne peut pas vivre sans la Grèce. Elle ne renonçait pas. Une solution avait été trouvée pour que j'entre dans mon pays le plus discrètement possible, par la toute petite porte. Marina m'avait convaincu d'accepter.

En ce matin du 10 février 2005, un soleil éblouissant s'est levé tôt sur Athènes. Marina et moi allons dans le vieux quartier de Plaka en l'église byzantine de Saint-Nicolas, non loin des ruines de la bibliothèque d'Hadrien et de la tour des Vents. Le sanctuaire a été considérablement trafiqué au XIXe siècle mais il y demeure une atmosphère vieillotte, charmante, chaleureuse. Apparaît un grand pope blond, grisonnant, aux yeux bleus, la peau très pâle, les cheveux courts, tout à fait sympathique. Marina et moi sommes seuls devant le lutrin où est allumée une bougie. Il récite les bénédictions d'usage pour fêter notre quarantième anniversaire de mariage. La date exacte en était trois jours plus tôt, le lundi 7, et, comme quarante ans plus tôt, en ce 7 février il a neigé sur Athènes, ce que j'ai alors considéré comme un excellent augure.

Mais ce jour-là est aussi marqué par un événement important dans la carrière de Marina, l'inauguration de sa rétrospective au prestigieux musée Benaki. Ce même soir a lieu cette solennelle reconnaissance de l'œuvre de Marina accompagnée par la présentation de sa monographie. C'est un triomphe que Marina ressent à son habitude en restant discrète et parfaitement naturelle. Pas un instant elle ne se met en avant mais pourtant le rayonnement de sa personnalité autant que celui de son œuvre agissent comme un aimant.

Marina a commencé à travailler avant même que nous ne soyons fiancés. Ce sont donc plus de quarante ans de labeur continuel, de créativité intense, qui sont célébrés. Marina s'est constamment renouvelée, variant ses thèmes à l'infini, Bouddha, les draps blancs, les portraits, les cafés, la nature, la Grèce. Malgré leur diversité, ils ont tous en commun le mystère. Cette rétrospective, loin de l'inviter au repos, ne fait que l'encourager à travailler encore plus. Le succès de notre couple qui tient depuis si longtemps est dans le fait que j'admire profondément Marina et son travail. J'aimerais être une sorte de Barbe-Bleue qui enfermerait dans des placards non pas des cadavres de femmes mais les toiles de Marina, toutes les œuvres de Marina, pour être le seul à les posséder et à en profiter.

Marina est partagée entre sa vie d'artiste, sa vie familiale auxquelles elle tient plus que tout, et même sa vie sociale. Pourtant elle est beaucoup plus professionnelle que moi. Enfermée dans son atelier, elle peut y passer la nuit. Son travail, elle ne l'abandonne jamais, même occupée ailleurs, elle y pense sans cesse. « Le parcours de Marina, comme l'écrit Vincent Katz, depuis la petite fille qui dessine sur les murs de ses parents jusqu'à la vie complexe, excitante qu'elle vit de nos jours, ce périple est presque mythique dans sa cible. Je le ressens parce que Marina est sensible à la possibilité du mythe dans notre vie quotidienne. Elle y croit et parce qu'elle y croit, elle le trouve, ce mythe, pour elle, pour nous, ses amis, pour les admirateurs de son œuvre. Marina est une artiste remarquable qui a tracé une voie unique à travers les nombreuses techniques qu'elle a utilisées. » À quoi l'artiste elle-même ajoute : « Mon inspiration vient du fait de ne rien définir vraiment et de créer ma propre image à partir de ce que je vois. Je ne veux pas savoir clairement ce que je vois. Je veux être capable de rêver à cette clarté. Je possède les éléments et avec eux je veux créer ma propre clarté. Cela peut être à propos du moment actuel ou pas. Êtes-vous vraiment en train de regarder la réalité ? Êtes-vous en train de la regarder dans un rêve ? Est-ce quelque chose qui va survenir ? Est-ce quelque chose qui est survenu ? »

Le travail de Marina fait entrer dans la maison ceux que j'appelle ses « pages », c'est-à-dire des jeunes peintres qui l'assistent et l'accompagnent dans ses créations, surtout Cyril et Jean. Ce sont des artistes à la fleur de l'âge, chacun doté d'un talent prometteur, chacun armé d'une culture profonde et variée, chacun auréolé d'intelligence et de cœur, qui sont devenus des amis proches et qui mettent autour de nous l'entrain de leur jeunesse. Que d'heures divertissantes j'ai passées à déjeuner avec eux à la table de la cuisine. Ils possèdent tous deux une vertu qui compte singulièrement pour moi, ils savent me faire rire. Ils font beaucoup pour Marina, pour moi aussi car à l'occasion ils m'aident également dans mes tâches. Plus que leur professeur des Beaux-Arts, Marina est pour eux un enseignement constant, une expérience inédite. Ils lui offrent leur talent, elle leur donne son expérience, le fruit de ses longues années de travail. Marina comme moi d'ailleurs plongés dans leur œuvre, nous suivons leur évolution, leur carrière avec intérêt.

Depuis la tragédie d'Eliza, nous songeons à créer une œuvre en souvenir d'elle. Le pays est tout trouvé, ce sera le nôtre, la Grèce, et le domaine lui aussi s'impose. Depuis la tragédie d'Eliza, le drame des enfants maltraités n'a cessé de nous préoccuper. Ce sera donc l'objet de notre fondation. Ainsi la frustration que j'avais éprouvée de ne pouvoir écrire un livre sur Eliza trouvait une issue, une compensation. Nous fondons une association, évidemment nous lui donnons le nom de la petite victime restée dans notre cœur, « Eliza ».

Nous avons d'abord constitué un comité d'amis, des avocats, des directeurs d'œuvres caritatives. Ces hommes, ces femmes se dévouent à « Eliza » avec une abnégation, une générosité, un enthousiasme qui nous vont droit au cœur. Plus tard, se sont joints à nous des jeunes femmes qui ont formé une équipe d'un extraordinaire professionnalisme et d'une dévotion sans limites à la cause. Dans nos balbutiements, nous nous sommes associés avec une œuvre de charité majeure pour comprendre le système. Puis, nous nous sommes aperçus que le plus pressé était d'aider les gens à prendre conscience de ce fléau. Lorsque nous avions débuté et que nous avions parlé de ce projet autour de nous, tout le monde nous avait dit : « Comme vous avez raison, mais en Grèce, il n'y a pas d'enfants maltraités. » Aujourd'hui une statistique nous révèle que cinq enfants sur dix y sont maltraités.

Nous avons donc réuni des professionnels souvent venus de l'étranger pour instruire les membres de chacune des professions concernées. J'ai assisté à une de ces séances. C'était la première fois que je pénétrais dans le vaste bâtiment de la police d'Athènes. Dans une salle de conférences, il y avait là deux cents jeunes policiers. Ils ont écouté les conférences de nos spécialistes, pédagogues, avocats, psychanalystes, avec un intérêt dont je ne les aurais jamais crus capables, silencieux comme mesmérisés, les yeux rivés sur ces professionnels qui leur faisaient découvrir une réalité. Ils participaient vraiment. Toutes les questions qu'ils ont posées ensuite témoignaient d'une profonde compréhension et d'un désir d'apprendre.

La Grèce où je reviens après tant d'années a changé, au point que j'ai l'impression de débarquer sur une autre planète. Au début, je me suis senti en dehors du coup mais « Eliza » nous fait pénétrer dans la Grèce contemporaine. Grâce à cette œuvre, nous rencontrons des médecins, des experts, des avocats, des bienfaiteurs et quantité d'autres personnalités que nous n'aurions jamais connues autrement. Nos activités nous mettent aussi en contact avec des réalités que nous ne soupçonnions pas.

Décidés à venir vivre une partie de l'année à Athènes, nous acquérons un pied-à-terre au dernier étage d'un immeuble dans la vieille ville d'où nous pouvons voir nuit et jour l'Acropole. Bien que piétiné quotidiennement par des milliers de touristes, le monument garde toute son âme. Contempler chaque matin au réveil ou chaque soir le Parthénon est un privilège comme de se promener à 7 heures du matin sur notre terrasse fleurie avec le ciel bleu et rose au-dessus de nous. Notre logement est petit mais je m'y attache. Que ferions-nous cependant sans Thanasis ? Thanasis est un chauffeur de taxi athénien. Comme il le dit lui-même la première fois que nous avons utilisé sa voiture, il connaît toute l'ancienne société grecque, c'est-à-dire les grandes familles d'autrefois qu'il transporte. Il est une mine intarissable d'informations sur chacun de ces personnages, agrémentant ses récits de commentaires appropriés et de remarques comiques. Thanasis a aussi un jugement étonnamment perspicace sur la situation actuelle. C'est même un des seuls en qui j'ai confiance à ce propos. Il possède le bon sens inébranlable du peuple grec. En même temps, il me fait rire avec ses réflexions. Mais surtout, il a la solution à tout. On peut lui demander n'importe quel service, il le rend. C'est l'homme le plus débrouillard que je connaisse, aidé en cela par un toupet que rien n'arrête. Je lui demande souvent conseil car ses avis sont toujours étonnamment perspicaces.

Nos activités nouvelles nous lient donc à la Grèce comme je l'avais été dans ma jeunesse. Je retrouve l'enthousiasme, l'amour pour la Grèce de mes vingt ans. Je retrouve la joie intense de revenir dans mon pays, d'y passer du temps. Les ennuis de la monarchie, la dictature, la politique, les affaires de succession de ma belle-famille m'avaient fait prendre en grippe ces séjours athéniens. Or, voilà qu'après tant d'années ce bonheur, cette innocence, cette découverte chaque fois sont revenus. Désormais, dès que l'avion atterrit à Athènes, j'éprouve cette exaltation.

Une des raisons qui me font aimer de nouveau la Grèce à la folie est que je reprends les explorations de ma jeunesse. Ces explorations ont un nom : Fivos Tsaravopoulos. Ce jeune Grec, fils d'archéologues, a inventé une profession passionnante. Il retrouve sur les îles, dans les provinces, les sentiers séculaires, parfois millénaires, qu'ont pavés les paysans d'autrefois pour aller de leur village à leurs champs, à une baie, à une église. Ces sentiers traversent des paysages somptueux et conduisent à des lieux de profond intérêt ou d'un charme certain. Fivos les restaure, les signalise et les ouvre aux visiteurs. Un tourisme qui, désormais, échappe à une seule saison, un tourisme de toute l'année qui fait de plus en plus d'adeptes. Aussi connaît-il la Grèce comme personne, chaque pierre, chaque arbre mais aussi chaque plante, chaque animal. Cette connaissance est fondée sur cet amour exclusif que peuvent avoir les Grecs pour leur pays.

Il me fait découvrir Cythère et aussi son bizarre satellite, la petite île d'Anticythère située entre le Péloponnèse et la Crète. En ce matin de septembre, nous entrons dans le minuscule port. Nous montons en haut de la colline jusqu'à l'unique hôtel de l'île. Rien n'est prêt, ni les chambres, ni les lits. Et là, pour nous recevoir, un Bulgare squelettique, édenté, esclave du propriétaire, un abominable brigand qui le bat.

Le vent est violent, la mer est presque blanche d'écume. Je n'arrive pratiquement pas à me tenir debout sur la terrasse de l'hôtel. Je comprends tout de suite qu'Anticythère est un lieu où la paroi entre le visible et l'invisible est fort mince. Nous restons au moins cinq heures en ce haut lieu de l'Antiquité qu'est le kastro d'Anticythère. Je visite les maisons d'un village en ruines dont les murs sont bâtis avec des pierres arrachées à des constructions antiques. Puis, sautant la muraille du ve siècle avant Jésus-Christ, je m'installe sur de vieux moellons en face des îlots de Thimonies. Ils sont quatre qui sortent brusquement de la mer, assiégés par les vagues et les flots démontés. Ils sont agressifs, impressionnants, ils parlent d'un monde terrifiant. C'est là qu'au début du xxe siècle s'était ancré un navire de pêcheurs d'éponges. Les plongeurs sans craindre les eaux tumultueuses avaient commencé leur travail. Un jour, l'un d'eux était remonté hagard, bégayant, répétant « les morts verts », « les morts verts », « les morts verts ». Ses compagnons avaient tâché de lui faire expliquer ce qu'il avait vu. Il déclara avoir trouvé au fond de la mer des cadavres couchés sur le sable et de couleur verte. Il avait eu si peur qu'il était remonté à la hâte. Les plongeurs voulurent en avoir le cœur net, ils descendirent et trouvèrent en effet les morts verts. C'étaient des statues de bronze oxydées. Les archéologues furent alertés, ils accoururent d'Athènes. Des fouilles sous-marines furent organisées. On découvrit qu'un navire romain avait coulé là. Il était surchargé de statues de bronze ou de marbre, d'amphores et de multiples objets. Parmi ceux qu'on remonta se trouvait un petit amas de morceaux de bronze tellement déformé qu'il était impossible de l'identifier. On le mit dans les réserves du musée d'Athènes et on l'oublia pendant des décennies. Un jour, un archéologue le dénicha couvert de poussière. Il prit l'objet, l'examina et fut intrigué. Il l'analysa, tâcha de remettre les pièces de bronze dans leur état et de reconstituer l'ensemble. C'est ainsi qu'il fit apparaître une machine inédite et incompréhensible pour l'époque qui stupéfia les archéologues car elle prouvait des connaissances immenses insoupçonnées jusqu'alors. En fait, pour résumer, cette machine longtemps oubliée devenue un des trésors du musée d'Athènes est tout simplement l'ancêtre de nos ordinateurs.

C'est avec Fivos aussi que j'ai arpenté le centre de la Grèce, c'est-à-dire une bande qui s'étend depuis la frontière albanaise jusqu'au golfe de Corinthe et où personne ne vient, les visiteurs, les touristes envahissant les côtes est et ouest mais jamais le centre, où d'immenses forêts naturelles descendent le long de montagnes escarpées jusqu'à des vallées secrètes où grondent d'impétueux cours d'eau. Pas un village, quelques rares routes de terre et la nature, la végétation dans toute sa splendeur. La Grèce est un petit pays mais il est fabriqué d'une telle façon qu'il est une boîte à surprises. Une île en cache toujours une autre, une montagne abrite derrière elle une vallée inconnue et même si on a passé une vie à parcourir la Grèce, il y a éternellement de l'inédit, des trésors inconnus qui ne demandent qu'à être découverts. La Grèce est un monde en soi dont on ne se lasse pas et dont on ne parvient jamais au bout.

Ma fille Alexandra avec son mari et ses deux fils, vivant à New York, c'est pour moi l'occasion de retrouver régulièrement cette ville. Je reprends mes habitudes de longues marches dans les avenues et les rues. Comme toujours, New York, c'est le carnaval. Uptown, ce sont les messieurs en costume sombre et cravate et les dames embijoutées, downtown, c'est une espèce de happening continuel, des travestis, des filles interminables de longueur, des mendiants, des vieillards sortis de Goya, des jeunes filles et des jeunes garçons étonnants de beauté, des tenues insensées, des coiffures inimaginables. Tantôt les gens sont aux trois quarts nus, tantôt couverts d'oripeaux bariolés avec des dorures partout. C'est vraiment la Babylone des temps modernes, toutes les langues, toutes les nationalités, et tout ça avec le plus grand naturel. Le spectacle de la rue est pour moi un divertissement inépuisable. La merveille de l'Amérique, c'est la fidélité et la chaleur de l'amitié des indigènes. On les revoit après dix ans comme si on les avait quittés la veille, ils savent vous manifester qu'ils vous aiment et qu'ils vous apprécient.

C'est à Moscou que vivent Olga et Aimone avec leurs trois enfants. Aimone aime nous faire faire un tour de la ville. De plus en plus, cette capitale me fascine par sa beauté. Il y a bien entendu des palais rococos XIXe mais aussi des splendeurs Art nouveau d'avant la révolution d'une qualité inimaginable, des allées rectilignes interminables mais aussi des ruelles, des vieux quartiers, partout les bulbes dorés surgissent d'entre les bâtiments. Je n'en reviens pas de me sentir tellement à l'aise, paisible, heureux dans cette ville où pourtant la crise sévit. Jamais je n'ai vu une capitale donner tellement l'impression d'un empire. Il n'en était pas ainsi du temps des Soviets ou peu après leur chute. Depuis, les armoiries impériales, les aigles à deux têtes couronnés d'or se sont multipliés partout. Ils sont beaucoup plus nombreux même que du temps des tsars. Et le Kremlin que je contemple des fenêtres d'Olga est le plus ancien lieu de pouvoir. C'est le centre de l'empire depuis cinq siècles ininterrompus.

Quand sera publié ce livre, j'aurais atteint mes quatre-vingts ans. L'âge ? La vieillesse ? À vrai dire, je ne sais pas très bien de quoi il s'agit. Cela a commencé lorsque mes contemporains ont répété les mots : retraite, retraité. Ce me semblait quelque chose de formidablement ennuyeux, décevant et en tout cas impensable. Alors, l'âge et la vieillesse, bien sûr, lorsque je regarde mon miroir, je constate des changements point trop flatteurs. Lorsque je mesure mes forces, là aussi j'enregistre une évolution plutôt décourageante mais que sont ces détails à côté du cœur, de l'esprit, lorsqu'ils gardent toute leur jeunesse. J'ai connu des vieux de dix-huit ans et des jeunes de quatre-vingts. J'espère faire partie de cette dernière classe. J'ai conservé de ma jeunesse la notion d'ennui, alors qu'à une époque où la civilisation s'estompe, cette notion se dilue, se perd, s'oublie. Plus personne n'avoue s'ennuyer, plus personne ne trouve autrui ennuyeux. Du coup, tout le monde devient ennuyeux. L'ennui ne m'atteint jamais mais les gens ennuyeux m'effleurent que je renifle à distance et que je fuis comme la peste. Conséquence, j'aime rire et je suis d'une indulgence totalement partiale envers ceux qui me font rire. Heureusement je trouve de merveilleux complices, hommes, femmes de tous les âges. Il est des êtres envers lesquels mes sentiments avancent unilatéralement vers le haut, ils s'intensifient chaque jour. Ces êtres composent la famille que j'ai créée, ma femme, mes enfants, mes petits-enfants. Cette famille, non seulement je la chéris mais j'en suis fier. Cette famille, je la considère ma plus belle réussite.

Dans ma vie, j'ai eu la chance de fréquenter nombre de personnages passionnants avec qui j'ai tant aimé dialoguer, de qui j'ai tant aimé apprendre mais nulle compagnie ne m'a jamais semblé aussi enchanteresse, aussi instructive, aussi stimulante, aussi envoûtante que celle de mes cinq petits-enfants, Tigran, Darius, Umberto, Amedeo, Isabella. Ils s'étagent de dix-huit à six ans, ils ont des personnalités très diverses mais ils ont en commun l'intelligence et le charme irrésistible. Ils m'amusent, ils me surprennent, ils me font réfléchir, ils m'attendrissent et toujours ils me distraient. Chaque fois je me laisse prendre par eux comme au plus délicieux des pièges dont j'ai aucune envie d'être délivré. Avec chacun, même les plus jeunes, nous avons des dialogues extraordinaires, enrichissants. L'énergie positive qu'émettent les enfants, ces enfants, est la plus forte que j'aie jamais ressentie. Jamais je n'aurais imaginé que je serais à ce point pris par eux. Leur présence rajeunissante m'accompagne dans la dernière étape de ma vie.

Ma liberté est ce que je continue de chérir le plus, d'entretenir le mieux, de défendre le plus vigoureusement. Elle m'a parfois coûté et je ne le regrette pas. Malgré les difficultés grandissantes, je continue de cultiver l'anticonformisme dans une époque où le conformisme et l'intolérance gagnent chaque jour du terrain. Anticonformisme et liberté s'accompagnent tout naturellement d'une grande discipline et de principes solidement établis. Ma passion pour l'art sous toutes ses formes, pour la musique sont aussi vifs qu'autrefois. Je continue de découvrir des pays, des œuvres qui me transportent de bonheur. À ceci près qu'ayant emmagasiné tant de souvenirs, tant d'images, tant de connaissances qui m'ont procuré tant de joies, j'aimerais laisser ce lumineux héritage. C'est cette envie qui a guidé l'écriture de cet ouvrage.

Mon goût, mon désir, mon attirance pour les voyages restent intacts. Cependant, désormais, il y a Patmos. La première fois que nous sommes venus en l'île il y a plus de vingt ans, nous avions acheté une ruine. Eftalia nous l'avait prédit : « C'est la première fois que vous venez ici. Jamais plus vous ne quitterez Patmos. » Et pourtant, la ruine, nous l'avons laissée dormir pendant des années. Un jour, c'était à l'époque où je ne pouvais pas rentrer en Grèce, Marina se décida à y construire une maison malgré mon opposition. Je ne voulais plus entendre parler de la Grèce. J'étais contre Patmos et contre ces dépenses jugées inutiles. J'avais refusé de m'y intéresser. Puis avaient commencé à apparaître des photos en réalité bien alléchantes. J'avais pu revenir en Grèce. Ma première visite avait été pour Patmos. Les photos qui m'avaient attiré étaient devenues réalité. Nous longeons le mur blanc, poussons la porte bleue, nous entrons, instantanément je sais que Marina a eu raison et qu'elle a réussi un chef-d'œuvre. Cette maison est toute d'espace, alors que je la croyais minuscule, toute d'air, on respire à grandes brassées, toute de lumière, avec cette vue immense sur la mer, sur les îles lointaines, sur les collines pelées. Elle est toute de pureté, et à l'intérieur on y jouit d'un confort inouï pour Patmos. Quelque part, ces cubes blancs, ces patios, ces terrasses comblent mon rêve d'une demeure orientale, et en même temps ce petit palais fiché sur sa hauteur dominant de très haut ce paysage infini satisfait mes goûts pour un « *Schloss* » façon nid d'aigle. Je découvre cette maison comme les Orientaux soulèvent le voile de leur fiancée qu'ils n'ont jamais vue avant leur mariage. À la seconde, je sens que ce mariage sera réussi. Cette maison, ce lieu ne se laissent pas découvrir en un jour. Il me faut du temps pour m'en imprégner. Depuis, je m'y sens chaque fois plus attiré, plus heureux, plus désireux d'y séjourner longuement. C'est le havre ensoleillé, la retraite accueillante, la splendide tour d'ivoire dont j'avais rêvé toute ma vie et que Marina m'a offerte en m'en donnant les clefs le jour de mon anniversaire.

Patmos, c'est le contact direct avec la nature, le mariage avec les éléments, le vent, la mer, la lumière. C'est l'isolement bienvenu au milieu de mes livres. J'en ai apporté des milliers. C'est la possibilité de réfléchir, de travailler en paix. Certes, c'est un repli sur moi-même mais c'est aussi un enrichissement constant. De ma terrasse, je ne me lasse jamais de contempler le paysage immense de mer, de collines rocheuses, d'îles lointaines. Un spectacle que les variations du temps et des saisons modifient constamment, lui donnant les aspects les plus inattendus, les plus divers, les plus splendides. « L'aurore aux doigts de rose » est chaque jour une promesse tenue. Les nuits de novembre, les orages secs qui éclatent dans toutes les directions illuminent le paysage. Il y a, à Patmos, une intensité, une énergie, une inspiration dont je profite pleinement.

Mais Patmos, c'est aussi Maria. Je lui ai donné le titre de « *camarera mayor* » que portait dans les siècles passés la grande maîtresse de la Cour de la reine d'Espagne, toujours une duchesse. Et duchesse, elle pourrait l'être, Maria. À Patmos, elle s'occupe de notre maison et surtout y cuisine des chefs-d'œuvre, considérée la meilleure cuisinière de tout le Dodécanèse. Elle est fort jalouse de son travail, ne laisse personne aux casseroles, sauf mon gendre Aimone, roi de la pasta et du risotto. C'est la femme la mieux informée de l'île car tous les matins les dames de son âge s'arrêtent devant notre porte pour bavarder et surtout cancaner. Aussi, à 10 heures du matin, lorsque je prends mon café grec, j'ai un rapport complet sur les moines du monastère, la société internationale et les villageois de Patmos, Maria s'attardant surtout sur les turpitudes de chacune de ces catégories. C'est aussi une femme d'une profondeur extraordinaire, d'un jugement infaillible avec qui j'aime en particulier discuter de théologie. Maria a la garde et l'entretien de la chapelle voisine de notre maison, celle de la Transfiguration. Elle m'en laisse la clef. Je l'utilise quotidiennement pour entrer dans ce sanctuaire que nul ne fréquente jamais, sauf le jour de la fête de la Transfiguration. Je pénètre ainsi dans ce que j'ai surnommé mon oratoire quand la lumière du petit matin entre à flots horizontaux par les fenêtres. Dans les lanternes d'argent ancien, les veilleuses brûlent. J'allume des bougies de cire parfumées, je mets de l'encens dans les encensoirs de métal. Je m'installe dans les stalles de vieux bois assombries par les siècles. Je regarde les grandes icônes, celles du Christ et de la Vierge du XVe siècle. Et je reste de longs quarts d'heure dans la sérénité totale, la paix, la stimulation de l'esprit. Je réfléchis, je prie, je demande, j'écoute. Lorsque je reviens de l'oratoire, Maria qui me guette me demande quelle était l'expression du Christ sur la grande icône à fond or. Est-il satisfait ? Est-il mécontent ? Lui reproche-t-il quelque chose ? Je lui réponds de mon mieux.

C'est dans l'oratoire qu'il m'arrive de songer à ce qu'on appelle la mort. J'ai horreur de ce nom, sinistre, terrifiant, négatif. Pour moi, l'arrêt de la vie d'un corps ne signifie pas la fin mais au contraire le passage d'un état à un autre. Le principal, c'est de tout faire dans l'état présent pour atteindre un état suivant qui soit encore plus avantageux. Deux certitudes me soutiennent. Ce qu'on aime et ce qu'on crée dans cette vie ne se perd pas lors du passage mais se retrouve sous une forme ou une autre dans la vie suivante. Enfin, il est possible de choisir le moment de son passage et j'espère que ce privilège me sera accordé. J'ai assisté à la fin d'un monde et je me sens prêt à en découvrir un nouveau, inconnu mais sûrement tout aussi palpitant.

Dieu m'a donné la vie mais surtout il m'a donné l'amour de la vie. La Providence a fait que des êtres merveilleux me donnent leur amour mais elle me fait un cadeau encore plus grand en me donnant des êtres merveilleux à aimer. Dans ces conditions, mon passé ne m'intéresse pas. Seuls m'occupent le présent et l'avenir.

Remerciements

Marina, Manuel Carcassonne, Olivier Orban, Guillaume de Lestrange, Odile de Crépy

Table

Cet ouvrage a été composé
par PCA
et achevé d'imprimer en France
par CPI
pour le compte des Éditions Stock
21, rue du Montparnasse, 75006 Paris
en décembre 2018

Stock s'engage pour l'environnement en réduisant l'empreinte carbone de ses livres. Celle de cet exemplaire est de :
550 g éq. CO_2
Rendez-vous sur www.editions-stock-durable.fr

Imprimé en France

Dépôt légal : janvier 2019
N° d'édition : 01 - N° d'impression : 3031201
68-07-7126/8